JN099339

新版 歴史の終わり（下）

THE END OF HISTORY AND THE LAST MAN

スタンフォード大学シニアフェロー
フランシス・フクヤマ

上智大学名誉教授
渡部昇一 訳・解説

東京大学名誉教授
佐々木毅 新版解説

三笠書房

THE END OF HISTORY AND THE LAST MAN

by Francis Fukuyama

新版 歴史の終わり【下】

もくじ

第三部

歴史を前進させるエネルギー（承前）
——「承認」を求める闘争と「優越願望」

第四部

脱歴史世界と歴史世界

——自由主義経済成功に絶対不可欠な「非合理な〝気概〟」

5 「権力」と「正統性」との力関係 130

6 国家主義（ナショナリズム）と国益の経済学 149

第五部 「歴史の終わり」の後の新しい歴史の始まり
――二十一世紀へ「最後の人間」の未来

2 歴史の終わりに登場する「最後の人間」 198

3 民主主義社会における「優越願望」のはけ口 218

4 自由主義国家が生み出した「リバイアサン(大怪物)」 231

5 「歴史の終点」には何があるのか 239

新版 歴史の終わり【上】

もくじ

本文ＤＴＰ／株式会社ＳｕｎＦｕｅｒｚａ
翻訳協力／バベルトランスメディアセンター株式会社

第三部

歴史を前進させるエネルギー

――「承認」を求める闘争と「優越願望」

4 「赤い頬」をした野獣——「革命的情勢」はいかにして生まれたのか

だがもし、奴隷の二百五十年にわたる報いられぬ苦役によって蓄積された富が消え失せるまで、また鞭によって流された血の一滴一滴が剣による流血で償われるまでこの戦争の続くことが神の意志であるのなら、三千年前に言われたように、いまなおこう言わねばならない。
「主の裁きは真実にしてことごとく正しい」と。

リンカーン、第二回大統領就任演説、一八六五年三月(1)

プラトンの『国家』やハベルの青果商の話に見られるように、「気概」は正義感のような生来の人間らしい感覚を引き起こし、同時にそれ自体が無私、理想主義、道徳性、自己犠牲、勇気、名誉など、あらゆる気高い美徳の精神的土台となっている。「気概」は、どんな評価や値踏みの際にも万能の精神的支柱をもたらしてくれるし、「気概」のおかげで人は自然の手ごわい本能を克服し、正義あるいは公正だと信じるものを求めていけるようになる。

人々はまず最初に自分自身を評価してそこに価値を与え、自分自身のために憤りを感じる。だが同時に、人は他人にも価値をおき、他人のために怒りを感じることもできる。ある個人が不当な扱いを受けていると自認しているような階層の一員である場合、たとえば全女性を代表するフェミニストとか、自分の人種グループを代表する民族主義者である場合、こういうことはもっとも頻繁に起きる。自分自身のための憤りは、かくしてその階層全体に広がり連帯感を生み出していく。さらには、自分の属していない階層のために怒りを感じるケースもある。

アメリカ南北戦争以前に、白人の急進的奴隷制廃止論者たちが奴隷制に対して抱いていた義憤や、世界じゅうの人々が南アフリカのアパルトヘイト制度に対して感じた憤りは、どちらも「気概」のあらわれである。こういう場合の憤りは、憤りを感じる本人からすれば、人間として与えられて当然だと思われる価値が人種差別の犠牲者には与えられていないために生じる。つまり、人種差別の犠牲者が他者から認められていないために生じるのである。

「気概」は、正義や無私無欲の精神的土台でありながら、一方では利己心と密接にかかわっているため、そこから生じる承認への欲望はきわめて逆説的な現象となる。気概に満ちた人は、自分と他人の両方に対しての当人の価値観が認められることを求める。承認への欲望はあくまでも自己主張、つまり外界への自分自身の価値の投影という形をとるので、そうした価値が他人に認められない場合に怒りという感情が生じるのだ。

ある「気概」に満ちた人の正義感が、他の人々の正義感と必ず合致するという保証はどこにもない。たとえば、黒人の尊厳についての評価が異なっているため、反アパルトヘイト活動家にとっての正義と親アパルトヘイトのアフリカーナー（オランダ系白人）の正義とは正反対のものとなる。事実、「気概」に満ちた人は、通例まず自分自身の評価からはじめるので、そこに過大評価の起こる可能性は高い。ロックがいうように、自分自身の裁きにおいては誰も立派な裁判官ではあり得ないのだ。

「気概」には自己主張の性質があるため、「気概」と欲望とはよく混同されてしまう。だが、「気概」から生まれる自己主張と欲望から起きる利己心とはまったく別個の現象なのである。(2)

ある自動車工場での労使間の賃金争議を例に挙げてみよう。意志の力というものを欲望と理性だけに還元するようなホッブズ流心理学の流れをくむ現代の政治学者ならば、このような争議を「利益集団間の争い」、つまり、経営者の欲望と労働者の欲望とのあいだの、より大きな「経済的パイ」の分取り合戦と解釈するだろう。こうした政治学者の主張によれば、理性のおかげで労使双方は自分の側の経済的利益を最大にし、ストライキの場合には自分の側の犠牲を最小限に抑えるような交渉戦略をとり、やがては互いの力関係によって妥協にいたるということになる。

だが、じつのところ、これは労使双方の内部で進行する心理的プロセスをかなり単純化させた議論である。ハベルの青果商が「私は恐い」という標語を掲げたがらなかったように、ストライキ中の労働者も「おれは貪欲な人間だから、経営者から絞り取れるだけの金がほしい」などと書いたプラカードをかざしたりはしない。むしろストライキ参加者はこう語る（そして自分でもそう思い込む）のである。「私は善良な労働者です。経営者にとって私は、いまもらっている賃金よりはるかに価値のある人間です。正直な話、私が会社に儲けさせてやっている利益だとか、ほかの業種で同様の仕事に支払われる給料のことだとかを考えれば、私の賃金は不当に低く抑えられています。いや、まったく私なんぞは……」

そしてこの労働者は延々と、自分が牛か馬だとでもいわんばかりに、人間としての尊厳が踏みにじられている実態を訴えていくにちがいない。

ところでこの労働者は、まさに例の青果商のように、自分にはなんらかの価値があると信じている。ローンの支払いや、子供の食費のために賃上げを要求するのはいうまでもないが、同時に彼は自分の価値の証としてそれを求めるのだ。

労働争議で生じる怒りは、純然たる賃金水準の問題とはほとんど無関係で、むしろ経営者からの賃金提示額が労働者の尊厳を十分に「承認」したものになっていないために、そのような怒りが生まれるのである。ストライキ参加者が、経営陣自体よりもスト破りに対して、はるかに激しい怒りを燃やす理由もここにある。たとえスト破りが経営側の走狗にすぎないとしても、彼は目先の経済的利益にとらわれて、自分の尊厳を失った卑屈な人間として軽蔑される。ストライキ参加者とは違って、スト破りにとっては欲望が「気概」を凌駕しているのである。

最貧国と最富裕国だけが安定する構造

われわれは経済面での私利追求主義についてては進んで理解しようとするが、それが「気概」にあふれた自己主張と密接に結びついているという点は無視しがちである。賃金が上がれば、魂のなかの欲望の部分にある物質欲はもとより、気概の部分にある承認への欲望をも満たすことになるのだ。

政治の世界では、経済的要求がたんなる分取り主義の形であらわれるのはまれである。経済的要求は、いわゆる「経済的正義」という言葉で表現される。経済的要求をその当人にかかわる正義のための要求のごとくに言いつくろうのは、ずいぶん人を馬鹿にしたような話にも思える。これはしばしば、意識するとしないとにかかわらず、金をめぐる争いのなかで最終的には自分たちの尊厳が危機にさらされるのではないか、と考える側の人々の「気概」から生じる怒りの強さをリアルに反映しているのである。

実際のところ、一般に経済的な意欲として解釈されているものはおおむね、煎じつめれば「気概」から生まれた承認への欲望なのだ。政治経済学の父アダム・スミスはその点を十分承知していた。『道徳情操論』のなかでスミスは、人間が富を求め貧困を嫌う理由は、物質的な欠乏とはほとんど関係がないと述べている。なぜなら「もっとも卑しい労働の賃金」でも「衣食住や家族の慰安」など当然の必要はまかなえるし、貧しい人々でさえその収入の大部分は、厳密にいえば「ぜいたくとみなし得る便益」に使われているためである。それでは、人間はなぜ経済生活での苦役や重労働を買って出てまで「境遇の改善」をはかろうとするのか？　その答えはこうである。

　共感と満足と賛同の念をもって観察され、注視され、耳目を集めること、それがわれわれの引き出し得る優位性のすべてである。われわれの興味を引くのは、安らぎや快楽ではなく虚栄である。しかし、虚栄はつねに自分が注目と賛同の対象であるという信念のうえに築かれる。裕福な人間が自分の財産を誇りに思うのは、当然その財産によって世間の注目が彼に集まることを知っているからであり、また、世間の誰もが自分の立派な生き方に全面的に賛同してくれることで、自分がますますいい気分になれることを知っているからである。……これに対して貧しい人間は、自分の貧困を恥じている。彼は、貧困によって自分が世間から忘れられてしまうと感じ、あるいは、仮に世間から注目されたところで、自分の被っている惨めさや不幸に対して仲間意識をもって同情してもらえるのは見込み薄だということを感じているのである。[3]

　貧困があまりにひどければ、自然な要求を満たすための経済活動がおこなわれる場合もある。一九八〇年代に旱魃（かんばつ）に見舞われたアフリカのサハラ砂漠周縁地帯などはその例だ。しかし、世界のその他ほとんどの地域にとって貧困と欠乏は、富の象徴としての金銭の役割から生じる絶対的な概念ではなく、むしろ相対的なものなのである。[4]

アメリカ合衆国の公式の「貧困ライン」は、第三世界の国々の恵まれた人々の生活水準よりもずっと高い。それはなにもアメリカの貧乏人がアフリカや西アジアの金持ちよりも満たされているという意味ではない。なぜなら彼らは、毎日のように、自分たちの存在価値を傷つけられているからだ。かつてのアメリカの支配者が「イギリスの日雇い労働者よりもひどいものを食べ、粗末な家に住み、みすぼらしい服をまとう」というロックの言葉は「気概」を無視しており、したがって完全に的はずれな指摘である。アメリカの支配者は、イギリスの日雇い労働者がまったく持ち合わせていない尊厳、つまり自由や自己充足や、周囲の社会から尊敬され認められていることから生まれる尊厳を手にしている。日雇い労働者のほうは、もっとまともな食事をしているにせよ、完全に雇用者にすがって生きており、雇用者の目には人間とは映らない存在なのである。

一般的に経済意欲と考えられているもののなかにある「気概」の要素を理解できなければ、政治や歴史の変動を解釈する際に大きなミスを犯すことになる。たとえば、革命が貧困や欠乏によって引き起こされると主張したり、そうした貧困や欠乏が深まればそれだけ革命の可能性も大きくなると考えたりするのはよくある話だ。

だが、フランス革命についてのトクビルの有名な研究は、事態がまったく逆であったことを示している。つまり革命前の三十年ないし四十年のあいだに、フランスは前例のないほどの経済成長を経験し、それとあいまって君主制に対しても、善意からではあれ場当たり的な一連の自由主義的改革がおこなわれた。革命前夜のフランスの農民は、中産階級としてシレジアあるいは東プロシアの農民よりはるかに裕福で自由な生活を送っていた。にもかかわらず彼らが革命の火つけ役となったのは、十八世紀末近くになって起きた政治の世界での自由主義化によって、自分たちの相対的な窮乏状態をプロシアのどんな

農民よりも敏感に感じ取り、それに対する怒りを燃やしたためである。(5)

現代の世界では最貧国と最富裕国だけが安定する傾向にある。経済近代化の途上にある国は、経済成長そのものが新たな期待や要求をかきたてるので、政治的にはもっとも不安定だ。人々は自分たちのおかれた境遇を、その国のかつての社会状態とではなく裕福な国とひきくらべ、その結果として、ますます怒りの念を強くする。よくいわれる「革命への機運の高まり」というのは、欲望から生じると同時に人々の「気概」ともきわめて関係の深い現象なのである。(6)

一本のソーセージと引き換えに売り渡される自由

「気概」が欲望と混同されてきた実例はほかにもある。

アメリカ南北戦争の解明を試みる歴史家は、この戦争が総人口三千百万人のうち六十万人もの死者、つまり人口のほぼ二パーセントにあたる死者を出したにもかかわらず、なぜアメリカ人がそのような戦争の惨禍に潔く耐えていたのかという理由を明らかにしなければならない。経済的要因にばかり目を向ける二十世紀の歴史家の多くはこの戦争を工業化をとげつつある北部の資本家と伝統的な南部の大農園経営者の抗争として解釈しようとしてきた。だが、こういうたぐいの解釈にはどこか満たされないものがある。そもそもこの戦争は、おもに非経済的な旗印――つまり北部にとっては連邦の存続という目的、南部にとってはみずから「特有の制度」およびその制度にもとづいた生活様式の維持という目的――のもとで戦われた。

とはいえ、そこにはさらに深い対立点があり、後世の多くの歴史家より賢明であったリンカーンは

「誰もが知ってのとおり」奴隷制度が「この戦いのなんらかの原因」だったと述べて、そのことを指摘したのである。

北部人の多数はもちろん奴隷解放に反対し、妥協による早期停戦を望んでいた。しかしリンカーンは最後まで戦争を遂行しようと考えていたし、その決意は、たとえこの戦争が「奴隷の二百五十年にわたる報いられぬ苦役」の果実を使いつくそうとも戦争が継続されることを喜んで見守る、と述べた彼の厳しい訓戒の言葉からも明らかだ。そしてこの決意は、経済的な解釈だけではなんとも説明しがたく、魂のうちの「気概」の部分に目を向けてこそはじめて意味をなしてくるのである。(7)

現代アメリカの政治にも、承認への欲望が機能している例は無数にある。たとえば人工妊娠中絶は、過去三十年近くにわたってアメリカ社会をもっとも悩ませてきた問題の一つだが、その内容はまったくといっていいほど経済とは無縁である。(8)

中絶についての議論は、胎児と女性双方の権利の対立をめぐって展開されるが、じつのところその議論には、伝統的な家庭やそこでの女性の役割がもつ尊厳と自立した働く女性の尊厳とのどちらに重きをおくかという点での根深い意見の相違が反映されている。中絶論議では、反対派は堕(お)ろされた胎児のために、賛成派は無資格の中絶医の手にかかって死ぬ女性のために憤りを感じるが、同時にどちらの側にせよ、この憤りは自分たちに向けられたものでもある。なぜなら伝統を重んじる母親は中絶が母親に払われてしかるべき尊敬の念を傷つけると感じ、働く女性は中絶権のないことが男性と対等なはずの女性の尊厳を損なうと考えるからである。

また人種差別は現代アメリカの汚点だが、黒人の貧困によってもたらされる物質的な欠乏はこのような差別の原因のごく一部なのだ。むしろその苦悩の大半は、多くの白人にとって黒人が（ラルフ・エリスンの表現を借りれば）「透明人間」であり、黒人が憎くてたまらないのではなく朋友として白人の目に映ってこないという事実にある。貧困は、ただその透明度に拍車をかけているだけにすぎない。実際、市民的自由や市民権の問題はすべてなんらかの経済的要素をもっているとはいえ、本質的には「気概」にかかわる対立であり、そこでは正義や人間の尊厳についての競合する見解を認めるかどうかが問われているのである。

ふつうは自然的欲望の実例と考えられているような行動も、その多くは「気概」という観点から説明できる。たとえば異性の征服というのは、通例、肉体的な満足の問題だけにとどまらず、自分の魅力を相手に認めてもらいたいという要求もそこに反映されてくる。こういう場合、他人から認められている自我というのは、ヘーゲルのいう貴族的な主君やハベルが語る青果商の道徳的な自我と必ずしも同じではない。しかし、もっとも深い形をとった性愛というものは、愛する人から自分の肉体的特質以上の何かを認めてもらいたいという熱望、つまりは自分の価値を認めてもらいたいという切なる思いをふくんでいるのである。

「気概」についていくつかの例を挙げてきたが、だからといってあらゆる経済的活動、あらゆる性愛、そしてあらゆる政治が承認への欲望に還元され得るというわけではない。理性と欲望は、あくまでも「気概」とは別個な魂の部分である。しかもこの理性と欲望は多くの点で、現代の自由な人間にとって魂の大部分を占めている。人間がやたらに金をほしがるのは、「モノ」を手に入れたいからであって、たんに他人から認められたいためではない。近代に入って人間の欲心が制約から解き放たれるにつれ、物質的な欲望はその数も種類も爆発的に増えてきた。そして人々がセックスを熱望するのは、要するにそれが快感をもたらしてくれるためだ。

私がこれまで物欲や肉欲のもつ「気概」の側面にふれてきたのは、欲望と理性ばかりが目につく現代社会のなかで、まさに「気概」や承認の日々演じる役割がうやむやにされかねないからである。「気概」は欲望の同盟軍として立ち現われる場合も多く——ちょうどいわゆる「経済的正義」を求める労働者の例がそうだったが——そのために欲望とも混同されやすいのである。

承認への欲望は、旧ソ連や東欧、中国で反共産主義の地殻変動が生じる際にも重要な役割を果たしてきた。

東欧諸国民の多くが共産主義の終焉を望んだのは、たしかに、あまり高尚とはいえない経済的理由からである。つまり、共産主義が終われば西ドイツ並みの生活水準に道が開けると考えたためなのである。旧ソ連や中国で起きた改革の根本的な推進力となったのは、中央集権的な命令経済では「脱工業化」社会の要請に応えきれないという現実、ある意味で経済的な現実であった。

しかしながらその繁栄を求める欲望には、民主的権利や政治参加そのものを獲得目標とする要求、言い換えれば、日常的かつ普遍的な基盤のうえで自分たちを認めてもらえるような体制をめざす要求がともなっていた。あるロシア共和国議会擁護派の言葉を借りると、一九九一年八月のソ連のクーデター未遂の首謀者たちは、自国民が「自由を一本のソーセージと引き換えに売り渡すだろう」と考えていたそうだが、それは大きな誤りだったのである。

ベルリンの壁に風穴をあけた「テューモス(気概)」

共産主義の経済危機にともなって発生した「気概」にもとづく怒りの働きや承認への要求を正しく理

解しなければ、今日の民主主義革命という現象の全貌は把握できない。革命的な状況というのは一風変わった特質をもっている。人々を煽り立てて大きな危険に立ち向かわせ、政府転覆への第一歩を踏み出させるのはたいてい後世の歴史家が革命の主要因だと解釈するような大事件ではなく、むしろささやかな見るからに偶発的な出来事なのである。

たとえばチェコスロバキアでは、ヤケシュ共産党政権が当初の自由主義的改革の公約にもかかわらずハベルを逮捕・投獄したことに対して国民の憤激が高まり、それを受けて反体制グループ「市民フォーラム」が結成されている。一九八九年十一月にはプラハの街頭に大群衆が集結しはじめたが、その最初のきっかけは、ある学生が秘密警察の手で殺害されたという噂——のちにデマだと判明した——が流れたことにある。

ルーマニアではチミシワラの町（ルーマニア東部、チミシ川沿い）で、当地のハンガリー人社会の積極的な人権活動家であったトケス神父の投獄に対する抗議行動が起こり、それが連鎖反応的に広がって、ついには一九八九年十二月のチャウシェスク政権崩壊にまでいたったのである。[9]またポーランドでは、ソ連とポーランド国内の親ソ派共産主義者に対する敵意が数十年にわたって培われてきたが、それは、一九四三年にカチンの森で起きたソ連秘密警察によるポーランド人将校大量虐殺事件の責任をモスクワ当局が認めようとしてこなかったためだ。一九八九年春の円卓会議での合意を経て、自主労組「連帯」が政権に参加し、最初に手がけた仕事の一つが、カチンの森事件の十分な釈明をソ連に要求することであった。

ソ連国内でも似たような経過をたどっており、スターリン時代を生き延びた人々の多くが、粛清の当事者からの釈明と犠牲者たちの名誉回復を要求しつづけた。ペレストロイカや政治改革は、過去についての真実を率直に語ろうとする欲求、そして、声なきまま強制収容所へと姿を消していった人々の尊厳を取り戻そうとする欲求と切り離して考えるべきではない。一九八九年の後半から一九九〇年前半にかけて、ソ連では民衆の怒りによって数えきれないほどの地方党幹部が追放されたが、それはソ連体制の経済的苦境のためばかりではない。自家用ボルボを買うため党財源を着服したボルゴグラード党第一書記のように、個人的な堕落や慢心という問題もその契機となったのである。

東ドイツのホーネッカー政権は、一九八九年に起きた一連の事件によって決定的に弱体化した。市民たちが西ドイツへ大量脱走し、ホーネッカーはソ連からの援助の手づるを失い、そして最後にはベルリンの壁に風穴があいたのだ。しかしながらその時点でも、東ドイツの社会主義は死に絶えたわけではなかった。新しい党指導者のクレンツやモドロウが不信任を突きつけられ、社会主義統一党が権力の座から完全に一掃されてしまった原因は、バンドリッツ郊外のホーネッカーの豪華な私邸の発覚にある。(10)

ただし厳密にいえば、この発覚が引き起こした途方もない怒りは、いささか常軌を逸したものである。政治的自由の欠落や西ドイツと比較した場合の生活水準の低さをはじめとして、東ドイツ共産主義政権への不満の種は数多かった。ホーネッカーについていえば、別に現代版ベルサイユ宮殿に住んでいたわけではなかった。彼の住まいは、ハンブルグやブレーメンの裕福な市民と同じようなものだった。だが、東ドイツ国内での共産主義に対する積年のよく知られている批判的世論も、平均的な市民がテレビ画面でホーネッカーの屋敷を見たときの「気概」から生じた怒りには到底及ばなかった。平等の実現に打ち込んできた政権の側のとてつもない欺瞞がテレビ映像によって明らかにされたおかげで、人々は正義感を著しく傷つけられ、共産党権力の息の根を止めるために勇んで街頭へと繰り出していったのである。

中国に吹きはじめた「自由な風」

最後に中国の例を見てみよう。鄧小平による経済改革は、一九八〇年代に成人に達した中国の若い世代に経済面でのまったく新たな可能性を切り開いた。彼らは革命以来はじめて、自分でビジネスを開始したり、外国の新聞を読んだり、アメリカや西欧諸国で学んだりする機会を手に入れたのだ。この経済的に自由な風潮のなかで育った学生たちも、もちろん経済面での不満はあったし、とくに都市住民の購買力を確実に低下させつつあった一九八〇年代後半のインフレ昂進に対しては懸念をもっていた。

とはいえ改革後の中国は、毛沢東の時代よりも活力と機会に満ちており、とりわけ北京や西安、広東、上海の一流大学に通う特権階級の子息たちは申し分のないほど恵まれていた。それでもなおこれらの学生たちはさらなる民主主義を求めて、最初は一九八六年に、ついで一九八九年春の胡耀邦追悼記念日に示威行動をおこなったのである。

しかし、このような抗議行動の進展につれて彼らは、自分たちの発言権のなさ、そして党と政府が彼らの存在やその不満の正当性を承認しようとしないことに怒りを覚えるようになった。学生たちは鄧小平、趙紫陽ら中国の最高指導者に個別会談を申し入れ、長期的には自分たちの政治参加を制度として認めるよう要求しはじめた。学生のすべてがその制度の究極的形態として議会制民主主義を望んでいたかどうかは定かでないが、その根底に自分たちを一人の大人としてまともに認め、その意見にしかるべき敬意を払ってほしいという要求があったことは明らかだ。

以上のような社会主義国の実例を見ると、承認への欲望の働きが多少ともわかってくるだろう。改革にしても革命にしても、国民一人ひとりがあまねく認められるような制度をもつ政治システムをめざしていた。だがもっといえば「気概」から生じる怒りは、革命的な出来事を引き起こすのに不可欠な触媒の役割を果たしていたのだ。人々は、「脱工業化経済」の実現やスーパーマーケットの食料品の充実を政府に要求してライプチヒやプラハ、チミシワラ、北京、あるいはモスクワの街頭に繰り出したわけではない。彼らの燃えたぎる怒りは、神父が投獄されたり要求リストの受け取りを権力側が拒んだりというような比較的些細な不当行為を契機に湧き起こっていったのである。

歴史家たちは後になって、以上のような出来事を革命や改革の二次的あるいは誘発的事件と解釈するし、それはたしかにそのとおりである。だからといって、最終的に革命へといたる連鎖反応を引き起こすうえでこうした事件があまり必要でなかったということにはならない。少なくとも、ある大義のために生命と平穏な生活を進んで犠牲にする人間がいなければ、革命的情勢は生まれない。そのような犠牲を払う勇気は、魂のなかの欲望の部分から生まれるのではなく、「気概」の部分から湧き起こってくるはずである。

欲望の人、経済的人間、つまり根っからのブルジョアは、心のなかで「損得勘定」に走り、いつもそれを体制内で働く根拠にしつづけるはずだ。「気概」に満ちた人間、怒れる人間だけが、みずからの尊厳や同胞の尊厳を失うまいと気を配る。そして自分の価値は、肉体的存在を形作るあれこれの欲望以上の何ものかによって成り立っているのだと感じるのである。

こういう人間だけが、みずから進んで戦車の前に駆け寄り兵士の隊列に立ちはだかるのだ。そしてたいていの場合、どんな些細な不当行為にもささやかながら勇気をもって立ち向かうことがなければ、政治や経済構造の抜本的変革をもたらすような大事件が続々と起こったりはしないはずである。

5 人間の「優越願望」が歴史に与える影響

人間は幸福を追求しない、英国人だけは別だが。

ニーチェ『偶像の黄昏』(1)

人間の自分自身に対する価値観と、それを他人に認めさせようとする要求は、今日にいたるまで勇気や寛容や公共心など気高い美徳を生み出し、暴政に対する抵抗の牙城となりリベラルな民主主義を選び取る根拠ともなってきた。しかしそのような承認を求める欲望には暗黒面もあり、そのために多くの哲学者たちが「気概」を人間悪の根元とみなすようになったのである。

そもそも「気概」というものは、みずからの価値の評価という形をとってあらわれてきた。ハベルの青果商の例が示すとおり、このような価値観は、自分が自然の欲望のなすがままに生きる存在を越えたものだという感覚、自由な選択を許された道徳実践の主体だという感覚と多分に相通じている。このいくぶんつつましやかな形の「気概」は、自尊心とか自負心と呼んでも差し支えないだろう。程度の差こそあれ、ほとんどすべての人間には自尊心がある。誰にとってもほどほどに自尊心を抱くのは、世間でうまく立ちまわるためにも人生に満足感を見出すためにも大切なことのように思える。ジョアン・ディディオンによれば、われわれはこの自尊心のおかげで、心おきなく他人に対して「ノー」と言えるのである。(2)

自分や他人をたえず評価しようとする人間の性格のなかには、たしかに道徳的な一面が存在しているが、だからといって道徳そのものの本質的な中身について意見の一致が得られるわけではない。「気概」に満ちた道徳心を持ち合わせた人々の世界では、大小さまざまな問題についてたえず意見が食い違い、論争が起こり怒りが膨らんでいく。つまり「気概」というものは、ごくつつましやかに顔を見せただけでも、人間同士のいさかいの種となるのだ。

さらに、人間が自分の「徳性」の枠からはみ出さずに、自分の価値を評価できるという保証もない。ハベルの考えでは、すべての人間には善悪の判断力と「正義」の萌芽が見られるという。しかし、この一般論を受け入れたにしても、他の人間よりそういう心の発達が遅れている人のいることは認めざるを得ないだろう。ある種の人間にとっては、道徳などないに等しいといっておく必要もあるだろう。人は、自分の道徳的価値のためばかりでなく、富や権力や肉体美のために他者から認められたがる場合もあるのだ。

さらに重要なのは、すべての人間が自分を他人と対等なものとして評価するはずだ、などと考える根拠がどこにもないことだ。むしろ人は、自分が他人より優越していることを認めさせようとしがちだし、それはほんとうの精神的価値にもとづいている場合もあるが、多くは思い上がった自己評価から生まれてくる。このように、自分の優越性を認めさせようとする欲望を、私は古典ギリシア語から語源を借りて「優越願望」(*megalothymia*, メガロサミア)と新たに命名したい。自分の権威を認めさせるために隣国を侵略し人民を隷属させる暴君にも、ベートーベン解釈にかけては当世の第一人者を自認するコンサートピアニストにも、この「優越願望」が見てとれる。一方、「対等願望」(*isothymia*, アイソサミア)はその反意語であり、他人と対等なものとして認められたいという欲望を意味する。「優越願望」と

「対等願望」は、承認への欲望の二つのあらわれであり、近代への歴史の移行もこの両者とのからみで理解することができる。

「優越願望」が政治の世界にとってきわめて問題をはらんだ情熱であることは明らかだ。というのも、ある人から自分の優越性を認められて心が満たされるのなら、すべての人間からそれを認められれば、当然いっそう大きな満足を得られることになるからだ。最初のうちはつつましやかな自尊心として登場してきた「気概」も、かくして支配への欲望に変身しかねない。この支配欲は「気概」の暗黒面であり、もちろんヘーゲルの描いた血なまぐさい戦いの開始時点からすでに存在していた。承認への願望は原始的な戦いを煽り立て、それが主君による奴隷の支配をもたらした。そしてついにこの論理は、全世界からあまねく認められたいという欲望、すなわち帝国主義にいたるのである。

「気概」という現象は思想家によって呼び名もまちまちだが、いずれにせよそれは青果商の尊厳のようなつつましい形であれ、「優越願望」――シーザーやスターリン型人間の暴君的野心――という形であれ、今日までずっと西洋政治哲学の中心テーマとなってきた。政治と公正な政治秩序について真剣に考える者ならほとんど誰でも「気概」の道徳的あいまいさと格闘し、「気概」の積極面を用いてその暗黒面を帳消しにする方法を求めていかざるを得なかったのだ。

マキャベリの「栄光への欲望」と「優越願望」

『国家』のなかでソクラテスは、「気概」について詳細な議論を展開している。なぜなら「気概」は、彼のいう話のうえの正義の都市の建設にとって、決定的な役割を果たしていることが明らかにされるからである。[3] この架空の都市にも、現実の都市と同じように外敵がおり、その攻撃からみずからを守らねばならない。したがって、勇敢で公徳心に富み、公共の善のためなら喜んで自分の物質的欲望を抑える守護者階級が必要とされる。ソクラテスは、このような勇気や公徳心が賢しらで打算的な利己心から生まれるとは考えていない。それらはむしろ「気概」、すなわち守護者階級が自分自身や彼らの住む都市に対して抱く正当な誇りと、それを脅かす者に対する秘められた理屈抜きの怒りとに根ざしているはずであった。[4]

このように「気概」は、個々人を私利私欲の生活から引きずり出して公共の善に目を向けさせていく土台であるため、ソクラテスにとって、それはあらゆる政治共同体の存続に欠かせない生まれつきの政治的美徳とされた。しかしソクラテスは、この「気概」が政治共同体を強固にする反面で、その共同体を逆に破壊しかねないとも考えていた。たとえば彼は「気概」に満ちた守護者を獰猛な番犬になぞらえ、適切な訓練を受けていなければ侵入者ばかりか主人にまで嚙みつきかねないと述べるなど、その点を『国家』のさまざまな箇所でほのめかしている。[5] だからこそ、公正な政治秩序の構築には「気概」の育成と制御の両方が欠かせないとされ、『国家』の最初の六巻の大部分が守護者階級への正しい気概教育のあり方に割かれているのである。

帝国主義によって他国民を征服したがる自称支配者の「優越願望」は、中世および近代初期の多くの政治思想家にとって重要なテーマであり、彼らはこの願望を栄光の追求と呼んだ。当時は、野心的な君主の承認を求める闘争は、人間性と政治双方の一般的特質だという考えが広く行き渡っていた。帝国主義の正当性が当然視されることの多かった時代においては、このような闘争は、必ずしも暴政や不正を意味するものではなかったのだ。[6] たとえば聖アウグスチヌスは栄光への欲望を、たしかに悪徳の一つではあるものの、そのなかではいちばん害が少なく同時に人間の偉大さの源ともなり得ると考えていたのである。[7]

栄光への欲望として理解された「優越願望」は、中世キリスト教政治哲学のアリストテレス的伝統と決定的に袂（たもと）を分かった近世最初の思想家、マキャベリの中心概念であった。今日マキャベリは、愛されるより恐れられたほうがよいとか、自己の利益にかなうときだけ約束を守るべきだ、などという衝撃的なほど露骨な数多くの格言の生みの親として知られている。しかし彼は近代政治哲学の祖であり、現世で自分の生き方を支配するには、かく生きるべしという理想からではなく、かく生きているという現実から手がかりを引き出すべきだ、と考えたのである。教育を通じて人間を善きものに変えるというプラトンの教えに対し、マキャベリは、人間の悪から善い政治秩序を作り出そうとした。悪も正しい制度によって導かれれば善い目的にかなうようになる、というわけだ。[8]

栄光への欲望という形をとった「優越願望」をマキャベリは、君主の野望の背後にある根本的な原動力と考えた。国家はときとして、必要に迫られ、あるいは自衛の手段として、あるいは将来への人的・物的資源の確保のために隣国を征服する。しかしながら、こうした理由をはるか越えたところに、他者から認められたいという欲望がある。――だからこそ、勝利を収めたローマの将軍は、敵将を鎖につなぎ、民衆の歓呼にさらして歩かせるときに歓喜の念を感じるのだ。マキャベリにとって栄光への欲望は、君主政治や貴族政治に特有の性質ではなかった。この欲望は、強欲なアテネやローマ帝国などの共和政体にも影響を与え、そこでは民衆の政治参加が国家の野望を煽り、国土拡張に向けた軍備の効率化がはかられることになったのである。[9]

栄光への欲望は人間の普遍的特徴であるが、[10]マキャベリは、それが野心的な人間を暴君に変え、その他大勢を奴隷にしてしまうという点で重大な問題を生むことを承知していた。マキャベリはその問題をプラトンとは異なるやり方で解決し、そしてその方法は、以後の共和制立憲政治の特徴ともなった。マキャベリは、かつてのプラトンのように「気概」に満ちた君主や守護者階級の教育につとめるのではなく、むしろ「気概」によって「気概」を制しようとした。そして、君主や少数の貴族の「気概」にもとづく野望と人民の側の「気概」にもとづく自立への欲求とのバランスがとれているような混合共和制なら、一定の自由が保証できると考えた[11]。マキャベリの説くこの混合共和政体は、したがって、アメリカ合衆国憲法でおなじみの三権分立システムのはしりということになる。

歴史の流れに強いられた「サムライの変質」

マキャベリ以後の、おそらくもっと野心的なもう一つの企てについてはわれわれもすでに見てきたとおりだ。近代自由主義の祖であるホッブズとロックが「気概」を政治の世界から根絶し、代わりに欲望と理性の組み合わせをそこにすえようとしたのである。この近代初期のイギリスの自由主義者たちは、君主の情熱的かつ頑固な誇り、あるいは好戦的な聖職者の途方もない狂信といった形であらわれる「優越願望」を戦争の最大の原因と見なし、あらゆる種類の誇りに攻撃の矢を放った。貴族的な誇りに対する彼らの侮辱行為は、アダム・ファーガソン、ジェームズ・スチュワート、デビッド・ヒューム、モンテスキューなど多くの啓蒙思想家に引き継がれていった。

ホッブズやロックのような近代初期の自由主義思想家が考えた市民社会においては、人は欲望と理性しか必要としない。ブルジョアという階級は近代初期の思想家たちの意図的な産物にほかならず、人間性そのものを変えることによって社会の安寧を作り出そうという社会改造計画の努力のたまものであった。近代自由主義の父たちは、マキャベリがかつて示唆したように少数者の「優越願望」と多数者の「優越願望」とを戦わせるのではなく、人間性のなかの欲望の部分がもつ利害と「気概」の部分がもつ情熱とを戦わせることによって「優越願望」を実質的に克服しようと考えたのである[12]。

「優越願望」の社会的なあらわれとして近代自由主義から宣戦布告された社会階級が、伝統的貴族たちであった。貴族的戦士は、富を自分では生み出さずに他の貴族から奪い取った。もっと正確にいえば、農民階級の生み出す富の余剰分を巻き上げていた。貴族の行動は、最高の見返りを与えてくれる者に自分の労働力を売るという実利的な理性の働きにのっとってはいない。事実、彼はいっさい働かず、暇であることをみずからの本分とした。その振る舞いは、誇りの命ずるところと名誉の規範とによって縛られ、商取り引きなどといった自分の尊厳をおとしめる行為に手を出すのは許されなかった。

貴族社会はあらゆる退廃に満ちていたが、貴族そのものの本質は、血まみれの戦いにおいて進んで命を賭ける姿勢と結びついていた。だから戦争はいつまでも貴族的な生活様式の中心をなしてきたのであり、そしてその戦争は、われわれもよく知っているように「経済的にいえば次善の策」なのである。だとすれば、貴族的戦士にも自己の野望の虚栄を悟らせ、平和を好む実業家、その私利追求の行為が周囲にも利益を与えるような実業家に変身させたほうがはるかに好ましい[13]。

いま世界の無数の国で進行している近代化は、魂のなかの欲望の部分が理性に導かれつつ、「気概」の部分に対して徐々に勝利を収めてきたプロセスとして理解できる。貴族制社会は、ヨーロッパから中東やアフリカ、そして南アジアから東アジアにいたるまで、文化の違いにかかわらず、ほとんど世界じゅうに存在していた。経済の近代化のためには、都市や合理的官僚制のような近代的社会構造を構築するだけでなく、「気概」あふれる貴族生活に対してブルジョア的生活様式が道徳的に勝利を収めるという必要もあった。そこでホッブズは、古い貴族階級に取り引きを申し出た。つまり、モノが無限に手に入る平和な生活の見返りに、「気概」に満ちた誇りを売り払わないかと持ち掛けたのだ。

日本のように、この取り引きが公然とおこなわれた国もある。国家の近代化のなかで、サムライたちは実業家として身を起こし、その事業は二十世紀に入って財閥へと成長をとげたのだ。[14]

一方フランスでは、貴族の大部分がこの取り引を拒み、気概にもとづいた倫理秩序をなんとか生きながらえさせようと、勝ち目のない戦いを続けた。このような戦いはいまなお多くの第三世界諸国でおこなわれており、かつての貴族的戦士の子孫たちが、家宝の剣の代わりにコンピューター端末機を手にして就職すべきかどうかという決断を迫られている。

野心を用いて野心を制する「チェック・アンド・バランス機構」

アメリカ合衆国の建国までに、北米におけるロック主義の勝利、すなわち「気概」に対する欲望の勝利はほぼ完全なものとなっていた。アメリカ独立宣言に謳(うた)われた「幸福追求」の権利は、おおむね財産獲得に関する権利と見なされた。ハミルトンやマジソン、ジョン・ジェイらが憲法擁護の強力な論陣をはった『フェデラリスト』誌は、ロック主義をその基本方針としていた。たとえば有名な『フェデラリスト』第十号では、政府の陥りがちな派閥病の特効薬として代議政体が擁護されており、そのなかでマジソンは、人間の多様な能力、わけても「財産獲得についての人それぞれに異なった能力」を守ることが「政府の第一目標」だと力説している。[15]

合衆国憲法におけるロック主義の遺産は否定できないが、『フェデラリスト』の執筆者たちは一方で、承認への欲望が政治の世界からそうやすやすと消し去れないことに明らかに気づいていた。実際、誇りに満ちた自己主張は政治活動の目標あるいは動機の一つと考えられており、そういう自己主張のはけ口が十分与えられている政府がよい政府とされたのである。だから彼らは、かつてマキャベリがめざしたように、承認への願望を積極的な（少なくとも害のない）方向へ向けようと努力した。

『フェデラリスト』第十号でマジソンは、経済的「利害」を土台にした党派に言及しつつ、それを「情熱」を土台にした党派、もっと厳密にいえば、善悪についての人々の情熱的な意見を土台にした諸党派とはっきり区別している。そして「宗教、政府、その他もろもろのことがらに関してさまざまな意見を抱く意欲」あるいは「さまざまな指導者への傾倒」がこうした情熱の内容とされた。

さらにマジソンは、政治的見解が自己愛の一つの表現であり、自分自身および自分の価値の評価と分かちがたいほど強く結びつくようになってきたと考えた。彼は言う。

「理性と自己愛が結びついているかぎり、（人の）意見と情熱とは互いに影響を与えつづけるだろう。そして情熱は意見にどこまでも離れずついていくだろう」[16]

要するに党派は、異なった人間の魂における欲望の部分（すなわち経済的利害）の衝突からばかりでなく、「気概」の部分同士の衝突からも生じるというわけだ。[17]だから、今日のアメリカで妊娠中絶の権利や学校での祈禱や言論の自由をめぐって意見が百出しているように、マジソンの時代の政治も、節酒や宗教や奴隷制度の問題をめぐる対立で終始していたのである。

『フェデラリスト』執筆者たちによれば、政治の世界では、多数の相対的に弱い個人たちから出されるきわめて多彩な情熱的意見の対立に加え、「名声への愛」との戦いも避けられないものだった。これはハミルトンによれば「もっとも気高き精神を支配する情熱[18]」であるが、つまりは野心をもった強者の側の栄光への欲望だ。「優越願望」は「対等願望」と同じように、建国の父たちの頭を悩ませつづけたのである。

マジソンやハミルトンによれば合衆国憲法は、さまざまな形での「気概」のあらわれを抑えつける制度的手段ではなく、むしろ、それらに安全で真に生産的なはけ口を与える手段であった。人民の政権——役職への立候補、演説、討論、論説の執筆、選挙投票などのプロセスを備えた政権——をマジソンは、それが比較的大きな共和政体に広がればとの条件つきではあるが、人間生来の誇りや「気概」にもとづく自己主張をしたがる気質を満たすにはもってこいの方法と見なした。民主主義的な政治プロセスは、政策決定すなわち「利害の集約」の手段としてだけでなく、一つのプロセスとして、つまり「気概」を表現する一つの舞台、自分の見解を他人に認めさせ得る場としても重要なのである。

野心をもった強者のいっそう高くいっそう危険性をはらんだ「優越願望」についていえば、立憲政体は明らかに、野心を用いて「野心を制する手段」として築き上げられた。政府はさまざまな部門に分かれているため、強力な野心家にとってはいかにもつけいる隙がありそうに見えたが、チェック・アンド・バランスの制度によってそのような野心は互いに相殺され、暴君の出現も阻止されたのだ。たとえある政治家が第二のシーザーやナポレオンになろうという野心を抱いたとしても、このシステムのもとでは、せいぜいジミー・カーターかロナルド・レーガンになるのが関の山だろう——強力な制度上の束縛や四囲の政治勢力の牽制によって、そういう人間は自分の野心を実現するためには人民の主君ではなく、むしろ人民の「しもべ」となることを強いられるのである。

ヒトラー、スターリンに見るマキャベリ的「優越願望」

ホッブズやロックの伝統を受け継ぐ自由主義の政治が承認への欲望を追放しようと企て、あるいはその欲望を拘束して無力な状態に放置しようと企てたことは、多くの思想家を強い不安のなかに置き去りにした。それは、近代社会が今後C・S・ルイスのいう「胸郭のない人間」、すなわち欲望と理性だけでつくられ、かつてはある意味で人間性の核心だった誇りに満ちた自己主張を欠落させた人間で組織されていくのではないか、という不安であった。なぜなら、胸郭こそは人間を人間たらしめるものであり、「知性にしたがえば人は霊魂でしかなく、欲心にしたがえば人は動物でしかない」からだ(19)。

近代におけるもっとも偉大で弁の立つ「気概」の擁護者、そして「気概」の復活の予言者となったのは、今日の相対主義と虚無主義の育ての親、ニーチェであった。ニーチェは、ある同時代人からの「貴族的急進主義者」との批判に、一言も異を唱えていない。ニーチェの著作の多くはたしかに、彼が「胸郭のない人間」の純粋文明の台頭、つまり、快適な自己保存以外には何も望まないブルジョア社会の台頭と見なしたものへの反発として解釈できる。

ニーチェにとって人間の本質とは、欲望でも理性でもなく、その人間の「気概」であった。人間は何よりもまず評価する生き物であり、「善」と「悪」の言葉を発する能力のなかに生命を見出す「赤い頰をした野獣」なのだ。彼の著作の登場人物、ツァラトストラは言う。

まことに、人間はみずからにみずからの善と悪を与えた。まことに、人間はそれを受け取ったのでもなく、見つけたのでもなく、それが天からの声のごとくに降ってきたのでもない。人間だけが、みずからを保存するために物事に価値をおいた——人間ひとりが物事に意味を、人間的意味を創り与えた。それゆえに人間はみずからを「人間」、すなわち「評価する者」と呼ぶのである。

評価することは創造することである。この言葉を聞け、汝ら創造者たちよ！　評価することそれ自身が、評価されたあらゆる物事のなかでもっとも評価すべき宝である。評価することによってのみ、そこに価値が存在する。そして評価することなしには、存在の胡桃(くるみ)は虚ろである。この言葉を聞け、汝ら創造者たちよ！[20]

人間がどのような価値を創造したかは、ニーチェにとって中心的論点ではない。なぜなら人間には、たどっていく「千と一つの目標」（つまり無数の目標）があるからだ。地球上のどの民族も、隣の民族には理解できないみずからの「善と悪の言語」をもっている。人間の本質を形作っているのは、評価するという行為、自分に価値を与え、認められることを要求するという行為である。[21]評価するという行為は、より善いものとより悪いものとの選り分けを必要とするため、本質的に不平等である。それゆえにニーチェは、人間に、自分が他者よりすぐれた存在だといわしめるような「気概」のあらわれ、すなわち「優越願望」にしか関心を示さなかった。近代哲学の生みの親、ホッブズとロックは、肉体的な安全と物質的蓄積の名のもとに人間から物事を評価する力を取り上げようとしたため、惨憺たる結果を招いてしまったというわけだ。

ニーチェの有名な「権力への意志」という教義は、欲望や理性に対する「気概」の優位性を改めて言明しようとする努力であり、近代自由主義が人間の誇りと自己主張の能力に与えた傷をいやすための努力として理解できる。ニーチェの著作は、ヘーゲルの説く貴族的主君と、その純粋な威信を賭けた死闘への賛美であり、同時に、自分も気づかぬうちに奴隷の道徳をたっぷりと受け入れてしまった近代への痛烈な非難なのである。

「気概」や承認への欲望という現象を説明するために、さまざまな説明をおこなってきたが、いずれにせよ、この魂の「第三の部分」がプラトンからニーチェにいたる哲学の伝統の主要な関心事であったことだけはまちがいない。そのことは、歴史のプロセスを近代自然科学の展開や経済発展の論理の物語としてではなく、むしろ「優越願望」の出現、成長、そして最終的な衰退の物語として読み取るというまったく新たな解読法を暗示している。

実際のところ近代の経済世界は、欲望がいわば「気概」を犠牲にした形で解き放たれたからこそ、ようやく姿をあらわすことができたのだ。主君の血なまぐさい戦いとともにはじまった歴史のプロセスは、ある意味では、今日のリベラルな民主主義社会に住み、栄光よりむしろ物質的な富を追い求める近代ブルジョアジーとともに終わりを告げるのである。

今日では誰ひとりとして「気概」を教育の一環として体系立てて学んだりせず、「承認を求める闘争」は現代の政治用語にふくまれてもいない。栄光への欲望――他人よりすぐれた存在となり、自己の優越性をできるだけ多くの人に認めさせようという過度の努力――は、マキャベリにとっては人間のきわめてあたりまえな気質だったが、いまではもはや、人間の個人的目標をさすのにふさわしい言葉とは見なされない。せいぜいヒトラーやスターリンのような嫌われ者の現代の暴君の特徴を説明するのに用いられるのがおちだ。もちろん「優越願望」――優越した存在として認められたいという欲望――はさまざまな仮面をかぶっていまなお日常生活に生きつづけており、第五部で見るように、「優越願望」をぬきにしては生活のなかに満足を見出すこともほとんどできなくなってしまうだろう。しかしながら、自分自身をどうとらえるかという視点から見れば、この「優越願望」は現代世界のなかで倫理的にはすでに敗北を喫しているのである。

深い「矛盾」のなかに取り残された現代人

今日の世界では「優越願望」は攻撃の的となりはすれ、少しの尊敬も払われていない。そのことを考えると、目ざわりな「気概」を市民社会から追放しようとした近代初期の哲学者たちの企てがものの見事に功を奏してきたという点で、われわれはニーチェに同意したくなる。

「優越願望」にとって代わったものは二つある。第一には、魂のなかの欲望の部分が、生活の徹底した経済化という形をとって開花したのだ。この経済化は、国力増大や帝国建設の代わりにEC（現在はEU）の統合強化をはかろうとしているヨーロッパ諸国のような高尚な例から、与えられた選択肢のなかでどの職業を選ぶかこっそり損得勘定をおこなう大学の卒業生のような卑近な例まで、広い範囲に行き渡っている。

「優越願望」にとって代わったものの第二は、強い浸透力をもつ「対等願望」、すなわち他人と対等な存在として認められたいという欲望である。この欲望は、ハベルの青果商の「気概」や、中絶反対を唱えたり動物の権利を主張したりする人々の「気概」など、さまざまな形をとってあらわれる。

われわれは、自分の目標について語る際に「承認」とか「気概」という言葉は用いない反面、「尊厳」

や「尊敬」「自尊心」「自負」といった言葉はじつによく使うし、これらの精神論的な要素は、ごくありふれた大学卒業生が職業選択の損得勘定をおこなう局面にも登場する。このような概念はわれわれの政治の世界にも広く行き渡っており、二十世紀後半に世界じゅうで起きた民主主義への政権移行の本質を理解するためにも欠かせないものなのである。

このようにわれわれは、明らかな矛盾のなかに取り残されている。アングロ‐サクソン的な近代自由主義の伝統を作り上げた人々は、政治の世界から「気概」を追放しようとしたが、それでもなお承認への願望は「対等願望」の形をとってわれわれの周囲にあふれているのだ。

これは予期せざる結果なのだろうか？　結局われわれは、もともと抑えることのできない人間性を無理に抑えつけようとして失敗したというわけなのか？　それとも近代の自由主義において、政治の領域から人間性の「気概」に満ちた側面を放逐するのではなく、むしろ保存しようとつとめたものとして、さらに深く理解する余地があるのだろうか？

たしかにそのような深い理解は可能だが、そのためにはヘーゲルと、彼の未完の歴史的弁証法に立ち返る必要がある。承認を求める闘争は、そのなかで決定的な役割を演じているのだから。

6 歴史を前進させる「原動力」

絶対的に自由であり、あるがままの自分に完全に満足している人間、そしてこの満足のなかで完成され仕上がった人間は、奴隷であることを克服した奴隷となるだろう。怠慢な主君であることが一つの袋小路だとするなら、奴隷であることは逆にあらゆる人間的、社会的、歴史的進歩の源泉である。歴史とは、働く奴隷の歴史なのだ。

コジェーブ『ヘーゲル読解入門』[1]

これまでに述べたヘーゲルの弁証法についての説明は、歴史的プロセスの入口のところ――実際には、人が純粋な威信のための戦いにはじめて生命を賭けたような人類史の開始期の結末のあたり――で途切れたままになっている。

ヘーゲルの想定した「自然状態」（もっともヘーゲル自身は一度もこのような言葉は用いていないが）に蔓延していた戦争は、ロックの場合とは違って、直接には社会契約にもとづく市民社会の確立をもたらさなかった。むしろそれは、原始的な戦いにおいて一方の側が命惜しさに相手を認め、その奴隷となることを承諾するという主従の関係につながっていった。

しかしながら、この社会的な主従関係は、長い目で見ると安定したものではなかった。なぜなら、主君と奴隷の両者とも、承認への欲望を最終的に満たしてはいなかったからである。[2] この満足感の欠如が奴隷制社会に「矛盾」を生み、いっそうの歴史的進歩の原動力となった。血なまぐさい戦いに進んで命を賭けるという姿勢は、人間にとって最初の人間らしい行為だったのかもしれないが、それだけで彼が完全に自由で満ち足りた人間になれたわけではない。そうなるには、さらにいっそうの歴史の進展を待たねばならなかった(3)。

主君と奴隷がともに満ちたりない気持ちでいるとはいえ、その理由は別々だ。主君はある意味で、奴隷より人間的である。彼は承認という非生物的な目的のために、自分の生物的な性質を進んで克服しようとするからだ。命を危険にさらすことによって、主君は自由を誇示するのである。奴隷のほうは逆に、ホッブズの忠告にしたがって、暴力的な死への恐怖に屈する。だから彼は、いつまでも貧しく臆病な動物であり、自分の生物学的あるいは先天的な制約を克服できない。

しかしながら、奴隷が自由ではなく人間として不完全だということは、主君にとってのジレンマのもとでもある。主君は、他の人間から認められたいと願う。言い換えれば自分の価値と尊厳を、同じように価値と尊厳を持ち合わせている他の人間から認めてもらおうとするのだ。ところが威信を賭けた戦いに勝利しても、そんな自分を認めてくれるのは、奴隷に成り下がってしまった人間、死への生来の恐怖心のおかげで人間性を身につけられない人間だけになってしまう。つまり主君の価値は、あまり人間らしからぬ者たちから認められるということになる(4)。

これはわれわれの体験にもあてはまる。尊敬する人や判断力に信頼をおける人から自分の価値を賞賛されたり認められたりするほうがずっと重みがあるし、いやいやながらではなく、進んでそうしてもらえたとすればなおさらだ。飼い犬も、こちらが帰宅すると尻尾を振ったりして、ある意味では主君を承認してくれる。しかし犬の場合は本能的にそうするよう仕込まれているのであって、相手が誰でも――郵便配達夫だろうが強盗だろうが――同じように承認するのだ。

もう一つ、政治的な例を挙げてみよう。スターリンのような人物は、スタジアムにバスで動員され死の恐怖によって喝采を強いられている群衆の歓呼の声を聞いても満足を感じるだろう。だがそれは、ワシントンやリンカーンのような民主的な指導者が自由な民衆から純粋な尊敬を受けたときに抱く満足感には及ばないはずだ。

ここに主君の悲劇がある。彼は主君としての価値を承認するに足るほどの値打ちもない奴隷から認められようとして、生命を賭けるのだ。だから心はいつまでも満たされることがない。しかも、主君はどこまでいっても主君のままである。働いてくれる奴隷がいるから、自分で働く必要はないし、生活必需品なら何でもたやすく手に入れられる。余暇と消費三昧の暮らしのなかで、彼の生活は千年一日のごとく変わりばえのしないものになっていく。

コジェーブが指摘するように、主君は殺されることはあっても教育されることはない。もちろん、領土の支配権や跡継ぎの問題をめぐって、他の主君たちと幾度も死闘を繰り返し、生命を危険にさらす場合はあるだろう。だが命を賭けるという行為は、それがいくら人間らしさにあふれているとはいえ、結局、どこまでいってもただそれだけの行為にすぎない。領土の奪い合いをたえまなく繰り返したとしても、それで他人との質的関係や当人の人間性が変化するわけではなく、歴史を進歩させる原動力も生まれない。

満足していないのは奴隷の側も同じだ。しかしながら主君と違って彼は、満たされないからといって、ふぬけのごとく老いさらばえるわけではなく、むしろ創造的で豊かな変身をとげていく。主君に服従した奴隷は、いうまでもなく人間としては認められない。彼はモノとして、つまり主君の欲望を満たすための道具として扱われる。承認は完全に一方通行である。しかし、まったく認められないがために、奴隷はかえって変化を切望するようになるのだ。

奴隷は、暴力的な死を恐れて手放した人間性を、労働を通して取り戻す[5]。最初のうち奴隷は、死に対する恐怖もあって、主君を満足させるために働かざるを得ない。しかし労働の動機はそのうち変わっていく。直接的な刑罰を恐れてではなく、義務感と自己鍛錬から働きはじめるようになり、そのなかで、仕事のために自分の動物的欲望を抑えるすべを学んでいく[6]。言い換えれば、彼は一種の労働倫理を発達させていくのである。

さらに重要なのは、自分が一個の人間として自然を変えていけるという事実、自然の物質を利用し、かねてからの発想や考えを踏まえて、それを何か別なものに自由に変えていけるという事実を、彼が労働を通じて悟りはじめるということだ。奴隷は道具を使う。道具を使って道具を作り出すことができ、それによって科学技術を生み出していく。近代自然科学は、欲しいものは何でも手に入る怠惰な主君が生み出したのではなく、労働を強いられ現状に不満を感じる奴隷が生み出したものである。科学とテクノロジーを通じて奴隷は、自分が自然を変えられること、また生まれ落ちた物理的環境だけでなく自分の本性をも変えられることを発見するのだ[7]。

「主君」よりは「奴隷」のなかにこそある真の自由、大きな自由の芽

ヘーゲルは、ロックとは対照的に、労働が自然の制約から完全に解放されてきていると考えていた。彼によれば、たんに自然のニーズや新たに生まれた欲望を満たすだけが労働の意味ではない。労働そのものが自由のあらわれである。なぜならそれは、自然の制約を乗り越え、労力をつぎこみながら創造す

るという人間の能力を示しているからだ。自然と調和した労働などというものは存在せず、自然を克服してはじめて真に人間的な労働がはじまるのである。

ヘーゲルはまた、私有財産の意味についてもロックとはまったく異なった見解を示している。ロックの考えでは、人間は自分たちの欲望を満たすために財産を所有する。他方ヘーゲルは、財産——家や車、土地など——を、人間自身の「具象化」したものとしてとらえた。だから財産は、モノの固有の特性を示してはいない。財産というのは、人々がお互いの財産権を尊重することに同意したときにはじめて一つの社会慣例として存在するのだ。

人はたんに欲求を満たすためだけでなく、他人に認められたいという気持ちがあるからこそ財産を所有し、そこから満足を引き出す。ロックやマジソンと同様ヘーゲルにとっても、私有財産の保護は市民社会の目的にかなったものであった。しかしヘーゲルは財産を、承認を求める歴史的闘争の一段階もしくは一側面であり、欲望のみならず「気概」をも満たすものだと見なしていたのである(8)。

主君は血なまぐさい戦いに命を賭けてみずからの自由を誇示し、それによって、自分が自然の制約を越えた存在であることを指し示す。奴隷は逆に、主君のための労働を通じて自由という理念を抱き、自分が一人の人間として自由で創造的な労働をおこなう力をもっていると悟るのである。彼は自然の支配を契機として、支配そのものの本質をたちどころに理解するのである。

奴隷が潜在的にもつ自由は、主君が現実にもつ自由よりも、歴史的に見てはるかに重要だ。主君は自由である。やりたい放題、使い放題に生き、短絡的、衝動的なやり方で自由を謳歌する。反対に奴隷は、労働の結果としてもたらされる自由という理念を心に抱きとめるだけなのだ。しかも奴隷は実生活においては自由ではない。当然、自由の理念と自分の現状とのあいだには食い違いがある。そのために奴隷は、いっそう哲学者に近づいてくる。彼は、実際に自由を享受できもしないうちから、抽象的に自由のことを考えるしかなく、また、実際に自由な社会に住みもしないうちから、自由社会の原理を自分たちのために生み出さざるを得ないのだ。かくして奴隷の意識は、主君の意識を凌駕する。なぜなら彼のほうが深い自己認識、すなわち、自分とそのおかれた状況についての深い洞察に達しているからだ。

アメリカ独立やフランス革命における自由と平等の原理は、自然に奴隷の頭に飛び込んできたわけではない。奴隷は主君へ挑戦することによって第一歩を踏み出したのではなく、むしろ長く苦しい自己修養の道をたどり、そのなかで死への恐怖を克服し、正当な自由を主張するすべをみずからに教え込んだのだ。

彼は、自分の現状と自由という抽象的な理念とを勘案し、真の自由を探りあてるまでのさまざまなかりそめの自由を断念する。ヘーゲルにとってもマルクスのイデオロギーにとっても、このかりそめの自由とは、それ自体は真実ではないが、支配と隷属という現実の土台をなす下部構造を反映した知的構成概念である。

自由という理念の萌芽をはらむ一方で、この概念は、奴隷に自由の欠如した現状を甘受させる働きもする。『精神現象学』のなかでヘーゲルは、このような奴隷のイデオロギーとしてたとえば禁欲主義や懐疑主義などの哲学を挙げている。しかし、もっとも重要な奴隷のイデオロギーであり、同時に、地上での自由と平等にもとづいた社会の実現にもっとも直接的に結びつくイデオロギーは、「絶対宗教」すなわちキリスト教なのである。

不平等のなかにこそある「真の平等」

ヘーゲルがキリスト教を「絶対宗教」と見なしたのは、視野の狭い自民族中心主義からではなく、キリスト教の教義と西欧におけるリベラルな民主主義社会の出現とのあいだに客観的な歴史的関係――ウェーバーやニーチェなど、後世の多くの思想家も受け入れた関係――が存在していたためである。キリスト教が自由の理念を実現する最後から二番目の形態(最後の形態はリベラルな民主主義)となったのは、ヘーゲルによれば、この宗教が人間の道徳的選択あるいは信仰の力にもとづいて、神の前では万人があまねく平等だとする原理をはじめて打ち立てたからだ。つまり、キリスト教では人間は自由であるとされ、しかもその自由はホッブズの説く肉体的束縛からの自由などという形式的なものではなく、善悪の判断における道徳的自由のことなのである。

人間は楽園を喪失し、飢えた裸の動物となりはてたが、選択と信仰の力を通じて精神的に生まれ変わることもできる。キリスト教の説く自由とは、魂の内なる状態のことであり、外側の肉体の状態のことではない。ハベルの青果商とソクラテスの語ったレオンティウスがともに感じた自分に対する「気概」に満ちた価値観は、キリスト教信仰者の内なる尊厳や自由とどこか共通点をもっている。

キリスト教においても自由は人類の普遍的な平等をふくむと解されているが、その理由は、ホッブズやロックの流れをくんだ自由主義者の説とは違う。アメリカ独立宣言が「すべての人間は平等につくられている」と謳ったのは、おそらく、創造主が万人にある譲渡すべからざる権利を授けたとされているためだ。

ホッブズやロックが抱いた人類平等の信念は、天賦の才の平等性を土台にしている。ホッブズは、人は互いに殺し合う力を等しく持ち合わせているから平等だと説き、ロックの場合も、人間の才能の平等性を指摘した。ただしロックは子供は親と対等ではないと述べ、マジソン同様に人間の財産獲得の能力は平等ではないと考えた。したがってロックの見解では、自由とは一種の機会均等を意味するのである。

これに対してキリスト教でいう平等とは、万人が唯一特定の才能、すなわち道徳的選択の能力を平等に与えられているという点に根ざしている。[9] 人は誰でも、神を受け入れ、あるいは拒むことができ、善をなし、あるいは悪をなすこともできる。

平等についてのキリスト教の見地は、一九六三年にマーティン・ルーサー・キング牧師がリンカーン記念堂の壇上からおこなった「私には夢がある」という演説のなかに如実に示されている。その演説のなかでキング牧師は、彼の四人の小さな子供たちが「肌の色ではなく、人物の中身で判断される国にいつの日にか住むようになる」夢が自分にはあるのだとの忘れがたい台詞を残した。ここでは、子供たちが才能や長所によって判断されるべきだとも、彼らに能力の許すかぎり出世してもらいたいとも述べていないことに注目してほしい。キリスト教の牧師であるキングにとって人間の尊厳は、人間の理性や賢さのなかにではなく、その人格のなかに、つまり道徳的性質、善悪を識別する能力のなかにある。美貌や才能や知性や技能の面で人間は明らかに不平等だが、道徳実践の主体という点に限っていえば誰もが平等だ。いかにみすぼらしく始末に負えない孤児でも、神の目から見れば、どれほど非凡なピアニストや才気あふれた物理学者よりも美しい心を持ち合わせているかもしれないのである。

歴史のプロセスへのキリスト教の貢献は、したがって、このような人間の自由のビジョンを奴隷たちに示し、どのような意味で人はみな尊厳をもっているとされるのかを奴隷たちに明らかにしたところにある。キリスト教の神は万人をあまねく承認し、個々人の人間的価値と尊厳を認める。言い換えれば神の国は、虚栄心の強い人々の「優越願望」ではなく、すべての人々の「対等願望」が満たされるような世界の展望を指し示しているのである。

人間が作った「神」の力の限界

しかしながら、キリスト教の問題点は、それがやはりたんなる一種の奴隷のイデオロギーにとどまっていること、つまりある決定的な観点において真実ではないというところにある。キリスト教における人間の自由は、この地上ではなく神の王国においてのみ実現する。言い換えればキリスト教は、自由についての正しい概念はもっているが、結局は現実の奴隷たちにこの世での解放を期待するなと説き、彼らに自由の欠落した状態を甘受させてしまうのだ。

ヘーゲルによればキリスト教徒は、神が人間を作ったのではなく人間が神を作ったということに気づいていない。人間は、自由という理念の一つの投影として神を作り出した。なぜならキリスト教の神のなかには、自分自身と自然界の完全な支配者である一つの存在が見出されるからである。

ところがキリスト教徒は、さらに進んで、自分が作り出した神に自分を隷属させてしまった。本来ならばみずからの救済者となるべきなのに、キリスト教徒は、来世で神に救済されることを信じて地上での奴隷生活に甘んじたのだ。このようにキリスト教は、人間がみずから作り出したものの奴隷となり、それによって自分自身を二つに引き裂いてしまう新しい隷属の形、すなわち疎外の一形態なのである。

この最後の偉大な奴隷のイデオロギー、キリスト教は、人間の自由がいかにあるべきかのビジョンを奴隷に向かってはっきり示している。キリスト教は彼に、奴隷から抜け出す現実的な手だてを与えはしなかったが、彼のめざすべき目標をいっそう明確に示してくれた。その目標とは、自由で自律的な人間になり、その自由と自律によって認められ、さらに万人が広く互いに認め合えるようになることである。

奴隷は労働を通じて、みずからを解放する事業の大部分をなしとげる。彼は自然を支配し、それを自分の理想に沿って変え、自分の自由の可能性を認識する。だからヘーゲルにとって、歴史を完成させるには、キリスト教から宗教的色彩を取り除くだけでよかった。つまり、キリスト教の自由の理念を現実の世界に引き移すだけでよかったのだ。そこにはもう一つの血なまぐさい戦い、奴隷が自分を主君から解放する戦いが必要とされた。そしてヘーゲルは、自分自身の哲学を、もはや神話や聖書の権威に頼るのではなく、奴隷の絶対的な知識と自己認識の獲得にもとづくような、キリスト教の教義の一つの変形としてとらえていた。

歴史のプロセスは純粋な威信を求める闘争で幕を開け、そのなかで貴族的主君は、他者から認められるために進んでみずからの生命を賭けた。自分のもって生まれた性質を克服することによって、主君は、自分がより自由な、より正真正銘の人間であることを示した。だが、歴史のプロセスを前に推し進めたのは主君の闘争ではなく、奴隷の労働である。

最初のうち奴隷は、死への恐怖のために奴隷の境遇を受け入れたが、ホッブズが説くような自己保存を求める理性的人間とは違って、ヘーゲルのいう奴隷は決して自分に満足しない。彼は奴隷でありながら「気概」をもち、自尊心と尊厳、そしてたんなる奴隷以上の生をめざす欲望とを持ち合わせていた。彼の「気概」は、仕事への誇りや、自然の「ほとんど無価値な物質」を巧みに扱って、自分ならではの作品に変える力に対する自負心にあらわれている。またそれは、彼が自由に関して抱く理念にもあらわれている。彼はこの「気概」のおかげで、自分の価値や尊厳が他人に認められるはるか以前から、価値と尊厳のある自由な存在の可能性を頭のなかで思い描くようになった。

ホッブズの説く理性的人間とは違って、彼はみずからの誇りを抑えつけようとはしなかった。それどころか、他人から認められるまでは、自分を完全な人間だと感じることもなかった。歴史を前進させた原動力は、このような奴隷側の承認へのたえまない欲望であり、決して主君の側の怠惰な自己満足や相も変わらぬ独りよがりの性格ではないのである。

7 「日の当たる場所」を求めて戦う人間と国家

国家の存在はこの世界における神の行ないである。

ヘーゲル『法の哲学』(1)

ヘーゲルにとってフランス革命とは、自由で平等な社会についてのキリスト教のビジョンをとらえ、それを地上で実行した出来事だった。革命を起こすなかでかつての奴隷たちはみずからの生命を賭け、それまで奴隷の奴隷たるゆえんであった死の恐怖を克服していったのである。

自由と平等の原理は、ナポレオンの常勝の軍隊によってヨーロッパの近隣諸国に広まった。フランス革命のあとを受けて誕生した近代のリベラルな民主主義国家は、キリスト教の説く自由と普遍的な人間平等の理念を現実の世界において実現したものにほかならない。それは、国家を神格化したり、アングロ＝サクソン的な自由主義に欠けていた「形而上学的意味合い」を国家に与えたりするような企てではなかった。むしろ逆に、何よりもまずキリスト教の神を作り出したのは人間であり、したがって、神を地上に引きずりおろして議事堂や官邸や近代国家の官僚制度のなかに住まわせ得たのも人間である、との認識を打ち立てたのである。

ヘーゲルはわれわれに、ホッブズやロックに端を発するアングロ＝サクソン的な自由主義の伝統とは異なった視点からリベラルな近代民主主義を改めて解釈する機会を与えてくれている。自由主義に対するこのヘーゲル流の理解は、同時に、自由主義が何をあらわしているかについてのいっそう気高いビジョンであり、世界じゅうの人々が民主主義社会に住みたいという願いを口にするときそれが何を意味しているかについてのいっそう正確な解釈でもある。

　ホッブズやロック、そして合衆国憲法や独立宣言を起草した後継者たちにとってリベラルな社会とは、特定の自然権、なかんずく生命の権利――つまり自己保存の権利――や財産獲得の権利として一般に理解されている幸福追求の権利を有する個人のあいだの一つの社会契約だった。つまり、互いに生活や財産に干渉しないという、市民間の相互的かつ対等な合意であった。これに対してヘーゲルにとってのリベラルな社会とは、市民が互いに認め合うという相互的かつ対等な合意のことであった。ホッブズやロックのいう自由主義が理にかなった私利私欲の追求であるなら、ヘーゲル流の「自由主義（リベラリズム）」は理にかなった承認、つまり、各人が自由で自律的な人間として万人から認められるという普遍的な基盤のうえに成り立つ承認の追求と解釈できる。

　リベラルな民主主義社会を選び取った場合に問題となるのは、それがわれわれに自由に金儲けをさせ、魂のなかの欲望の部分を満たしてくれるという点だけではない。さらに重要で、最終的にいっそうの満足を与えてくれることは、この社会がわれわれの尊厳を認めてくれるという点なのだ。リベラルな民主主義社会はすばらしい物質的な繁栄をもたらす可能性を秘めているが、それはまた各人の自由を認め合うという、まったく精神的な目標実現にいたる道をも指し示してくれる。リベラルな民主主義国家では、われわれが自分自身の価値をどうとらえているかという観点から人間が評価される。このようにして、われわれの魂のなかの欲望の部分と「気概」の部分は、ともに満足を見出すのである。

　普遍的な承認は、奴隷制社会やそれに類似した多くの社会での承認にまつわる深刻な欠陥を正してくれる。フランス革命以前の社会は、そのほとんどが君主制や貴族制であり、一人の人間（国王）あるいは少数者（いわゆる「支配階級」や特権階級）だけが認められていた。彼らの満足は幾多の民衆の犠牲のうえに成り立ち、その民衆の人間性は認められることがなかった。普遍的かつ平等な基盤に立ってこそはじめて、理にかなった承認が実現するのである。

主従関係がはらむ内部的な「矛盾」は、主君の道徳性と奴隷の道徳性がうまく統合された国家のなかで解決された。主君と奴隷のあからさまな区別は消し去られ、かつての奴隷は新しい主君に——他の奴隷の主君にではなく自分自身の主君に——なった。これが「一七七六年（アメリカ独立宣言）の精神」のもつ意味である。つまりそこでは、再び新たな主君が勝利したのではなく、新たな奴隷の意識が生まれたのでもなく、民主政体という形で人間の自己支配が達成されたのだ。そして、かつての主従関係のなかにあった要素のいくつか——主君の側の承認から得られる満足感と、奴隷の側にとっての労働——は、この新しい統合形態のなかにも引き継がれていった。

普遍的な承認の合理性は、あまり合理的ではない他の承認形態と対比すればいっそうよく理解できる。たとえば国家主義的な国家、つまり市民権が特定の国民や民族や人種集団だけに制限されているような国家では、理に合わない承認の形態がつくられている。国家主義は承認への欲望のあらわれであり、「気概」から生じる。国家主義者にとっては経済成長など二の次で、承認と尊厳のほうが大切である。[2] 国民性は国民にもとから備わった特徴ではなく、他人にそれを認められてはじめて得られる。[3] しかしながら国家主義者は、ある国民としての承認を個人としての自分のために求めるのではなく、自分の属する集団のために求めるのだ。

ある意味で国家主義は、かつての「優越願望」が近代的で民主的な装いをまとったものといえる。

個々の君主がみずからの栄光を求めて戦う代わりに、いまではあらゆる国家が国家としての地位を認められようとして躍起になっている。かつての貴族的主君と同じように、これらの国家も承認を求め、「日の当たる場所」を求めて、暴力的な死の危険すら辞さない覚悟を固めているのだ。

自由な目と頭をもつ子供の誕生

しかしながら、民族性や人種を土台にした承認への欲望は理にかなったものではない。人間か人間でないかという区別についていえば、それはまったく合理的なものだ。つまり、人間だけが自由であり、したがって純粋な威信のために承認を求めて戦えるのだ。このような区別は自然にもとづいたもの、あるいは自然の領域と自由の領域との根本的な差異にもとづいたものといえよう。

これに対して、ある人間集団と他の集団との区別は、人類史における偶然かつ恣意的な副産物である。そして、みずからの尊厳への承認を求める異国民集団同士の闘争は、国際的な規模で、かつての貴族的主君たちの威信をめぐる戦いと同様の袋小路に行き着いてしまう。いわば、一方の国家が主君となり、もう一方の国家が奴隷となるのだ。どちらか一方の国家しか認められないという承認形態は、初期の個人的な主従関係が決して満足をもたらさなかったのと同じ理由で、不完全なものなのである。

反対にリベラルな国家は理にかなった存在だ。なぜならこのような国家では、相互に受け入れが可能な唯一の根拠、つまり人を人として見なすという原則をふまえつつ、承認への欲望同士のぶつかりあいを和解させていくからだ。リベラルな国家は普遍的なものでなくてはならない。つまり、あらゆる市民を、彼らが特定の国家的、民族的あるいは人種的集団に属しているという理由からではなく、彼らがまさに人間であるという理由によって認めていかねばならない。同時にその国家は、主君と奴隷の区別の廃止を基礎に、階級のない社会を築いていけるくらい均質的なものでなくてはならない。

普遍的で均質な社会が合理的であることは、こうした国家が、アメリカに共和制をもたらした憲法制定議会の論議の過程に見られるように開かれた主義主張にもとづいて意識的に築かれるという事実を考えればいっそう明らかである。つまりリベラルな国家の権威は、年老いた伝統や信仰心の暗い深みから生まれてくるのではなく、市民がともに生きていくための条件について互いに合意を得るような大衆的討論の結果として誕生したのだ。

リベラルな国家は、理性的な自己認識の一つのあらわれである。なぜなら、このような国においてははじめて人間は、共同体としてのみずからの本質を悟り、その本質と合致する政治共同体を作り上げていけるようになるからである。

とはいえわれわれは、どうして近代のリベラルな民主主義は全人類をあまねく承認するなどといえるのだろうか?

それは、リベラルな民主主義が万人のさまざまな権利を承認し、それを保護するからだ。アメリカやフランスなど自由主義国家に生まれた子供なら誰でも、まさにその国に生まれたという理由で、市民としてのさまざまな権利が与えられる。貧しかろうが裕福だろうが、黒人だろうが白人だろうが、その子供が裁判制度によって告発を受けているのでもなければ、誰もその生命を脅かすことはできない。

この子供はゆくゆくは財産所有の権利を手にすることになるし、その権利は国家と仲間である市民たちの双方から尊重されるはずだ。また、あらゆる議論に対し「気概」にもとづいた選択の権利(つまり価値や評価に関して意見を主張する権利)ももつだろうし、自分の意見をできるだけ広く公表し、普及していく権利も手に入れる。この「気概」にもとづいた意見は信仰の形をとる場合もあるが、その主張の際には、完全な自由が保証される。

そしてこの子供は、いよいよ成人に達すると、自分に与えられたさまざまな権利を最初に確立してくれた政府そのものへの参加の権利を、そして公の政治に関するもっとも高尚かつ重要な問題の討論に寄与する権利を手に入れる。この政治参加は、定期的な選挙で一票を投じるという形をとる場合もあるし、みずから選挙に立候補して、政治プロセスへ直接関与することをめざすというような、いっそう行動的な形をとることもある。また、特定の人物や特定の立場を支持する社説を書いたり、政府の公的機関で働いたりすることもそこにはふくまれる。

人民の自治政府は、主君と奴隷の区別を消し去る。そこでは誰もが、主君としての役割をいくぶんかでも共有する資格をもっている。いまや支配は、民主的に決定された法律——すなわち人間が自覚的にみずからを支配するための一連の普遍的な規則——の公布という形をとる。国家と人民が互いに認め合ったとき、つまり、国家が人民に権利を賦与し人民が国家の法の遵守に合意したとき、承認は互恵的なものとなる。このような諸権利が制限されるのは、それらが自己矛盾に陥ったとき、つまりある特定の権利の行使が他の権利を侵害するようなときだけだ。

歴史の終わりに登場する「普遍的で均質な国家」の中身

以上のようなヘーゲル流の国家解釈は、国家を個人の一連の権利を保護するシステムとして定義しているロック流の自由主義の見解と大筋において一致する。もっとも、ヘーゲルの専門家であればただちにロック流あるいはアングロ＝サクソン的な自由主義に対してヘーゲルは批判的だったと異議を唱え、ロックを始祖とするアメリカ合衆国やイギリスのような国家が歴史の最終段階を形成しているという考えなどヘーゲルなら拒絶するはずだ、と反論するにちがいない。

こうした反論は、もちろんある意味で正しい。個人の邪魔にならないようにすることが政府の唯一の目標であり、利己的な私益を追求する自由は絶対であるなどというアングロ＝サクソン的自由主義の一部に見られる見解、今日では主に自由主義右派に代表される見解を、ヘーゲルは決して認めなかったであろう。また、政治上の権利とは人間が生命や財産あるいは最近の言葉でいうなら個々人の「ライフ・スタイル」を守るための手段でしかないとする一部の自由主義者の見解についても、ヘーゲルはそれを拒絶していたにちがいない。

しかしながら一方で、第二次世界大戦後のアメリカやEC諸国にはヘーゲルのいう普遍的な承認の形態が具体的にあらわれたとのコジェーブの主張には、一つの重大な真理が示されている。というのも、アングロ＝サクソン的な民主主義はたしかにロック主義の土台の上に築かれてきたにせよ、そのような民主主義の自己理解は決して純粋にロック的ではないからである。

たとえばすでに見てきたように、マジソンやハミルトンは『フェデラリスト』のなかで人間性の「気概」の側面に注意を払っているし、とくにマジソンは、代議政体の目的の一つが人々の「気概」に満ちた情熱的な主義主張にはけ口を与えることだと信じていたのである。

また現代のアメリカ人が自分たちの社会や政府のことを話題にするときには、ロック流の用語よりもヘーゲル的な用語のほうを頻繁に使う。さらに公民権運動の高揚期にはごく当然のことのように、公民権の法制化は黒人の尊厳を認めるためであり、すべてのアメリカ人に尊厳と自由の生活を保証した独立宣言および憲法の公約を実現させるためである、と主張されていた。当時の人は、こういう論議の要点を理解するのにヘーゲル学者になる必要などなかったし、ほとんど教育のない人間や底辺の市民でさえこういう言葉を使ったのである（ドイツ連邦共和国の憲法は、人間の尊厳にはっきりと言及している）。

アメリカでも他の民主主義国家でも、選挙権は投票のための財産資格を満たさない人々にまず拡大され、続いて黒人その他の少数民族や女性に拡大されてきたが、決してそれはたんなる経済的な権利（これらの集団がみずからの経済的利益の保護のために与えられた権利）と考えられていたのではない。そうではなく、選挙権は広く人間の価値と平等のシンボルとみなされ、それ自体が一つの目標として重んじられたのである。アメリカ建国の父たちが「承認」とか「尊厳」とかいう言葉を使わなかったにせよ、それは、権利についてのロックの用語が知らず知らずのうちに承認についてのヘーゲルの用語にすんなり移行していくことを妨げるものではなかった。

歴史の終わりに登場する普遍的で均質な国家は、このように、経済と承認の二本柱のうえに成り立っていると見ることができる。こうした国家にまでたどりついた歴史のプロセスは、近代自然科学の発展と承認を求める闘争のおかげで前進をとげてきたのだ。

自然科学は、近代初期になって解放された魂の欲望の部分から生まれ、際限のない富の蓄積をもたらした。この際限のない富の蓄積は、欲望と理性とが手を結んだおかげで可能になった。その意味で資本主義は、近代の自然科学にはかりしれないほど依存しているのである。

一方、承認を求める闘争は、魂のなかの「気概」の部分から生じた。奴隷たちは、万人が自由で平等になれる神の世界を思い描いたが、現実はそれとはまったく裏腹であり、その過酷な隷属状態が承認を求める闘争をいっそう駆り立てていったのである。

歴史のプロセス――真の普遍的な歴史――の全貌は、経済と承認という二本柱の両方についての説明がなければ、ほんとうの意味で明らかにされたことにはならない。それはちょうど、人間の人格の全容を明らかにするのに欲望と理性と、そして「気概」についての説明が必要であるのと同じだ。マルクス主義や「近代化理論」などもっぱら経済を基盤にしたもろもろの歴史理論も、魂のなかの気概の部分と承認を求める闘争とを歴史の主要な原動力として考慮に入れなければ、まったく不完全なものに終わるのである。

より高い合理的精神に気づきはじめた最後の「奴隷制社会」

さてここで、自由市場経済と自由主義との相関関係、そして高度な工業化とリベラルな民主主義との密接な相関関係について、もう少し分析してみよう。

前にも述べたように、民主主義を選び取るための経済的な根拠などは何ひとつない。もしそんなものがあるとしても、それは民主主義的な政治が経済効率の足かせになるという点くらいだ。民主主義の選択は自分の意志にもとづく行為であり、それは欲望のためにではなく、承認のためにおこなわれる選択なのである。

ただし、経済の発展は、民主主義を自分の意志で選択しやすくなるような条件を作り出す。それには二つの理由がある。第一に、経済発展は奴隷たちに支配の概念を示す。それによって奴隷は、自分たちが科学技術を用いて自然を支配し、同時に労働と教育のおかげでみずからをも支配できるということを悟る。社会の教育水準が上がれば、奴隷たちはますます自分のおかれた境遇に思いをめぐらし、みずから支配者になろうと考え、奴隷根性のしみついた仲間たちの考えをなんとか消し去ってやろうと望むようになる。教育のおかげで奴隷は、自分が尊厳をもった人間であり、その尊厳が認められるよう戦わねばならないということを教えられる。

近代教育が自由や平等の理念を教えているのは、決して偶然ではない。自由や平等の理念は、奴隷たちが自分のおかれた現実の状況に反発して掲げた奴隷のイデオロギーである。キリスト教と共産主義（後者の登場をヘーゲルは知らないが）はどちらも、真理の一部をとらえた奴隷のイデオロギーである。しかし時代が経つにつれて、両者の非合理性と自己矛盾が暴露されてきた。とくに共産主義社会は、いくら自由や平等の原理を追求したにせよ、そこで暮らす人々の大半がみずからの尊厳を認められていないため、奴隷制社会の現代版であることがはっきりした。一九八〇年代後半に起きたマルクス主義の崩壊は、ある意味で、共産圏の人民がより高い合理的精神を獲得したこと、そして道理にかなった普遍的な承認はリベラルな社会秩序にしか存在しないと悟ったことの反映でもある。

経済発展がリベラルな民主主義を促進させる第二の理由は、経済発展に欠かせない教育の普及が社会の平等化を大規模に推し進めることである。古い階級の壁は、機会均等のために崩れ去る。もちろん、経済状態や教育の程度にもとづいた新しい階級は生まれてくるが、それでも社会というものは元来、平等の理念を広めていくためのいっそう大きな流動性をもっている。かくして経済は、法律上の平等が達成される以前に、すでに実質上の平等を作り出してしまうのである。

もしも人間がたんなる理性と欲望のかたまりにすぎないなら、軍事政権下の韓国や賢い技術官僚（テクノクラート）に牛耳られたフランコ政権下のスペイン、あるいは急速な経済成長に血道をあげている国民党政権下の台湾のような国に暮らしても十分満足するはずだ。しかしながら、これらの国に住む人々は欲望と理性以上のものをもっている。彼らは「気概」に満ちた誇りを抱き、自分が尊厳あふれる人間だと信じ、そしてその尊厳を何よりも自国の政府から認められたいと願っているのである。

リベラルな経済とリベラルな政治とのあいだには、承認への欲望という失われた環（ミッシング・リング）がある。すでに見てきたように、工業化の進展によって社会は都会化し、流動的になり、教育水準はますます向上し、部族や聖職者や職人組合のような伝統的な権威から自由になっていく。このような社会とリベラルな民主主義のあいだには、これまでのところ十分な説明はつかないにしても経験的にいってかなり密接な相関関係があった。それをきちんと解釈できなかったのは、リベラルな民主主義の選択ということを経済的理由によって、つまり魂の欲望の部分とからめた形で説明しようとしてきたためだ。むしろわれわれは「気概」の部分、すなわち承認への欲望に目を向けるべきだったのである。

工業化の進展にともなう社会の変化、とくに教育の向上は、貧しく素養のない人々には遠い存在であった承認への欲望を古い制約から解き放してくれているように見える。富と、世界的な視野と、教育を身につければつけるほど人々はより大きな富を求めるばかりでなく、自分たちの地位も認めてもらいたがるようになる。スペインやポルトガル、韓国、台湾、中国の民衆が市場経済だけでなく、人民による人民のための自由な政府をこぞって要求している理由も、このような経済とは無縁の非物質的な動機によって説明できるのである。

人間を完璧に満足させる「歴史の最終段階」

コジェーブは、そのヘーゲル解釈のなかで、普遍的かつ均質な国家こそが人類史の最終段階であるが、なぜならそれは人間を完璧に満足させるからだ、と述べた。この主張は、つまるところ、もっとも強固で根深い人間的情熱としての「気概」、あるいは承認への欲望が人間の一番の根源だと確信しているところから生じるのだ。承認の重要性を心理的な面だけでなく形而上学的な面からも指し示したヘーゲルとコジェーブは、おそらく、欲望と理性がすべてと考えたロックやマルクスやその他の哲学者たちよりも深く人間性を理解していた。人間の作り出した制度の妥当性を測定する超歴史的な判断基準を自分はもっていない、とコジェーブは述べたが、実際には承認への欲望がそのようなものさしとなったのである。

　結局のところコジェーブにとって「気概」とは、人間性の不滅の部分であった。そして「気概」から生じた承認を求める闘争は、勝利まで一万年以上にわたる長い歴史の行程を必要としたのかもしれないが、それが魂にとってなくてはならない部分だという点ではプラトンもコジェーブも一致していたのである。

　したがって、われわれがいま歴史の終着点に立っているというコジェーブの主張が正しいかどうかは、ひとえに、現代のリベラルな民主主義国家が人間の承認への欲望をどの程度満足させているかにかかっている。近代のリベラルな民主主義は主君の道徳と奴隷の道徳とをうまく統合し、両者の要素を多少は残しながらもその区別を消し去ってしまった、とコジェーブは考えていた。しかしほんとうにそうなのだろうか？　とくに、近代の政治制度は主君の「優越願望」を政治にとって無害なものに変え、その矛先をそらすことに成功したのだろうか？　人は、ただ万人と平等だと認められただけで永遠に満足するのだろうか？　じきにもっと多くを求めるようになりはしないだろうか？　そして、「優越願望」が近代政治によってそんなにも徹底的に骨抜きにされ、方向転換させられたのだとすれば、ニーチェが認めた「優越願望」をわれわれは賞賛に値するものとしてではなく比類なき災害と見なすべきなのだろうか?

このような疑問については、第五部でじっくり考察してみたいと思う。同時にそこでは、人間の意識がリベラルな民主主義に接近するにつれて、その意識自体が実際にどう変わっていくかという点をもっとつぶさに見ていきたい。

承認を求める欲望は、普遍的で平等な承認へと移行する以前には、さまざまな名目の宗教や国家主義に代表される多種多様な非合理な形態を取り得るのである。この移行は決してスムーズにはおこなわれないし、現実のほとんどの社会では理にかなった承認と非合理的な承認形態が共存するようになるのだ。さらにいえば、理にかなった承認を実現するような社会の誕生とその存続のためには、明らかに、ある種の非合理な承認形態が生き残っている必要がある。この点は、コジェーブも十分には論究していないパラドックスにほかならない。

ヘーゲルは『法の哲学』の序文で、哲学とは「その時代を思想の内にとらえたもの」であり、かつてロードス島に建っていた巨人像を誰も飛び越えられなかったのと同様に、哲学者も彼の時代を越えて未来を予測できはしないと説いている。だが、このような警告にもかかわらず、われわれは将来に目を向け、近年世界じゅうで起きた自由主義革命の展望と限界を理解しつつ、それが今後の国際関係にどのような影響を与えるのか考察していきたいと思う。

第四部

脱歴史世界と歴史世界

——自由主義経済成功に絶対不可欠な「非合理な〝気概〟」

1 冷たい「怪物」――リベラルな民主主義に立ちはだかる「厚い壁」

いまもどこかには民族と家畜の群れが残っているだろうが、われわれのところにはない。わが兄弟たちよ、ここにあるのは国家だ。国家？　国家とは何か？　では耳を開いて聞くがいい。いま私があなたがたに、諸民族の死について語るのだから。

国家とは、あらゆる冷たい怪物のなかでもっとも冷たいものである。それはまた冷ややかに嘘をつく。こんな嘘が彼の口から出てくる、「この私、国家は、すなわち民族である」と。それは嘘だ！　かつて民族を創造し、その頭上に一つの信仰、一つの愛を掲げたのは創造者たちであった。かくして彼らは生命に奉仕したのだ。

いま多数の人間に対して罠を仕掛け、それを「国家」と呼んでいるのは大量虐殺者たちである。彼らはその罠の上に一本の剣と百の欲望とを吊り下げる。……

民族の標識を私はあなたがたに教えよう。どの民族も、善と悪とについて独自の言葉を語っている。となりの民族にはそれが理解できない。民族はみずからの風習と律法のなかで独自の言葉を作り出したのである。ところが国家は、善と悪についてあらゆる言葉を駆使して嘘をつく。国家が何を語っても、それは嘘である――国家が何をもっていようと、それは盗んできたものなのだ。

ニーチェ『ツァラトストラはかく語りき(1)』

歴史の終点においては、リベラルな民主主義に残されたイデオロギー上の強敵など一つもない。かつて人々はリベラルな民主主義を拒絶してきた。なぜならリベラルな民主主義は君主制、貴族政治、神権政治、ファシズム、共産主義という名の全体主義、あるいはそのほかなんであれ、自分たちがたまたま信奉してきたイデオロギーよりも劣っていると考えたからだ。

だがいまでは、イスラム世界以外では、リベラルな民主主義の主張をもっとも合理的な政治体制として、すなわち合理的な欲望や認識をもっとも完全に実現させるものとして受け入れる一般的な合意が存在しているように思われる。とするなら、なぜイスラム世界以外のあらゆる国々が民主主義国家ではないのか？　国民も指導者たちも理論的には民主主義の原理を受け入れている多くの国々が、民主主義への移行に依然としてたいへんな困難を要するのはなぜか？　安定した民主主義にとって代わるものなど考えられないというのに、現在みずから民主主義を宣言している世界じゅうのいくつかの政権がそのまま続いていきそうにもないという疑惑にわれわれがとらわれるのはなぜか？　そしてたとえ最後には勝利を収めるにしても、自由主義（リベラリズム）へ向かっている現在の趨勢が後退していくように思われるのはなぜか？

リベラルな民主主義の基本は、もっとも合理的な政治活動をおこなうというところにあり、そこでは共同体全体がその公的生活を支配する一連の法律や体制などについてじっくりと討議を重ねていく。ところがそこでしばしば問題になるのは、理性と政治がともにみずからの目標をなかなか実現できないという弱点、そして人間が自分たちの生活をたんに個人的なレベルだけではなく政治的なレベルでも支配できなくなるという弱点があることである。

たとえばラテンアメリカの多くの国々は、十九世紀にポルトガルやスペインから独立を勝ち取った直後、アメリカ合衆国や共和制フランスといった国々をお手本にした政体によって、リベラルな民主主義国家として建国された。にもかかわらず、それらの国々のどれ一つとして民主主義の伝統をずっと保ちつづけることに成功した国はない。ラテンアメリカでは、ファシズムや共産主義のいっときの挑戦をのぞけば理論レベルで対立し得るほどの敵はあらわれなかったが、それでもリベラルな民主主義は苦しい戦いをなんとか勝ち抜いてやっと権力の維持を果たしてきたのである。

また、さまざまな独裁的な政治体制を経験してはきたが、つい最近まで真の民主主義を経験したことのないロシアのような国々も数多く存在している。さらにドイツのような国は、西欧の伝統にしっかりと根ざしていながらも、安定した民主主義を勝ち取るために幾多の恐ろしい困難を体験してきた。一方、自由・平等の発祥の地であるフランスは、一七八九年（フランス革命）以来五つの異なった民主主義的共和政体を経験してきた。以上のような例は、その制度の維持が比較的容易であったアングロ－サクソン系のほとんどの国々の経験と鮮やかな対照をなしている。

国家と民族とのただならぬ緊張関係

リベラルな民主主義がいまなお普遍的な力をもたない理由、あるいはいったんそれが力を得ても安定を保っていけない理由は、結局のところ国家と民族とが完全に調和しないところにある。国家はある目的をもった政治的創造物であり、それに対して民族とは国家以前から存在している道徳的な共同体だ。つまり民族とは善と悪との、聖と俗との特質に関する共通の信念をもっている共同体なのだ。それははるか昔の熟慮された土台から発生したものかもしれないが、いまではその大部分が伝統として存在する。

ニーチェが言うように「どの民族も、善と悪とについて独自の言葉を語り」、「みずからの風習と律法のなかで独自の言葉を作り出した」のであるが、その風習や律法は、憲法や法律のなかだけではなく、家族や宗教、階級構造、日常慣習、あるいは栄光に満ちた生き方といったことのなかにもあらわれているのだ。国家の領域とは政治の領域であり、支配の適切な様式に関する領域である。民族の領域とは政治の下に横たわる領域、すなわち社会および文化の領域であり、そこに参加している人々によってさえもめったにはっきりとは、あるいは自覚として意識されないものである。

トクビルがアメリカの憲法上のチェック・アンド・バランスの制度（抑制均衡＝諸権力を相互に対立・抑制させることによって一つの権力の浸透・支配を防ぐ制度）について、あるいは連邦政府と州政府との分権制度について論じるとき、彼は国家について語っているのだ。けれどもトクビルがときとして熱狂的になるアメリカ人の精神主義やその平等に対する情熱、あるいはアメリカ人が理論科学よりも実践科学に熱中するという事実について論じるとき、彼はアメリカ人を民族という意味で語っているのである。

国家は、民族のうえに押しつけられたものである。もちろんときには、リクルゴスとロムルスの法律がそれぞれスパルタとローマという民族の気風（エートス）を作り上げたと考えられているように、あるいは自由・平等という規範がアメリカ合衆国を構成している多種多様な移民のあいだに民主主義的な意識を作り上げているように、国家が民族を作ることもある。

しかしながら多くの場合、国家と民族とはただならぬ緊張関係にある。そしてロシアや中国の共産主義者たちが自国民をマルクス主義の理想へとしゃにむに改宗させたときのように、国家とその民族とは戦争状態にあったといえる場合すらあるのだ。したがってリベラルな民主主義の成功と安定は、決してある一連の普遍的な原理や法律を機械的に適用することによってもたらされるのではない。そこには国家と民族とのあいだの一定の調和が必要とされるのである。

仮にニーチェに従って、一つの民族を同じ善と悪の観念を共有する道徳的な共同体として定義するならば、民族と民族が作り出した文化とは魂のなかの「気概」の部分に起源をもっていることが明らかになってくる。つまり文化は、たとえば年長者をうやまう人物は評価に値するとか、豚のような不浄な動物を食べる人間は価値がないとかいうように、価値評価を下す能力から発生しているのである。「気概」あるいは承認への欲望は、要するに、社会科学者たちが「価値」と呼ぶものの土台なのだ。これまで見てきたように、多種多様な主従関係のすべてを作り出し、そしてその主従関係から生まれる道徳律――臣下の君主への服従、地主への服従、貴族の不遜な優越性など――を作り出したのは、承認を求める闘いであった。

承認を求める欲望は、宗教と民族主義というきわめて強力な二つの情熱の源泉でもある。とはいえそれは、宗教と民族主義を結局は承認への欲望に還元できるという意味ではない。そうではなく、宗教と民族主義が「気概」に深く根ざしているから、この二つの情熱には偉大な力が与えられているということなのだ。

宗教を信じる者は、自分の宗教において神聖とされるものにならなんでも尊厳を与える。彼らは一連の道徳律や生き方、特定の崇拝の対象に尊厳を与える。彼らは自分で神聖だと考えているものが冒瀆されると腹を立てる。[2] 一方、民族主義者はみずからの国家もしくは民族集団の尊厳を信じ、したがってその集団の一員としての尊厳を信じている。彼はこの特別な尊厳を他者に認めさせようとする。そして、宗教を信じる者と同じように、その尊厳が傷つけられると怒りを抱く。歴史のプロセスを出発させたのは、貴族的な君主の側の「気概」に満ちた情熱、承認への欲望であり、それを数世紀にわたる戦争や対立に駆り立てたのも宗教的な狂信や民族主義の「気概」に満ちた情熱であった。

「気概」が宗教と民族主義の源泉だという事実は、「価値」をめぐる対立が物質の所有や富をめぐる対立にくらべて、はるかに致命的な結果をもたらす危険性があるという理由を説明してくれる。[3] 簡単に分割できる金銭と違って、尊厳は本質的には妥協のできないものである。つまり、自分の尊厳、あるいは自分が神聖だと考えているものの尊厳を相手が認めるか認めないか、そのどちらかしかないのだ。「正義」を求める「気概」だけが、純粋な狂信や妄執あるいは憎しみを生むことができる。

「文化」が民主化への大きな障害物となる理由

アングロ－サクソン流のリベラルな民主主義は、その当初の道徳的、文化的性格を犠牲にするような一種の冷たい計算を生み出してきた。合理的な欲望は、非合理的な認識への欲望、とりわけみずからの優越性を認められたがる尊大な支配者たちの「優越願望」に打ち勝たなければならない。ホッブズとロックの伝統から成長した自由主義国家は、自国民との闘いに明け暮れている。自由主義国家は自国民の多彩な伝統的文化を均質化しようと試み、伝統に固執する代わりに彼らに長期的な利害を計算せよと教え込む。また「善と悪」についての独自の言葉をもつ有機的かつ道徳的な共同体の代わりに、人々は一連の新しい民主主義的価値、つまり「参加」「合理性」「世俗性」「流動性」「思いやり」そして「寛容」といった価値を学ばねばならなかった。[4]

こうした新しい民主主義の価値はそもそも、究極的な人間の徳や善を決定するという意味での価値などではなかった。これらの価値は、たんに手段として役立つ機能、あるいは平和で豊かな自由主義社会でうまく生きていくために身につけるべき習慣として考え出されたものであった。ニーチェが国家を、「百の欲望」を民族のまえに吊り下げることによって彼らの文化と民族とを滅亡させた「あらゆる冷たい怪物のなかでもっとも冷たいものである」と呼んだのも、この理由からである。

しかしながら民族が機能するためには、民主主義諸国の市民たちはこれらの価値が本質的には手段であるということを忘れ、自分たちの政治体制や生き方に対して、ある種の非合理的な「気概」にもとづいた誇りを育てなければならない。つまり市民たちは、代替物がないから仕方なしにという理由からではなく、それが自分たちのものであるという理由から民主主義を愛するようにならねばいけないのである。

さらに、「寛容」というような価値をたんなる一つの手段として考えることもやめなければならない。なぜなら民主主義社会において「寛容」は美徳を示すものであるからだ。[5] 民主主義においてこのような誇りを育てていくこと、あるいは市民自身の意識のなかに民主主義の価値を浸透させていくことは、「民主主義の文化」や「市民の文化」を創造していくことである。そしてこのような文化は、長期間にわたる民主主義諸国の安定や繁栄に決定的な意味をもつ。なぜなら、合理的な計算や欲望のみにもとづいて長く存続できる社会など現実世界にはどこにもありはしないからだ。

このようなわけで文化は——ある種の伝統的な諸価値を民主主義的な諸価値に変えていくことへの抵抗という形をとる文化は——民主化に対する障害物にもなり得る。それでは、安定したリベラルな民主主義の建設を妨げる文化的要因にはどのようなものがあるのだろうか？[6] これらはいくつかの種類に分かれている。

第一のものは、一国の国民的、民族的、人種的意識の性質や程度に関係がある。本来なら、民族主義と自由主義とのあいだには相容れないものなどなにもない。十九世紀のドイツやイタリアの国家統一の戦いにおいては、民族主義と自由主義は事実上の同盟関係にあった。また一九八〇年代のポーランドの国家再興運動でも、民族主義と自由主義とは提携していたし、旧ソ連からの独立を求めたバルト諸国の闘争でもそれらは密接に結びついている。国籍や人種あるいは民族といったものが、排他的に市民権やもろもろの法律の唯一の基礎ではないにせよ、国家の独立や主権に対する欲望は民族自決や自由に対する欲望の一つのあらわれと考えることができる。独立したリトアニアが、もとのリトアニアにとどまることを選んだロシア人少数派をふくめたうえで、そのすべての市民の権利を保証するならば、リトアニアは完全にリベラルな国家になることができるのである。

一方、国家を作り上げているもろもろの集団の国民性や民族性が一つの国家意識を分かち合えないほど、また、お互いの権利を認め合わないほどに強くなっている国家では、民主主義は出現しそうにない。したがって国民的一体感という強烈な意識は、まさにイギリスやアメリカ、フランス、イタリア、あるいはドイツなどの国々がそうだったように、安定した民主主義の出現に先立ってあらかじめ必要とされるものなのだ。旧ソ連に見られたこうした一体感の欠如は、より小さな国家単位に解体していく前に、なぜ安定した民主主義が出現しそうにないのかということの理由の一つとして挙げられる(7)。

ペルーでは、スペイン人の血をひく白人たちの人口比はわずかに一一パーセントにすぎない。人口の残りの人々はインディオである。そして彼らは、その国の白人たちから地理的、経済的、精神的に切り離されている。この分離は、ペルーに民主主義が定着するには深刻な障害となるだろう。南アフリカに関しても同じようなことがいえる。つまり南アフリカでは、黒人と白人とのあいだに根源的な亀裂が存在しているばかりか、黒人同士が互いに敵対し合った長い歴史をもつさまざまな民族集団に分裂しているからだ。

プロテスタンティズムが生んだ「自由の精神」

民主主義にとっての文化的な障害物の第二は、宗教と関係がある。民族主義がそうだったように、宗教と民主主義のあいだにも、宗教が寛容と平等主義とをなくしてしまうという点をのぞいては本来相争うところはない。すでに見てきたようにヘーゲルは、すべての人間は道徳的選択ができるのだという基礎のうえに万人平等の原則を打ち立てることによって、キリスト教がフランス革命への道を切り開いたのだということを強く信じてきた。今日の民主主義諸国は、そのほとんどがキリスト教の伝統をもっており、またハンティントンによれば一九七〇年以降に誕生した新しい民主主義国家はほとんどカトリックの国家であったという[8]。そういうわけで宗教は、ある意味では民主化にとっての障害物ではなくむしろその推進力であったようにも思える。

だが、宗教それ自体が自由な社会を創造してきたわけではない。つまりある意味でキリスト教は、自由主義の出現に先立って、みずからのさまざまな目標を世俗化することによって自分自身を廃止しなければならなかったのだ。西欧ではプロテスタンティズムがこの世俗化のための仲介者として広く受け入れられていた。プロテスタンティズムは信仰をキリスト教徒と彼が信じる神との個人的な関係に変えることによって、聖職者という特別な階級をなくし、広い意味での政治に対する宗教の干渉を排除したのである。

世界にはこれと同じように世俗化の進行に力を貸した宗教がほかにもある。たとえば仏教や神道はみずからを家族を中心にした個人的な礼拝という領域にとどめた。またヒンズー教と儒教の遺産は互いに混じり合っている。すなわち、この二つの宗教はともに比較的寛大な教義をもっており、広範な世俗的活動と対立しないことを示している一方で、その教えの本質は階層制的なものであり、不平等なものだったのである。対照的に、正統ユダヤ主義やイスラム原理主義は、政治の領域もふくめて公的および私的な人間生活のあらゆる分野を規定しようとする全体主義的な宗教である。そしてこれらの宗教は、民主主義と共存が可能かもしれない。とくにイスラム教はキリスト教に劣らず普遍的な人間平等の原則を打ち立てているのである。

しかしながら、これらの宗教が自由主義や普遍的な諸権利の承認と調和すること、とりわけ良心の自由や宗教の自由と調和することはきわめてむずかしい。現代のイスラム世界で唯一の民主主義国がトルコであるというのは、さして驚くには値しない。というのもこの国は、二十世紀初頭から世俗的な社会を支持し、イスラム教的な遺産をきっぱり拒絶した唯一の国だったのである[9]。

安定した民主主義の出現を妨げる第三のものは、きわめて不平等な社会構造の存在、そしてそこから生じるあらゆる精神的な諸習慣と関係がある。トクビルによれば、アメリカの民主主義の強さと安定は、アメリカの社会が独立宣言や憲法の起草のはるか以前から徹底して民主主義的であり平等であったという事実、アメリカ人は「生まれながらにして平等」だという事実からきている。つまり、北アメリカ大陸にもたらされた伝統文化としては、十七世紀のポルトガルやスペインの絶対主義文化よりもむしろイギリスやオランダのリベラルな文化のほうが優勢だったのである。

これに対してブラジルやペルーは、各階級が互いに利己的であり敵意を抱き合うという階層化された階級構造を受け継いでいた。言い換えれば、ある国においては他の国よりもっとむきだしの、かつ根深い主従関係が残されていたのだ。

ラテンアメリカではおおむね、南北戦争以前のアメリカ南部のように公然たる奴隷制度があった。あるいは、事実上、地主階級に小作人たちを農奴としてしばりつけていた大農場農業(ハシエンダ)があった。これは、ヘーゲルが支配と服従の初期の段階に特有のものとして論じた状況をもたらした。つまり、暴力的で怠惰な支配階級と、みずからの自由という考えをほとんどもたない、隷属的で恐怖に満ちた奴隷階級が存在したのである。対照的にコスタリカでは大農場農業が存在しなかった。コスタリカは、スペイン帝国から孤立した、あるいは無視された地域であり、誰もが貧困という点で平等だった。そしてそのことが、この国の相対的な民主主義の成功の理由の一つとなっている(10)。

中央集権化の強度と民主主義の強度の相関関係

安定した民主主義の発展を阻害する最後の要因は、健全な市民社会――つまり、民族が国家に依存することなく、トクビルが言うところの「協調の技術」を振るえるような領域――を自律的に作り上げる社会の能力と関係がある。トクビルは、民主主義がもっともよく機能するのはそれが上意下達によってではなく下意上達によって、つまり中央政府が自由や自治のための学校の役割を果たす無数の地方自治体や民間団体から自然に発生した場合である、と論じた。要するに民主主義とは自治の問題であり、もし人々に自分たちの町や会社、さまざまな職業団体、大学などを自分たち自身で治めていける能力があれば国家レベルでも同じようにうまくやっていける可能性はもっと高まるというわけだ。

そしてこの能力は、民主主義を生んだ近代以前の社会の性格とかかわっている場合が多い。近代以前に、封建的な貴族や地方に割拠する軍閥など中間に介在する権力の源が組織的に破壊され、中央集権国家の強力な支配を受けていた社会は、いったん近代化されると、権力が封建領主と王とのあいだで分割されていた封建社会よりもさらに独裁的な支配を生むだろうという論議がなされてきた。[11] はたせるかな、国土が広く、革命以前の時代には中央集権化された官僚主義的な帝政国家であったロシアと中国は、共産主義の全体主義国家へと発展し、それに対してきわめて封建的であったイギリスと日本は安定した民主主義を維持しているのである。[12]

このことは、フランスやスペインのような西欧の国々での安定した民主主義建設のむずかしさを説明している。この両国の場合、封建制は十六、七世紀に中央集権化と近代化をおこなった君主制によって破壊され、強力な国家権力とともに国家権力によりかかった弱体化した元気のない市民社会が残った。これらの中央集権化した君主制は、ある種の精神的習慣、すなわち人々が個人的にかつ自発的に自分たちを組織したり、国家を抜きにして地方レベルでともに働いたり、自分たちの生活に責任を負うといった能力を失わせるような精神的習慣をもたらした。フランスにおける中央集権の伝統とは、どんな地方に洪水が起きてもパリの許可なくしては道路や橋ひとつ作ることができなかったというようなものであった。そしてその中央集権の伝統は途切れることのない一本の線としてルイ十三世からナポレオンへと引き継がれ、現在の第五共和制においても国務諮問会議（コンセイユ・デタ）という形で残されている。[13] スペインやラテンアメリカの多くの国々も、同じような遺産を受け継いでいる。

民主主義的な文化の強さは往々にして、リベラルな民主主義のさまざまな要素があらわれてくる順序に大きくかかっている。たとえば、イギリスやアメリカなど現代のもっとも強力な民主主義諸国は、自由主義が民主主義に、自由が平等に先行していた国家である。つまり、言論の自由や結社の自由、そして国政への政治参加といったリベラルな諸権利は、最初は少数の特権階級——おおむね男性であり白人の土地所有者――のあいだで行使され、それがのちに他の国民にも広がっていったのだ(14)。

敗者の権利を慎重に保護する民主主義的な論争や妥協という慣習は、いわば長期間にわたる種族的・民族的な憎悪に満ちあふれていた、広大で種々雑多な社会の人々が身につけるはるか以前から、似通った社会背景や嗜好をもつ特権集団によって身につけられていたのだ。この種の順序が、リベラルな民主主義の実践をしっかりと根づかせ、それを国家の伝統と結びつけたのである。リベラルな民主主義と愛国主義とのこのような同一化は、新たに市民権を得た集団を強く引きつけ、最初からこの社会に参加していたとしてもそうはならないほど強くその集団を民主主義的諸制度に結びつけるのである。

こうしたすべての要因――国家的アイデンティティの感覚、宗教、社会的平等、市民社会への性向、そして自由主義的制度の歴史的体験といった要因――があいまって一民族の文化を形作っている。この点における各民族の違いが、リベラルな民主主義という同一の体制でありながら、なぜある民族にはうまく機能しほかの民族には機能しないのか、あるいは同一の民族がなぜある時代には民主主義を拒絶し、ほかの時代には躊躇なくそれを採用するのかという理由にもなっている。自由の領域を拡大し、その歩みを強化しようとする政治家なら誰でも、国家が「歴史の終点」に到達していくための力を鈍らせるような文化的・伝統的な束縛に対して敏感でなければならないのだ。

「国の舵取り」としての指導者の政治力

とはいえ、文化と民主主義との関係については避けるべき誤った議論もいくつかある。その第一は、文化的要因が、民主主義の創造にとっての十分条件をなしているという考えだ。たとえばある著名なソビエト問題研究者などは、ブレジネフ時代のソ連が都市化や教育、一人当たりの収入、政教分離などの面で一定の水準に達していたというだけの理由で、同国における有効な形態の多元主義の存在を確信したのである。

しかしながらわれわれは、ナチス－ドイツが通常の安定した民主主義に不可欠と見なされている文化的な前提条件のほとんどを備えていたという点を思い起こすべきだ。つまり、ナチス－ドイツは国家的に統合されており、経済的にも発展し、多数がプロテスタントであり、健全な市民社会を有し、西欧諸国のほかの国々以上に社会的に不平等でもなかった。それでもなお、国家社会主義を構成していた「怒り」や「気概」にもとづく自己主張のすさまじい噴出は、合理的かつ相互的な認識への欲望を完全に凌駕してしまったのである。

民主主義は決して裏口から入り込んではこない。ある点で民主主義は、その建設への入念な政治的決定から生まれるべきものである。政治の領域は文化の領域とは明らかに一線を画しており、しかも欲望、「気概」および理性の交差する地点として、それ自身特殊な尊厳をもっている。安定したリベラルな民主主義は、政治の技術を理解し、人々の秘めた性向を永続的な政治制度へと導いていける賢明で有能な政治家を抜きにしては誕生し得ない。

民主主義への移行の成功例に関する研究では、新しい民主主義の指導者たちの政治力の重要性が強調されている。たとえば、軍事力を削減しつつ過去の軍事力の乱用に対する責任を追及していく能力とか、昔から引き継がれた象徴（国旗、国歌など）を存続させていく能力とか、確立された政党制度を維持し、大統領制であれ議会制であれ、その民主主義的制度を維持していく能力などの重要性が強調されているのだ。(15)

この逆の民主主義の崩壊に関する研究でも、民主主義の衰退は文化的・経済的な状況の避けがたい所産ではなく、明らかに個々の政治家の誤った決定から生じたものであったことをどの例も示している。[16]たとえばラテンアメリカ諸国は、一九三〇年代の世界恐慌に直面した際、決して輸入代替政策や保護貿易主義を採用せざるを得なかったわけではないのに、こうした政策をとったために長年にわたって安定した民主主義への可能性を損ねてしまったのである。[17]

文化と民主主義をめぐる第二の、より一般的な過ちは、文化的要因を民主主義建設のための必要条件と見なすことである。マックス・ウェーバーは近代民主主義の歴史的起源について詳しく説明し、民主主義は西欧の都市に存在した特定の社会的条件から発生したものだと考えている。[18]民主主義に関するウェーバーの説明は、例によって歴史的にも内容豊かな、洞察力に満ちたものである。だが彼は、民主主義を何か西洋文明の片隅の特殊な文化的・社会的環境から生じたものとして描いている。民主主義が考え得るかぎりもっとも合理的な政治体制であり、文化の違いを越えて人間の個性にいっそう広くフィットしていたという理由から生じたのだという事実については、真剣に考察されていないのだ。

民主主義の「突然変異」

民主主義への、いわゆる文化的「前提条件」のすべてを満たしているわけではないが、それでもなお驚くべき高水準の民主主義的安定を達成している国々の例は数多い。その典型は、インドである。インドは近代化が遅れ（経済のある分野では、科学技術がきわめて進歩しているが）、国家も統合されていなければ、宗教はプロテスタントでもない。にもかかわらず同国は、一九四七年の独立以来ずっと、民主主義を有効に機能させてきたのである。

また過去の他の時代には、文化的に安定した民主主義を樹立する資格などないという一言で片づけられていた民族もあった。たとえばドイツ人や日本人は、その権威主義的な伝統によって民主主義への道が閉ざされているといわれていた。ロシアやギリシアにおけるギリシア正教がそうだったように、スペインやポルトガル、そして多くのラテンアメリカ諸国の民主主義にとってのカトリック教も、決して乗り越えられない障害だと考えられてきた。数多くの東欧民族にしても、西欧のリベラルな民主主義には興味もなければそれを実現する能力もないと見られていたのである。

ゴルバチョフのペレストロイカがいつまでたっても明確な改革をなし得なかったことに対しては、旧ソ連の内外を問わず、ロシア人が民主主義の維持に関して文化的に無能なのだという意見も多かった。にもかかわらず、以上のような地域のいたるところにさまざまな民主的制度があらわれてきたのだ。旧ソ連では、ボリス・エリツィンのもとで、ロシア共和国議会があたかも長年にわたって立法府であったかのような機能を果たしており、同時に一九九〇年から一九九一年にかけて、ますます広範かつたくましい市民社会が自然発生的にあらわれてきた。この国の民主主義理念が国民のなかにどの程度まで深く根づいてきたかは、一九九一年八月のソ連指導部のクーデター未遂に対する幅広い抵抗を見れば明らかだ[19]。

あまりにもしばしば聞かれる議論として、もともと民主主義的な伝統をもっていない国は民主化できないという説がある。しかし、仮に民主主義的な伝統が必要不可欠だとすれば、いかなる国も民主主義国にはなり得ないということになる。なぜなら、きわめて権威主義的な伝統から出発しなかった民族や文化などは（西欧をふくめて）一つたりとも存在しないからである。

さらに考察を進めていけば、文化と政治との、そして民族と国家との境界線はさほど明確ではないことが示される。国家は民族の形成のうえで、つまり民族の「善と悪についての言葉」を確立し、新たな習慣、風習、そして文化を改めて創造していくうえで、じつに大きな役割を果たし得る。アメリカ人はたんに生まれながらにして平等だったのではなく、独立と建国に先立つイギリス植民地時代から州および郡レベルで自治をおこなうことによって平等につくられたのであった。そしてアメリカ建国の民主主義的な性質は、明らかに、のちの世代の民主的なアメリカ人、すなわちそれまでの歴史過程には存在していなかった一つの人間類型（トクビルが鮮やかに描き出した類型）の形成の原因となった。

文化は、自然法則のように一定不変の現象ではない。それは人間の創造物であり、たえまのない進化のプロセスを経ている。経済発展、戦争などの全国民的な惨禍、移民、あるいは意識的な選択によって、文化は作り変えられていく場合もある。したがって、民主主義への文化的な「先行条件」なるものに対しては、その決定的な重要性は理解しつつも、いくぶんかの猜疑心をもって対応していく必要がある。

一方で民族とその文化の重要性は、リベラルな合理主義の限界を、換言すれば合理的かつ自由主義的な制度が非合理的な「気概」へいかに依存するものであるかを際立たせている。合理的でリベラルな国家は、たった一度の選挙では生まれない。またそれは、ある程度非合理的な愛国心や、寛容などの価値観への本能的な愛着を抜きにしては生き残っていけない。現代のリベラルな民主主義の健全さが市民社会の健全さに支えられ、その市民社会の健全さが人々の自発的な連帯への能力をよりどころとするなら、自由主義は、みずからの原理原則を乗り越えていかないことには成功もおぼつかないのだ。

トクビルが述べたような市民の連合体や共同体は往々にして、自由主義的な原理にではなく、宗教や民族性、その他の非合理的な原理にもとづいていた。だからこそ政治上の近代化が成功するためには、諸権利や制度的取り決めという枠組みのなかに、諸民族の遺風や国家の不完全な勝利といった前近代的な要素を残しておくことが必要とされるのである。

2 歴史から見た日本人の「労働倫理」

ヘーゲルは……労働が本質である、人間の真の本質である、と信じた。

カール・マルクス(1)

工業化の進展と民主主義とのあいだに強い相関関係があるとすれば、ある国が長期間にわたって経済的に発展していく能力をもつことが、その国が自由な社会を作り上げ維持していくためにきわめて重要なことだと思われるだろう。だが現在、もっとも成功を収めている経済が資本主義であるにせよ、あらゆる資本主義経済が成功を収めているわけではない――少なくとも、他の国の資本主義経済ほどうまくいっていない場合がある。ちょうど、形式のうえでは民主主義を採用している国々でも民主主義の維持能力にはっきりとした違いがあるのと同様、形式のうえで資本主義経済を採用している国々もその成長能力には明らかに差があるのだ。

諸国民の富の格差をもたらす第一の原因は政府の政策が賢明か愚劣かということにあり、また、いったん誤った政策の強制を免れ得た人間の経済活動は、多かれ少なかれ普遍的な力をもつというのがアダム・スミスの考え方だった。資本主義諸国のあいだの業績の差の多くは、事実上、政府の政策の違いに帰することができる。

かねてから指摘されていたように(2)、ラテンアメリカで表向き資本主義経済の形態をとっている国々の多くは、じつのところ重商主義（十六、七世紀にヨーロッパ諸国がとった、貿易により国を豊かにしようとした経済政策）の奇形的産物なのである。そこでは長年にわたる国家の干渉が効率を低下させ、企業家精神を押し殺してきた。反対に、第二次世界大戦後の東アジアの経済的成功の最大の原因は、この地域が競合する国内市場の維持というような賢明な経済政策をとったことにある。政府の政策がいかに重要かは、スペインや韓国、メキシコのような国が市場を開放して急発展をとげ、一方でアルゼンチンのような国が産業を国有化して経済崩壊を招いたことに端的にあらわれている。

にもかかわらず、経済にとって政策の違いは些細な問題であって、むしろ文化のほうが安定した民主主義を維持する国民の能力を左右するのと同様に、経済活動にもある決定的な影響を及ぼすと思われがちである。このことは何よりも労働に対する考え方にもっともよく示されている。労働は、ヘーゲルによれば人間の本質である。自然の世界を人間の暮らしやすい世界に変えることによって人類史を作り上げるのは働く奴隷である。少数の怠惰な主君をのぞいて、すべての人間は労働をする。それでいながら人間の労働の様式や程度にはとてつもない違いがある。こうした違いは伝統的に「労働倫理」という題目のもとで論じられてきた。

今日の世界では、「国民性」について語ることはあまり歓迎されない。一民族の倫理的な習慣についての一般論の是非は科学的に測定できず、したがって、よくあるようにそれが逸話まがいの根拠にもとづいているときは、粗雑なステレオタイプ化と乱用に陥りやすいのだ。国民性の一般化は、われわれの時代の相対主義や平等主義の風潮に反することでもある。というのもそれは、ほとんどつねに問題とされている文化の相対的な価値について暗黙の価値判断をふくんでいるからだ。自分の文化が怠惰と不誠実を助長するなどといわれて喜ぶ人間はいない。しかし実際には、そのような価値判断が結構広くまかり通ったりするのである。

とはいえ、外国生活や海外旅行の経験のある人なら誰でも、労働に対する考え方はその国々の文化に決定的に左右されるということを認めざるを得ないだろう。こうした相違は、たとえばマレーシア、インド、あるいはアメリカなど、多民族社会における相対的な経済活動様式から、ある程度は経験的に推し量ることができる。

ヨーロッパにおけるユダヤ人、中東におけるギリシア人やアルメニア人、東南アジアにおける中国人のような特定の民族集団による卓越した経済活動は、詳しい資料を挙げるまでもないほどよく知られている。トマス・ソーウェルの指摘によれば、アメリカでは、西インド諸島から自発的に移民してきた黒人の子孫と、直接アフリカから奴隷として連れてこられた黒人の子孫とのあいだには、教育や収入に明確な格差があるという[3]。こうした格差は、経済的な能力がたんに経済活動の機会の有無といった環境上の条件だけでなく、当の民族集団の文化それ自体にもかかわっているということを示している。

欲望よりは自分の「気概」を満足させるために働く人間の登場

さまざまな文化における労働への向き合い方には、一人当たりの収入というような経済的業績についての大雑把な尺度以上に、多くの微妙な違いがある。そのちょっとした例として、第二次世界大戦時におけるイギリスの科学的諜報活動の創始者の一人であるR・V・ジョーンズの話を紹介しよう。

彼は、戦争初期にイギリスがドイツのレーダー機器を無傷のまま入手し本国に持ち帰った方法について詳しく語っている。当時イギリスはすでにレーダーを開発しており、技術的にはドイツよりずっと進んでいたが、それでもドイツ製レーダーは驚くほど優秀だった。その理由は、ドイツのアンテナがイギリスで生産可能な製品より精密度の面ですぐれていたからだ。(4) 高度に熟練した工業技術の伝統の維持という点で、ドイツが長期間にわたりヨーロッパの隣国をはるかにしのいできたことは同国の自動車や工作機械産業を見ればいまでも明らかだ。そしてそれはマクロ的な経済政策という観点からは説明できない現象の一つでもある。ドイツの優越性の究極的な原因は、文化の領域に見出されるべきであろう。

アダム・スミスにはじまる伝統的な自由主義経済理論によれば、労働とは本質的に不快な活動であり、(5) それによって作られる事物が有用なために企てられたものとされる。(6) それが有用だというのは、そのおかげで余暇が増えるということが主なる原因である。つまり人間の労働の目的は、ある意味で、働くことにではなく余暇を楽しむことにあるというわけだ。

人間は、労働の限界不効用——すなわち、残業や土曜労働の不快さなど——が労働から生じる物質的利益の効用を越える点に達するまで働く。労働の生産性や、労働の限界不効用についての主観的な評価は人によって違うにせよ、人間がどれだけ働くかは、本質的に、労働の不快さとその労働の結果生じる満足とを勘案するという合理的な計算の結果なのである。

いっそう大きな物質的利益のためなら、労働者はいっそう仕事に精を出す。雇用者が時間外労働に対して二倍の賃金を支払うと申し出れば、労働者は遅くまで残業しがちなのだ。したがって伝統的な自由主義経済理論では、欲望と理性の二つの要素が労働への姿勢の違いを十分に説明してくれるのである。

これに対して「労働倫理」という言葉は、人々の労働の様式や程度の差異が文化や慣習によって決定されること、したがってそれがなんらかの形で「気概」にかかわっていることを暗示している。そして事実、伝統的な自由主義経済学の厳密に功利主義的な観点からでは、強い労働倫理を持ち合わせている一民族もしくは一個人を十分に説明するのはきわめてむずかしい。

現代の「A型行動様式人間」(いつも緊張し、性急で競争的な性格の人間)を例に挙げてみよう——ここには高給をとる弁護士や企業の幹部、あるいは競争力に富んだ日本の多国籍企業に雇われている「日本人ビジネスマン」がふくまれる。こういうタイプの人間は、苦もなく週七十時間から八十時間もの労働をこなし、ほとんど休暇もとらず出世の階段を上がっていく。たしかに彼らは、さほど働かない他の人々にくらべて高額の給料が支払われているかもしれないが、その労働の度合いは厳密には報酬とは無関係なのだ。実際のところ彼らの行動は、厳密な功利主義的観点から見れば非合理的なものである。(7)

彼らは、自分のお金を使う暇がないほど一生懸命に働く。余暇を楽しもうにもそんな暇すらないのだ。そして、仕事一筋の生活のなかで自分の健康を害し、安楽な隠居生活への展望も見失う。というのも彼らは、退職する前に死んでしまう可能性が高いからだ。もちろん彼らは自分の家族のために、あるいは未来の世代のために働いているのだと主張することもできるし、それが多少なりとも仕事の動機となっているのは間違いない。けれども仕事中毒者(ワーカホリック)の大部分は、滅多に子供たちの顔を見ることもないし、ひたすら仕事に追いまくられているために家庭生活の大半は犠牲にされている。

このような人々がそれほどまで懸命に働く理由は、金銭上の報酬とはほとんどかかわりがない。彼らは明らかに労働そのものに、あるいは労働が与えてくれる地位や承認というものに満足を覚えているのである。彼らの自分自身についての価値観は、いかに熱心に、そしていかに手際よく働くか、いかにして出世の階段をのぼっていくか、そして他人からいかにして尊敬を勝ち得るかというようなことに密接に結びついている。

彼らが物質的な富を得て喜ぶのは、実際にそれをなにかに使えるからではなく、その富が自分に名声を与えてくれるためだ。というのも彼らには、富をじっくり楽しんで使うほどの暇さえないのだから。言い換えれば彼らは、欲望のためというよりもむしろ自分の「気概」を満たすために労働にいそしんでいるのである。

ウェーバーの「亡霊のごとく生きている労働倫理」

事実、労働倫理についての経験主義的な研究の多くは、このような人々を非功利主義的な起源をもつタイプと見なしてきた。こうした研究のなかでもっとも有名なのは、疑いもなくマックス・ウェーバーの『プロテスタンティズムの倫理と資本主義の精神』である。ウェーバーは決して、プロテスタンティズム、とりわけカルビン派やピューリタン派と資本主義的な経済発展との関係に最初に気づいた人物ではなかった。実際ウェーバーの観察は、この本を書いた時代にはきわめてあたりまえの話であり、むしろそれに反論を加えようとするほうが厄介なはずだと彼自身は感じていた。[8] とはいえこの本が出版されて以来、彼の説はたえず論議の的となってきた。ウェーバーが仮定した宗教と経済行動との特定の因果関係について多くの人は異議を唱えたが、その両者のあいだの強力な関係の存在を完全に否定しようとした人はほとんどいない。[9]

ラテンアメリカを見れば、プロテスタンティズムと経済成長との関係はいまなお明らかだ。この地域では大規模なプロテスタンティズムへの(おおむね北アメリカの福音主義〔十六世紀初頭のヨーロッパにおいて、宗教改革に先立ちカトリック教会の組織内でその浄化をはかり信仰を刷新しようと試みた運動、またその根底にある考え方〕の宗派からの)改宗がしばしば、個人収入のめざましい増加と犯罪行為や麻薬使用などの低下をもたらしてきたのである。[10]

ウェーバーが説明しようと試みたのは、際限のない富の蓄積のためにその生涯をささげた資本主義初期の企業家の多くが、なぜその富の消費には関心を抱かなかったように見えるのかという点だった。彼らのつつましさや自己修養、誠実さ、潔癖さ、純然たる娯楽への嫌悪感などは、ウェーバーがカルビン派の予定説の教義の変形として理解した「世俗的禁欲主義」の構成要素だった。

労働は効用や消費のためにおこなわれる不快な活動ではなく、むしろ「天職」であり、プロテスタント教徒はそこに自分が救済される存在か断罪される存在かが反映されると信じていた。労働はまったく非物質的な、非合理的な目標のためにおこなわれるもの、つまり人がそれをするよう選ばれたことを示すものだった。プロテスタント教徒が労働をおこなう際の献身と規律は、快楽と苦痛についてのいかなる現世的かつ合理的な打算によっても説明できない。

ウェーバーによれば、資本主義の基盤をなす最初の精神的な推進力は時代とともに衰微し、物質的な富のための労働が資本主義のなかに再び入り込んできた。にもかかわらず「天職をまっとうするという理念」は今日の世界にも死滅した宗教的信念の亡霊のごとく生きており、現代ヨーロッパの労働倫理はその精神的起源への言及なくしては完全に説明し得ない、というのである。

「武士道」が日本の資本主義にもたらした偉大な影響

他の文化においても、その経済的な成功を説明するための「プロテスタントの倫理」と類似した思想が見出される。[11] 一例を挙げればロバート・ベラーは、現代日本人の労働倫理の源泉をなす日本的宗教観がカルビニズムと機能的に相等しいことを示している。

たとえば仏教の一派である浄土真宗は、倹約や質素、正直さ、勤勉、さらに消費に対する禁欲的な態度などを強調する反面、日本のそれ以前の儒教的伝統では認められていなかった利益追求をある程度まで認めていた。[12] 浄土真宗ほどの影響力はもたなかったものの、石田梅岩の心学も一種の「世俗的神秘主義」を説き、勤勉や倹約を強調する一方で消費を軽視した。[13]

こうした宗教的な運動は、サムライ階級の武士道倫理と密接な関係があった。武士道は死を賭する覚悟に重きをおく戦士のイデオロギーであったにもかかわらず、怠惰な支配者になることより禁欲的生活や倹約を、そしてとりわけ学問を奨励した。そのため日本では、禁欲的な労働倫理や合理性をともなう「資本主義の精神」を海軍の科学技術やプロシア憲法といっしょに輸入する必要などなかった。この精神は日本の文化や伝統のなかにはじめから備わっていたのである。

以上のように宗教的信念が資本主義の経済発展を促進し、あるいは可能にした例とは対照的に、宗教や文化がその障害として働いた国々の例も山ほどある。たとえばヒンズー教は、人類の普遍的平等という原理にもとづかない数少ない世界的大宗教の一つである。それどころかヒンズー教の原理によれば、人間はその諸権利や特権、生き方を規定する複雑な一連のカースト（インド古来の世襲的階級制度）のどれかに振り分けられる。ヒンズー教がこれまでインドにおけるリベラルな政治の実践にとってさほどの妨げとなってこなかったのは奇妙なパラドックスといえるが――もっとも、宗教上の不寛容の度合いは増大しており、こうした状態もいつ覆されるかわからない――それが経済成長にとっての障害であることははっきりしている。

その理由としては一般に、ヒンズー教が下層カーストの貧困や社会的非流動性を正当視しているという事実、つまり来世ではいまより高いカーストに生まれ変われる可能性を約束する一方で、現世での生まれつきの身分はそれがなんであれ甘受させるという事実が引き合いに出される。

貧困を正当視するヒンズー教の伝統は、現代インドの父であるガンジーによって、いくらか近代的な装いを与えられながら促進されてきた。ガンジーは、単調な農民の生活が精神的な充足をもたらす美徳だと説いたのだ。ヒンズー教はたしかに貧困にひしがれて暮らすインド人の日々の生活の重荷を軽減してきたのかもしれないし、この宗教のそうした「精神性」が西欧の中流階級の若者たちにとっては大きな魅力となっている。とはいえそれは、信者たちに資本主義の精神とは多くの点で背反するある種の「現世」に対する無気力や無関心をもたらしてもいるのだ。

むろん、インド人企業家のなかには大成功を収めている者も多いが、彼らは（ちょうど中国の華僑のように）インド文化の枠外でその進取の気性をいっそう発揮しているようだ。インドの優秀な科学者たちの多くが海外で仕事をおこなっていることに注目した作家、V・S・ナイポールも、次のように述べざるを得なかった。

> インドの貧困は、どんな機械よりも人間性を奪っている。また、インドに暮らす人間はダルマという仏法概念（「法」と漢訳される。固有の性質を保ち、物事の理解を生じさせるもの、規範）によって、いかなる機械文明のもとに暮らす人間よりも厳しい屈従のうちに閉じ込められている。インドに戻った科学者は、外国で身につけた個人としての人格を脱ぎ捨てる。彼はみずからのカーストへの同化というやすらぎを再び得る。そして彼らの世界は、いま一度単純なものとなる。そこには包帯のように痛みをやわらげてくれるこまごまとした習わしがある。かつてみずからの創造力を生んでくれた

認識や判断は、まるで重荷のごとく捨て去られる……。カーストの暗黒は、不可触賤民制度や、そこから生じる不浄なものへの神聖視だけにあるのではない。インドのような国では、カーストが課している絶対的な忍従、その御仕着せの満足、冒険心の衰退、人間から人格とすぐれた可能性を剝奪するというような暗い影がますます膨れ上がろうとしているのだ。[14]

グンナー・ミュルダールも南アジアの貧困に関するすぐれた研究のなかで、インドの宗教はいたるところで「社会の不活性化の強力な要因」をなしており、浄土真宗やカルビニズムが果たしたように、それが社会変革への積極的な因子として作用しているところはどこにもない、との結論に達している。[15]

経済発展に絶対不可欠な「非合理的な気概」

ヒンズー教は貧困を正当視しているというような事例をもとに、社会科学者たちのほとんどは、宗教は工業化とともに衰退する各種の「伝統的文化」の一つだと考えてきた。宗教上の信念は根本的には非合理的なものであり、それゆえに近代資本主義を構成している合理的な貪欲さの前に屈服しなければならない、というわけだ。

だが、もしウェーバーやベラーが正しいとするなら、宗教上の信念の特定の形態と資本主義とのあいだには根本的な緊張関係などまったくなかったことになる。たしかに資本主義は、それがヨーロッパ型であれ日本型であれ、天職としての労働、すなわち消費のためではなく労働それ自体のための労働を促した宗教的原理のおかげで、きわめて容易に発展した。露骨な自由主義経済——財産への私欲を満たすという問題へ理性を採用することを通じて際限なくみずからを富ませることを人間に要求する教義——は、たしかに資本主義社会の機能の大部分を説明してくれるかもしれない。だがそれは、もっとも競争が激しくダイナミックに動く資本主義社会については十分な説明を与えてはくれない。

ある資本主義社会が最大の成功を収めて世界の頂点にのしあがったとすれば、それは、この社会が根本のところで非合理的かつ前近代的労働倫理をたまたま持ち合わせていたためであり、一方ではその労働倫理が、労働そのものが報酬と見なされるべきだとの理由から人々に禁欲的生活をもたらす。こういう点を考えると、歴史の終着点においても、われわれの合理的かつ自由主義的な経済活動を維持していくために、あるいは少なくともわれわれが世界の経済大国のなかのトップクラスにとどまるために、ある種の非合理的な「気概」は依然として欠かせないのである。

もちろんなかには、ヨーロッパや日本における労働倫理の宗教的起源がどんなものであれ、これらの国々は現代社会が全面的に世俗化することによっていまや独自の精神的源泉から完全に切り離されている、と反論する向きもあるだろう。人々は労働をもはや「天職」ではなく、資本主義の諸法則が命ずるとおりの、合理的な私益追求のためのものだと考えている、というわけである。

資本主義的な労働倫理がその精神的源泉から訣別したこと、そして消費を積極的に認めるような文化が成長したことをふまえ、多くの研究者は、労働倫理の急激な衰退とそれによる資本主義そのものの弱体化を予言するようになってきた。(16)「豊かな社会」の実現は、自然の必要から迫られるという刺激の残滓をすべて取り除き、人々を労働よりもむしろ余暇の満喫を追い求める方向へと導くだろう、というのだ。労働倫理の衰退をめぐるこのような予言は、一九七〇年代の研究——労働者の職人気質や自己修養や勤労意欲の水準の低下が経営側の一般認識となっていることを指摘した数多くの研究——によって支

持されてきた観がある。(17)

今日では、ウェーバーが描いた禁欲的な倹約の化身のような企業経営者などほとんどいないはずだ。だから労働倫理は、正面攻撃によって破壊されるのではなく、「自己実現」とか、単なる労働ではなく「有意義な仕事」をしたいという欲求のような、禁欲主義とは相反する他の世俗的な価値が助長されることによって徐々に崩されていくだろう。労働倫理が依然として根強く残っている日本でも、重役や経営者たちは欧米の相棒たちにならって、あらゆる点でみずからの文化の精神的源泉から切り離され世俗化しているため、将来的にはこの国でも労働にまつわる価値の衰退という同様のプロセスが問題となってくるだろうというのである。

日本の繁栄を裏から支えている特異な「労働倫理」

労働倫理の衰退に関する以上のような予言がアメリカにあてはまるかどうかは、まだわからない。一九七〇年代に指摘された労働倫理の衰退化へのトレンドは、少なくともアメリカの専門職や経営者層のあいだでは逆転してきたようにも見える。(18)その理由は、文化的な面ではなく、むしろ経済的な面にあるようだ。一九八〇年代にアメリカ国民の多くの層は、実質的な生活水準の低下や雇用の不安定化に見舞われ、これまでの生活水準を維持するにはもっと勤勉にならねばいけないことを悟った。この時期にいっそうの高水準の物質的繁栄を享受した者にとってさえ、合理的な私益追求という牽引力は、人々を鼓舞し勤勉に長く働かせるという形をとりつづけた。

労働倫理に及ぼす消費主義の悪影響を恐れた人々は、マルクスのように、人々を肉体的限界まで労働に駆り立てつづける人間的な欲望や不安はきわめて弾力的な性質をもっていることを忘れてしまいがちであった。合理的な私益追求が労働倫理を刺激するうえで重要なものであるということは、東西ドイツの労働者たちの生産性をくらべてみれば明らかだ。彼らは同じ文化を共有していながら、その直面する物質的動機が違っていたのである。資本主義体制の西ドイツにおける強力な労働倫理の存続は、ウェーバーの言う「死滅した宗教的信念の亡霊」の永続性の証というより、むしろ理性と結びついた欲望の力の強大さを証拠立てるものかもしれない。

にもかかわらず、自由市場経済への共通の熱意をもっている国々、そして合理的な私益追求が当然視されている国々のあいだにも、労働に対する姿勢には依然として大きな違いがある。これは、いくつかの国で「気概」が現代の世界における新たな自分の居場所を宗教以外に見つけたという事実の反映であるように思われる。

たとえば、日本の文化は(東アジアの他の多くの国々と同様)個人よりも集団志向が強い。この集団は、家族というもっとも身近な最小単位からはじまり、躾や教育によって確立されるさまざまな徒弟関係を通じて広がり、勤務先の会社、そしてさらには日本文化にとっていかなる意味においても最大の集団、国家にまでいたる。ある個人のアイデンティティは、まったくといっていいほど集団のアイデンティティに押し殺されている。彼は自分の目先の利益のために働くのではなく、自分が所属している集団や、あるいはもっと大きな集団の福利のために働くのだ。

彼の地位は、個人としての功績よりもその集団の功績によって決められる。集団に対する彼の愛着は、したがって、きわめて「気概」に満ちた性格をもっている。つまり、その集団が自分と一体であることを認めてもらうために働くのであり、また、たんに自分の給料という形であらわれる目先の利益のためではなく、他の諸集団に自分の集団を認めてもらうために働くのだ。

彼が認めてもらおうとしている集団が国家である場合、そこには経済的国家主義が生まれる。そしてたしかに、日本はアメリカよりも経済的に国家主義の色彩の濃い国なのである。この国家主義は、保護貿易主義のようなはっきりした形ではなく、たとえばメーカーに支えられている伝統的な国内供給業者のネットワークや、高い金を払っても進んで日本製品を買うという彼らの姿勢など、より目に見えない形で示されている。

こういう集団への一体化こそが、日本の大企業の一定部分にも採用され効果を発揮している半永久的な終身雇用のような慣行を生み出しているのだ。西欧の自由市場経済の教訓からすれば、終身雇用は被雇用者に安心感を与えすぎることによって経済効率を損ねてしまうはずである。それはたとえば大学教授が終身在職権を与えられたその瞬間から論文をまったく書かなくなるのと同じだ。事実上誰もが終身雇用を認められていた共産主義世界の経験もまた、この見解を立証している。もっとも優秀な者はもっともやりがいのある仕事に就くのが当然であり、またもっとも高い報酬を与えられるのが当然である。

逆にいえば会社は、役立たずの社員を首にできる力をもっていなくてはならない。古典的な自由主義経済学の観点からすれば、親方と徒弟の忠誠心は市場を硬直化させ、経済効率を抑制する。ところが日本文化のなかに育まれた集団意識の現状からいえば、会社が社員に示す家族主義的な温情に報いるため、社員の側は涙ぐましい努力を払い、自分自身の利益はもとより、いっそう大きな組織の栄光と名声のためにも働くことになる。

このいっそう大きな組織とは、たんなる毎月の給料の支払者というだけでなく、家族や友人たちを保護してくれる一本の傘であり承認の源泉でもある。そして日本人のきわめて発達した民族的自意識は、家族や会社以上に、アイデンティティや労働意欲のさらに深い源泉となっている。したがって、宗教的な精神性がほとんど消滅してしまった時代においてさえ、日本の労働倫理は次々と重なりながら広がっていくのである。そして、それはまた、さまざまな共同体からの承認に基盤をおいた労働への誇りを生み出すことによって、これまでずっと維持されてきたのである。

このような高度に発達した集団意識はアジアの他地域にも共通するが、ヨーロッパではそれほど見られず、一つの会社への生涯にわたる忠誠という発想を往々にして不可解なものと考えるアメリカではほとんど皆無といっていい。しかしながらアジア以外でも、ある種の集団意識が労働倫理の維持に役立ってきたところはある。ヨーロッパでもスウェーデンやドイツのような国では、輸出市場拡大のために労使一体で働こうという共通の欲望の形をとった経済的国家主義がかなり発達している。

各種の職業別組合(ギルド)も、伝統的な集団への同一化のもう一つの源泉だった。たとえば高度に熟練した機械工は、たんにタイムレコーダーを押すためにではなく、仕事の結果に誇りをもっているという理由で働くのだ。さまざまな自由業についても同じことがいえるだろう。こういう職業では、相対的にいってハイレベルなその資格が「気概」の満足感を支えているのである。

自由主義経済の「偉大な生産性」にブレーキがかけられるとき

共産主義の経済的崩壊は、ある種の集団意識が、個人的な私益追求よりも強い労働倫理をかきたてるうえではるかに劣っているという事実をわれわれに教えている。地方の政党幹部から社会主義建設をめざして働けとどなりつけられ、ベトナム人やキューバ人との連帯の意を示すため土曜を返上せよと要求された旧東ドイツやソ連の労働者は、労働をできれば背負いたくない重荷にすぎないと考えていた。民主化の途上にある東欧諸国はどこでも、数十年にわたって国家の福祉という発想に慣らされてきたそのあとで、個人の私益にもとづいた労働倫理の再構築という問題に直面しているのである。

とはいえ、アジアやヨーロッパで経済的に成功を収めた国の経験に照らしてみると、西欧の自由主義経済理論の核心をなす個人の利己心は、ある種の集団的利害よりも労働意欲の源泉としては劣っているのかもしれない。

西欧では、人々は自分のためだけというより家族のためにというほうがよく働くし、また戦争や危機的状況の時代には国家のために働くのもやぶさかではないということが長いあいだ認められてきている。一方、もっぱら合理的な欲望にもとづき、個人レベルに細分化されているアメリカやイギリスの自由主義経済は、ある点までくると生産性にブレーキをかけるようになる。労働者が仕事それ自体への誇りを失い、労働をたんに売るべき商品の一つにすぎないとみなすようになったとき、あるいは労使双方が互いを他国の経営者や労働者と競争する際の潜在的同盟軍と考えず、むしろ陣取り合戦における敵として考えるようになったとき、こういう事態が起きるのである[19]。

文化は、政治的な自由主義を打ち立て維持していく国家の能力に影響を与えるのと同様、自由主義経済を機能させていく国家の能力にも影響を与える。そして資本主義の成功は、政治的民主主義の場合と同じく、前近代的な文化の伝統が現代に残されているかどうかにある程度かかっている。政治的な自由主義がそうであるように、経済的な自由主義も完全に自律的なものではなく、非合理的な「気概」の度合いに左右されるのだ。

多くの国々が政治的・経済的自由主義を広く受け入れたからといって、文化に関する各国間の差異はなくならないだろうし、イデオロギー上の対立による亀裂が修復されるにつれて、その差異がますますはっきりしてくることは間違いない。

冷戦というイデオロギー上の対決は、どちらか一方がベルリンの壁のような特定の政治問題で妥協すれば、あるいはそのイデオロギーを十把ひとからげに捨て去れば完全に解決されるだろう。だが、表面上リベラルで民主主義的な資本主義を採用している国家間の永続的な文化の違いは、そうやすやすとは消し去れないはずだ。

労働に対する姿勢をめぐる日米間のこのような文化的差異も、一方で、資本主義がほとんどうまく機能していない第三世界諸国の多数と日米両国とを隔てる文化的な違いと比較すれば、まったく取るに足らないもののように思えてくる。自由主義経済は、それを進んで利用しようとする人々なら誰にでも、繁栄へのいちばん望ましい道筋を与えてくれる。多くの国々にとっては、正しい市場志向型の政策を採用するというその一点だけが問題なのだ。

とはいえ経済政策は、高度成長に不可欠な前提条件にすぎない。「気概」の非合理的なさまざまな形態——宗教、国家主義、熟練職や専門職が労働に対する誇りや水準を維持していく能力——は、無数の経路で経済活動に影響を与えつづけ、富める国と貧しい国との差を生み出していく。

そしてこのような格差が根強く存続しているという事実からすれば、今後の国際世界は、敵対するイデオロギー間の競合関係としてではなく——なぜなら経済的成功をとげた国のほとんどは似通ったイデオロギー路線に沿って系列化されていくはずだから——むしろ、ますます異文化間の競合関係として考えられていくようになるであろう。

3 新しいアジアを生み出す「新権威主義の帝国」

文化は経済発展に対して、それを促進するにせよ抑制するにせよ少なからず影響を与えており、そのことが、第二部で説明したように普遍的な歴史の進行にとっての妨げともなり得るのだ。近代経済――近代の自然科学によって決定された工業化のプロセス――は人類の均質化をしゃにむに推し進め、その過程で多種多様な伝統文化を破壊している。とはいえ、近代経済がすべての戦いに勝利を収めるとはかぎらないし、逆にある種の文化や特定の形であらわれる「気概」を自己の内部に取り込むことのむずかしさに気づくかもしれない。そしてもし経済的な均質化のプロセスが停止すれば、民主化のプロセスもまた不確実な未来に直面するだろう。世界じゅうのどれほど多くの国民が、頭のなかでは資本主義的繁栄とリベラルな民主主義を求めているからといって、誰しもがそれを手に入れられるというわけではないのだ。

したがって、目下のところリベラルな民主主義にとってかわる体系的な原理などないことは明らかだとしても、ひょっとするとこれまでの歴史に例を見なかったような新しい権威主義的な代替物が、将来その存在を誇示するようになるかもしれない。このような新たな原理がもし登場するとすれば、それは二種類の独特な民族集団から生まれてくるはずだ。その一つは、自由主義経済を機能させようとする努力にもかかわらず文化的理由から経済的失敗を繰り返している民族、もう一つは資本主義のゲームにおいて途方もない成功を収めている民族である。

第一の場合、つまり経済的失敗から反自由主義的な原理が生まれるという現象は過去にも例がある。最近のイスラム原理主義（近代化・西欧化を否定し、ウンマという共同体のなかでイスラム法を通じてイスラム社会を正していこうとする動き）の復活はかなりのイスラム人口をかかえる世界じゅうの国々のほとんどすべてに影響を及ぼしているが、その復活はイスラム社会が非イスラムの西欧に対するみずからの尊厳の保持におおむね失敗している事実への一つの反応とも考えられる。

軍事的に優勢なヨーロッパが仕掛けた競争という圧力のもとで、イスラム諸国の多くは十九世紀から二十世紀はじめにかけて、その競争に生き残るのに不可欠と思われる西欧のさまざまな慣習を吸収するためすさまじい近代化の努力に乗り出した。明治期の日本における改革と同様、このような近代化の計画には経済や官僚制度、そして軍事から教育および社会政策にいたるまで、生活のあらゆる部門に西欧合理主義の原理を導入しようとする徹底した試みがふくまれていた。この方向でのもっとも組織的な試みはトルコによって企てられた。そこでは十九世紀のオスマン－トルコの改革が、二十世紀になって、国家主義にもとづく政教分離社会の建設をめざしたケマル－アタチュルクなど今日のトルコ国家の礎となった人々に受け継がれたのである。イスラム世界が西欧から受け入れた精神面での最後の主要輸入品は非宗教的な国家主義であり、エジプトにおけるナセルの汎アラブ大民族主義運動や、シリア、レバノン、そしてイラクのバース党はその代表である。

しかしながら、西欧テクノロジーを用いて一九〇五年にロシアを破り、一九四一年にはアメリカに挑みかかっていった日本と違い、イスラム世界のほとんどはこうした西欧からの輸入品を納得のいくやり方で摂取したためしがなく、十九世紀と二十世紀はじめの近代化主義者たちが望んでいたような種類の政治的あるいは経済的な成功を生み出したわけでもなかった。一九六〇年代から七〇年代になって石油が富をもたらすまで、イスラム社会は一つとして政治的にも経済的にも西欧の敵ではなかったのである。実際、多くのイスラム諸国は第二次世界大戦のあいだじゅう植民地的な従属状態を続けてきたし、非宗教的な汎アラブ統一の企ても、一九六七年にエジプトがイスラエルに屈辱的な敗北を喫したあとはすっかり下火になってしまった。

一九七八年から七九年にかけてのイラン革命とともに復活したイスラム原理主義は、「伝統的な諸価値」が現代まで生き残っていることを示す例などではない。教義から逸脱し堕落したこれらの伝統的な価値は、それまでの数百年のあいだにすっかり敗北していたのである。イスラム原理主義の復活はむしろ、遠い昔に存在していたとされるいっそう古くて純粋な一連の価値についてのノスタルジックな再主張である。これらの価値は、その後の歴史に見られる信用のおけない「伝統的な諸価値」とも、ぎこちない形で中東へ移植された西欧の価値とも違うものなのだ。

この点でイスラム原理主義とヨーロッパのファシズムとのあいだには、表面的な類似以上のものがある。ヨーロッパのファシズムの場合と同様、イスラム原理主義の復活が一見してもっとも近代的な国々に最大の衝撃を与えたことは、なんら驚くにはあたらない。なぜならこれらの国々では、西欧のさまざまな価値の移入によって伝統的な文化が徹底的におびやかされていたからだ。伝統的社会の一貫性を維持できず、また西欧の技術や価値もうまく摂取できなかったという二重の失敗によって、イスラム社会の尊厳がどれほど深く傷つけられてきたか、その点を理解してはじめて、イスラム原理主義のもつ力も理解できるのである。

欧米先進社会に挑戦する家父長的「アジア社会」

アメリカにおいても、経済活動に対する姿勢の文化的相違が新たな反自由主義的イデオロギーを発生させる遠因となったと考えてよい。公民権運動の高揚期には、アメリカの黒人の大部分は白人社会への完全な同化を切に望み、アメリカ社会を支配している文化的諸価値の十分な受け入れを暗に表明していた。黒人にとっての問題は、アメリカの支配的諸価値そのものにまつわるものではなく、それらの価値を受容した黒人の尊厳を白人社会が進んで認めるかどうかという点にあるとされた。ところが、法的に認可されていた平等への障害が一九六〇年代になって廃止されたにもかかわらず、また黒人に有利となる各種の雇用・教育促進計画が導入されてきたにもかかわらず、黒人住民のなかには経済的な前進はおろか事実上後退の憂き目を見た部分もあった。

しかしながら、引きつづく経済上の失敗に対する政治的な反応として、労働や教育や雇用といった経済的成功に関する伝統的な尺度は普遍的な価値などではなく白人の価値なのだという主張が、いまやますます頻繁に聞かれるようになった。黒人指導者のなかには、人種偏見のない社会への同化を追求する代わりに、白人社会の文化とは異質だが対等な文化、みずからの歴史や伝統、英雄、そしてさまざまな価値をもっている独特のアフリカ系黒人文化に誇りをもつべきだと力説する者もいる。

こういう主張は、ある場合には、資本主義や社会主義のような「ヨーロッパ型」思想に対してアフリカ固有の文化の優越を説く「アフリカ中心主義」へと変質をとげる。このような固有の文化の尊厳を教育制度にも雇用者側にも、そして国家自体にも認めてもらいたいという欲望が、多くの黒人のあいだで、分け隔てのない人間的な尊厳、たとえばマーティン・ルーサー・キングが述べたキリスト教徒としての人間の尊厳を認めてもらいたいという欲望にとって代わってきたのである。こういう考え方の結果として、黒人たち自身による自己差別はますます進み——昨今のアメリカのたいていの大学を見ればそのことは明らかだ——さらには、経済活動や個人の業績より、むしろ集団の尊厳に目を向けた政治が社会発展の主要な道筋としていっそう重視されるようになっている。

だが、もしも新たな反自由主義的イデオロギーが経済競争における文化的な束縛に気づいた人々から紡ぎ出されるとすれば、さらにもう一つ考えられる権威主義的思想の源泉は、経済的には通常以上の成功を収めてきた人々なのかもしれない。アメリカとフランスの二つの革命が生んだリベラルな普遍主義は、今日、経済的失敗が誰の目にも明らかな共産世界からではなく、自由主義経済と一種の家父長的な権威主義が結びついたアジア社会からもっとも重大な挑戦をつきつけられている。

第二次世界大戦後の長きにわたって日本やその他のアジア社会は、欧米を完全に近代化した社会の手本と考え、競争力を維持するために科学技術や西欧的経営手法、ひいては西欧的政治体制にいたるまでありとあらゆるものを取り入れるべきだと信じていた。だがその未曾有の経済的発展によって、アジアにおいては自分たちの成功が、たんに西欧の諸慣習をうまく借用してきたためでなく、アジア社会がみずからの文化の伝統的特質——強力な労働倫理のような特質——を保持してそれを現代のビジネス環境に同化させたという事実のおかげである、という認識が高まることになったのである。

日本社会に残っている生産的な「専制主義」

ほとんどのアジア諸国では政治的権威の起源が欧米の場合とは異なっており、リベラルな民主主義についての解釈も、歴史的にそれが誕生してきた国々とはかなり違っている(1)。

儒教的な社会においては集団というものが労働倫理を維持するうえで重要なばかりでなく、政治的権威の基盤としても決定的な意味をもつ。ある一個人が地位を得るのは、当人のもっている個人的な能力や価値のおかげでというより、もっぱら彼が数珠つなぎになった一連の諸集団のその一つに属しているためだ。たとえば、日本の憲法や法体系はアメリカと同様に個人の諸権利を認めているかもしれないが、一方で日本の社会はまずもって集団を認めようとする傾向がある。

このような社会における個人は、当人が既存の集団の一員であってその規則を遵守するかぎりにおいて尊厳をもつ。しかし、彼がその集団に対して自己の尊厳や権利を主張するやいなや、伝統的な専制支配の公然たる暴政にも劣らないほどの手ひどい社会的村八分に遭い、地位を失うはめになる。このことが協調性を要求するためのはかりしれない圧力を生み出し、そのような社会に暮らす者は幼い子供のうちからこの協調性を植えつけられていく。言い換えればアジア社会における個人は、トクビルのいう「多数者の専制」――あるいはむしろ、大小を問わず個人の生活とかかわりのあるあらゆる社会的集団のなかの多数者の専制――の餌食となっているのである。

このような専制については日本社会のなかから二、三の例を挙げることができるだろうし、東アジアのどの文化にも似たようなところはある。日本において個人がまず第一に敬意を払うべき社会集団は家族であり、子供に対する父親の慈愛に満ちた権威は、支配者と被支配者との関係をふくめて社会全般の力関係の原型であった[2]（ヨーロッパでも家父長的権威が政治的権威のモデルだったが、近代自由主義はその伝統に対して明確な訣別を表明した[3]）。

アメリカでも子供たちは、幼いうちは両親の権威への服従を要求される。だが成長するにつれて彼らは親に反抗して自分自身のアイデンティティを主張しはじめる。親の価値観や希望に子供が公然とそむく十代の反逆という行為は、一人の大人の人間としての個性を作り上げていく過程でほとんど欠かせないものなのだ[4]。なぜなら反逆という行為によってのみ子供は自立と自活への精神的心構えを養っていく。同時に、自分を守ってくれる家庭という傘を捨てる能力、そしてのちには一人の大人としての人格を支える能力にもとづいた、一個の人間としての「気概」に満ちた自己価値観を磨いていくのだ。この反逆の時期をくぐり抜けてはじめて彼は両親と互いに尊重し合う関係に戻れるが、それはもうかつてのような従属関係ではなく対等なつきあいなのである。

これに対して日本は異なる。幼いころの年長者への服従は、成人してからも一生続いていくのが当然とされる。人の「気概」は、個人の資質に誇りを抱く自分自身にではなく、むしろ、個々の構成員以上に全体としての評判を優先する家族その他の集団へと結びついていく[5]。怒りが生じるのは、他人が自分自身の価値を認めてくれなかったときではなく、こうした集団が軽視されたときである。逆に、最大の羞恥心は、個人的な失敗からではなく自分の属する集団が被った不名誉から生じる[6]。

したがって日本の多くの親たちは、結婚相手を選ぶなど子供たちにとっての重要な決断に対しても、自尊心のあるアメリカの若者なら誰ひとり許さないようなところまで差し出がましく口をはさむのである。

日本での集団意識のあらわれの第二番目のものは、従来からの西欧流の民主主義的な「政治」というものが沈黙しているところにある。というのも西欧の民主主義は善悪についての「気概」にもとづいた対立意見のぶつかり合いのうえに成り立ち、その対立はマスコミでの論戦となってあらわれ、最終的には各種レベルの選挙によって利害や主張の異なる政党が政権交代を繰り返していくのである。この対立意見のぶつかり合いは当然しごくで、民主主義の正常な機能にとって不可欠な付随物であると考えられている。

対照的に日本では、社会全体が単一かつ安定した権威の源泉をもっているただ一つの大集団と見なされがちだ。そして集団の調和を強調することによって、開かれた対立は政治の外縁部へと追いやられてしまう傾向にある。だから日本には「政治問題」での衝突による政権交代は皆無で、むしろ自由民主党の支配が数十年にわたって続いているのである。

もちろん、自由民主党と野党の社会党や共産党とのあいだにはあからさまな論争もあるが、これらの野党は、主張が急進的すぎるために時流から取り残されているのが実状だ。そしてまともな意味での政治の駆け引きは、大雑把にいえば中央官僚制度の内部や自民党の密室など大衆の目が届かない場所でとりおこなわれているのである。(7) 自民党のなかでは、政治は個人的な親分・子分の関係にもとづいた派閥のたえまない奸策のまわりをぐるぐるめぐっており、西欧なら誰もが政治の中身として理解しているものがそこにはまったく欠けているのだ。

日本における集団的コンセンサスの重視は、それを嫌った三島由紀夫のような個人主義者の尊敬によって部分的にはバランスがとれている。しかし、多くのアジア社会では、自己を取り巻く社会の不正に対してたった一人で立ち向かうソルジェニーツィンやサハロフ博士のような人間の原理原則にもとづいた個人主義などはほとんど顧みられないだろう。フランク・キャプラの映画『スミス都へ行く』のなかでジェームズ・スチュアートは、地元選出上院議員の死後、政界のボスからその州の代表に指名された小さな町の無邪気な人物を演じている。ワシントンに到着するやスチュアートは、自分が目にした腐敗に対して反旗を翻し、無節操な法律の成立を阻止するため単身で上院の議事進行を妨害して、彼を巧みに操縦していたつもりの黒幕たちを狼狽させるのである。

スチュアートの役柄はある意味でアメリカン・ヒーローの典型だ。だがアジア社会の大部分では、たった一人の個人が圧倒的多数の合意に異を唱えれば狂気の沙汰だと見なされるにちがいない。

経済成長の最大の脅威となる「悪平等」

日本の民主主義は、欧米の基準からすればどこか権威主義的に見える。この国でいちばんの権力者は高級官僚や自民党の派閥の領袖たちだが、彼らは民衆の選択によってその地位に達したのではなく、学歴か、さもなければ個人的なコネを通じてそこまでのしあがってきた。こういう連中が、選挙結果や大衆からの各種の圧力にはさほど耳も貸さずに、共同体の福利に影響を及ぼす重大な決定をおこなっているのである。とはいえこのような体制も根底では民主主義の枠内にとどまっている。なぜならそれは定期的な複数政党選挙や基本的諸権利の保証などリベラルな民主主義の基準を満たしているという意味で形式的には民主主義的であるからだ。

日本社会の大部分は、普遍的な個人の諸権利という西欧的概念を受け入れ、それを自家薬籠中のものとしてきた。しかし一方では、日本が慈愛に満ちた一党独裁体制によって支配されているという見方も成り立つ。それは、政権党がかつてのソビエト共産党のような形で社会にみずからを押しつけているからではなく、日本の大衆が現状のようなやり方で支配されることを選択しているからなのだ。現代日本の政権システムは、日本の集団志向型文化、より開かれた論争や諸政党の政権交代にはほとんどなじまないような文化に根ざした広範な社会的コンセンサスを反映しているのである。

とはいえ、アジア社会の大部分に集団の調和をよしとする広範な合意があるとすれば、この地域で権威主義がさらに表立った多彩な形で広まっているとしても驚くにはあたらない。ある種の家父長的な権威主義はリベラルな民主主義にくらべてアジアの儒教的な伝統と足並みをそろえやすく、さらに重要な点として、一貫した高い経済成長率を保っていくにもいっそう適している、との議論は可能であり、実際にもそのような主張がなされている。その代表格はシンガポールの首相リー・クアン・ユー（当時）の意見だ。彼は、民主主義は経済成長にとって足手まといだと主張する。なぜなら民主主義は合理的な経済計画の邪魔になるし、共同体全体を犠牲にして無数の私的利益を声高に主張するような一種の平等主義的なわがままを助長するからだ、というわけである。

シンガポール自体は、言論批判の封殺や反体制派の人権の侵害という点で最近はつとに悪名高くなってきている。さらにシンガポール政府は、少年の長髪を規制し、ビデオ・ショップを非合法化し、はてはゴミの投げ捨てや公衆トイレの水の流し忘れといった些細な犯罪にまで法外な罰金を科すなど、西欧ではまったく受け入れられない程度まで市民の私生活に干渉の手を伸ばしている。シンガポールの権威主義は、二十世紀の水準から見ればまだ穏当であるとはいえ、二つの点で際立った特徴がある。第一にはそこに驚くべき経済的成功がともなってきたこと、そして第二に、それが過渡的な措置としてではなくリベラルな民主主義よりすぐれたシステムとして、悪びれもせずに正当化されてきたことである。

アジアの社会は、その集団志向によって多くのものを失っている。その社会は人々に厳しい服従を課し、もっとも穏やかな形での個性の表現をもしりぞけてしまう。このような社会の束縛は、伝統的な家父長的家族の重視によって家庭外での生活の機会が制限されてきた女性の現状に端的にあらわされている。消費者も無権利状態に近く、経済政策をほとんど口答えせずに受け入れねばならない。

集団に基礎をおいた承認とは、結局のところ非合理的なものであり、極端な場合には一九三〇年代のように狂信的排外主義や戦争の温床ともなり得るのだ。戦争にはいたらないにせよ、集団志向的な承認というものは重大な機能障害に陥る場合がある。たとえば今日ではあらゆる先進国が、貧しく政情不安定な国々から仕事や安全に魅せられた大量の人間が流入してくるという事態を体験している。そして日本もアメリカに劣らず、特定職種への低賃金労働者を必要としている。だがおそらく日本は、よそ者に対して基本的には不寛容な集団であるために、移民を受け入れる可能性がもっとも低い国だ。これに対してアメリカの徹底した個人レベルでの自由主義は、膨大な移民人口をうまく同化していける唯一の基盤と考えることができるだろう。

とはいえ、アジアの伝統的価値は近代的消費主義の前に崩壊していくだろうというかねてからの予言は、これまでのところなかなか現実のものとなっていない。それは、おそらくアジア社会がある種の強みをもっているからだ。そしてアジアの人々は、この強みをそうやすやすと手放そうとしないし、アジア以外の社会の現状を目のあたりにすればなおさらだ。

アメリカの労働者たちは朝礼で社歌を斉唱する必要はないかもしれないが、現代のアメリカ人の生活にいちばん共通している不満の種はまさにそのような共同体が欠落しているという点なのである。アメリカにおける共同体生活の崩壊は、アメリカ人なら誰でも身に覚えのあることだが、ここ二世代のあいだに、家族の分解や核家族化とともにはじまった。しかしそれはまた、多くのアメリカ人が郷土愛になんら意味を見出せず、身近な家族以外には社交性のはけ口はないというような現状からもはっきりと見てとれる。そしてアジア社会はまさにこの共同体感覚を提供しているのであり、その文化のなかで成長している多くの人々にとって社会的画一化や個人主義への束縛は些細な代価にすぎないとされるのだ。

世界史の決定的な転換点にある日本

以上のようなことを考え合わせると、アジア、そしてとりわけ日本は、世界史という面から見てとくに決定的な転換点にあるように思われる。アジアが今後数世代にわたって経済的成功を続けていくにせよ、その進む方向としては異なった二つの可能性が考えられるだろう。

一つは、ますます国際化をとげ教育水準を高めたアジアの人々が普遍的かつ相互的な承認という西欧的発想をこのまま吸収しつづけ、形式上のリベラルな民主主義をいっそう広めていく方向である。そこでは集団というものが、「気概」にもとづいた自己同一化の源泉としての重要性を失ってしまうだろう。つまりアジア人は、個人の尊厳、女性の権利、そして私的消費にもっと関心を払いはじめ、人間の普遍的な権利という原理を自分の内部に取り入れていくのだ。

これは、過去数十年にわたって韓国や台湾を形式的な民主主義の道へと歩ませてきたプロセスでもある。そして日本などは戦後期にこの道をはるかに遠くまで進んできており、家父長的制度の衰退によって、たとえばシンガポールよりははるかにモダンな国家へと変貌をとげている。

一方、仮にアジア人がみずからの成功を借り物の文化のせいではなく自分たち自身の文化のおかげだと確信したならば、仮に欧米の経済成長の勢いが極東にくらべて衰えたならば、仮に西欧社会が家族のような基本的社会制度のいっそうの崩壊を経験しつづけていくならば、そして仮に西欧がアジアに対して不信や敵意を抱いて向かってくるならば、そのとき極東では技術主義的な経済合理主義と家父長的権威主義とを結合させた反自由主義的、非民主主義的なシステムが支持されるようになるかもしれない。

今日までアジア社会の多くは西欧のリベラルな民主主義の原理に対して少なくとも口先では賛意を払い、その形式は受け入れつつも、中身はアジアの文化的伝統に適するように修正してきた。だが、その形式自体も西欧からの押しつけであり、西欧の企業経営技術がアジア経済にそぐわないのと同じ程度にリベラルな民主主義もアジア社会の円滑な機能にとっては不適切なものであるとして、民主主義ときっぱり訣別するという事態も起こり得るのだ。

リベラルな民主主義に対するアジアの組織的な拒絶の萌芽は、リー・クアン・ユーの空理空論的な発言や石原慎太郎のような日本人の著作からもうかがえる。もしも将来このような民主主義以外の原理が出現するとしたら、そこでは日本が決定的な役割を果たすだろう。というのもこの国は、すでにアメリカに代わってほとんどのアジア諸国における近代化のモデルとなっているからである(8)。

アジアの新しい権威主義もおそらく、われわれになじみの深いものになっている過酷で全体主義的な警察国家とはならないだろう。その専制支配は、人々がより大きな権威に従い、一連の厳格な社会的規範へと画一化を進めていくような、服従の帝国という形をとるだろう。イスラム原理主義を世界の非イスラム地域へ輸出できなかったのと同様、こうした政治体制をアジアの儒教的伝統を共有していない他の文化地域へ輸出できるかどうかは疑わしい(9)。アジアの新しい権威主義に示される服従の帝国は、前代未聞の繁栄を生み出すかもしれないが、それはまた大部分の市民にとっては幼年時代が長引くことであり、したがって「気概」が中途半端にしか満たされない状態を意味するのである。

現代世界でわれわれは、普遍的で均質な国家が勝利を収めながら同時にさまざまな民族が存続しているという、奇妙な二重現象を目のあたりにしている。一方では、近代経済や科学技術によって、さらには合理的な承認が世界の政治体制における唯一の正当な原理として普及してきたことによって、人類のたえまない同質化が進められてきている。他方、いたるところにこうした同質化への抵抗があり、民族と国家のあいだに存在する障壁を究極的には強化するような文化的アイデンティティを求めようという、おおむね政治下レベルでの再主張がある。

あらゆる冷たい怪物のなかでもいちばん冷たい怪物である国家は、不完全な勝利しかもたらせなかったのだ。

過去百年間にわたって、受け入れが可能な経済的・政治的組織形態の数は着実に減りつつあるものの、資本主義やリベラルな民主主義など残存する形態についての解釈は今後も依然として多種多様であり得る。このことに示されるように、国家間のイデオロギー的な相違がしだいに後景へ消え去っていったとしても、国と国の違いは文化や経済の分野にその局面を移しつつ、依然大きなものとして残るだろう。さらにこのような差異に示されるように、現存する国家組織が近い将来に崩壊し、文字どおり普遍的かつ均質な国家へと崩壊していくことはあり得ないだろう。[10] たとえますます多くの諸国が共通の経済的・政治的組織形態をとるようになったとしても、国家というものは依然として（国民の）自己同一化の中核として存在しつづけるだろう。

そこで次に、このような国家間の関係がどのようなものであるのか、そしてその関係がわれわれの慣れ親しんでいる国際的な秩序といかに異なっているのかを考えてみる必要がある。

4 もはや万能ではなくなった「現実主義」

なぜならわれわれが信じる神も、われわれが知っている人間も、その本性が要求するため、どこであれ力を手にしたところではいつも支配をおこなうのである。そしてわれわれの場合も同じだ。われわれがこの法をつくったわけでもなく、この法がつくられたときに最初にそれを用いたわけでもない。だがこの法の存在を発見し、あらゆる時代にそれを残していきたいと願うがゆえにそれを用いるのである。そしてわれわれは、諸君や他の者もわれわれと同じ力を与えられているとすれば同じように振る舞ったであろうことをよく知っている。

アテナイ人のメロス人への演説、ツキディデス『戦史』より(1)

一定の方向性をもった歴史の存在は、国際関係に重要な結果をもたらすはずである。もし普遍的で均質な国家の到来によって、ある社会に起きる個人レベルでの合理的な認識が生まれ、個人間の支配と服従という関係が終わるなら、そして、それが世界の国々にまで及び、各国間の支配と服従という関係も終わるなら、帝国主義は終わり、それにともなって、帝国主義による戦争の危険性はしだいに減少していくはずである。

とはいえ、ちょうど二十世紀にさまざまな事件が起こったため、もはや普遍的な歴史や国家内部の革新的な変化はあり得ないのではないかという悲観的な見方が生まれたように、それはまた諸国間のさまざまな関係についての悲観主義も育んできた。国際関係についての悲観主義は、ある意味で内政に関する悲観主義よりもはるかに徹底している。というのも、経済学や社会学理論の主流が過去一世紀にわたって歴史や歴史の変化という問題に取り組んできたのに対し、国際関係論の研究者たちはまるで歴史など存在しないかのように——たとえば、あたかも戦争や帝国主義は人間的領域の普遍的な側面であって、その根本的な原因は今日もツキディデスの時代となんら変わりがないかのように——語っているからだ。彼らによれば、宗教や家族、経済組織、政治的な正統性の概念など人間の社会的環境の局面がいくら歴史的な進化をしようと、国際関係はあくまで独自の存在であるとされる。「戦争は永劫不変」というわけだ。(2)

国際関係についてのこの悲観的な見解は、「現実主義」とか「現実的政変(リアルポリティーク)」、あるいは「武力外交(パワー・ポリティクス)」など数々の名のもとに一つの体系的な定式化がなされてきた。意識的にこの言葉が使われたかどうかは別にして、現実主義は国際関係を理解するためのもっとも有力な枠組みであり、アメリカやヨーロッパはもとより大部分の世界で今日、ほぼすべての外交政策専門家の考え方を形成しているのである。国際政治に対し民主主義の普及がどのような影響を及ぼすかを理解するためにも、われわれはこの多数派を占める現実主義者たちの解釈の弱点について分析していかなくてはならない。

「最悪の国家」の政策にしてはじめて可能な「最良の国家」

現実主義の真の創始者はマキャベリであった。彼は、人間というものはいかに生くべきかという哲学者の空想によってではなく、現実にどう生きているかという面から自己の位置を確認していかなければならないと考え、同時に、最良の国家が生き残りたければ最悪の国家の政策を見習うべきである、と説いた。しかしながら、現代政治の諸問題にも適用できる教義として現実主義が登場したのは第二次世界大戦後のことだ。そのとき以来、現実主義はさまざまな形をとってきている。

その最初の定式化は戦前から戦後初期にかけて、神学者のラインホルト・ニーバー、外交官のジョージ・ケナン、大学教授のハンス・モーゲンソーなどによってなされた。なかでもモーゲンソーのつくった国際関係論の教科書は、おそらくは冷戦の時期の外交政策に関するアメリカ人の考え方に唯一最大の影響を与えてきた(3)。その後は新現実主義とか構造的現実主義といった学術的な装いの理論があれこれ生まれたが、前世代でもっとも断固とした現実主義の唱導者を一人挙げるとすれば、それはキッシンジャーである。

国務長官時代のキッシンジャーは、アメリカの大衆をウィルソンの伝統的自由主義から教育によって遠ざけ、外交政策のより現実主義的な理解へ目を向けさせることを自分の長期的任務の一つと考えていた。この現実主義は、キッシンジャーの辞職後も長いあいだアメリカの外交政策の作成に携わった数多くの教え子や弟子たちの考え方の特徴となってきた。

現実主義の理論はすべて、不安定性が国際秩序の普遍的かつ恒久的な特色であり、それは国際秩序は永遠に無政府的であるという性格をもっていることから生じる、との仮説から出発する(4)。国際的な支配者があらわれないかぎり、各国は互いにとって潜在的な脅威となるだろうし、その不安を取り除くにはどの国も防衛のために武装するよりほかに手はない(5)。

この脅威という感覚は、ある意味では避けがたいものである。なぜならどの国も他国の防衛的活動を自国への脅威と誤解し、今度は逆に相手国から攻撃的と誤解されるような防衛手段を講じるからだ。こうして脅威は、百発百中の予言のごとく現実のものとなる。その結果、あらゆる国が他国以上に軍事力を増強しようとするのだ。軍備競争と戦争は国際体制における避けがたい副産物であり、それは国家自体の性格のためではなく、諸国家体制全体が無政府的な性格をもっていることによるものなのである。

この権力闘争は、諸国家の内部的性質——その国が神権政治か、奴隷をかかえる貴族制か、ファシズムの警察国家か、共産主義の独裁国家か、あるいはリベラルな民主主義国家か——には影響されない。その点をモーゲンソーは「政治の舞台にのぼっている俳優にさまざまなイデオロギーを使わせてその演技の真の目的を隠蔽させること、それがまさに政治の本質なのだ」と説明しており、そして真の目的とは権力のことなのである。(6)

たとえばロシアは、帝政下でもボルシェビキの支配下でも同じ程度に領土を拡張してきた。政権の形態は変わっても領土拡張という点ではなんら変わらなかったのだ。(7) 将来のロシアの政府にしても、マルクス－レーニン主義の衣はすっかり脱ぎ捨てたにせよ、その拡張主義は相変わらず残されると見てよい。なぜなら拡張主義はロシア民族の権力を求める意志のあらわれだからである。(8) また、日本はいまでは一九三〇年代の軍部独裁国家ではなくリベラルな民主主義国かもしれないが、それでも銃弾ではなく円によってアジアを相変わらず支配しているところが日本の日本たるゆえんでもあるのだ。(9)

もしも権力を求める衝動がどの国でも本質的に同じものだとするなら、戦争が起こるかどうかを左右する真の要因は、ある特定の国の侵略的な行動ではなく、諸国家による体制の内部における力関係のバランスのいかんにある。もしも均衡がとれていれば侵略は割に合わないものとなるだろうし、逆に均衡がとれていなければ隣国の弱みにつけ入ろうという誘惑に駆られるはずだ。

現実主義者によれば、もっとも純粋な形での権力の配分が、戦争か平和かを決める唯一最大の要因である。二つの国家が他のすべての国家に優越している場合、権力は二極に配分され得る。ペロポネソス戦争時代のアテネとスパルタにも、数世紀のちのローマとカルタゴにも、あるいは冷戦時代のアメリカとソ連にもそれはあてはまる。その二極体制にとって代わるのが多極体制、つまり十八世紀から十九世紀にかけてのヨーロッパがそうだったように、権力が数多くの国家に配分されている体制である。

現実主義者のあいだでは、より長期的な国際的安定をもたらすのは二極体制か多極体制なのかという点が長いあいだ議論されてきた。そして彼らのほとんどは、二極体制のほうがより安定的な体制にちがいないとの結論を下している。もっともその理由は、おそらく、近代の民族国家が完全かつ柔軟な同盟体制を築き上げられなかったというような歴史的な偶発的要因と関係しているのだろう。[10]

いずれにせよ、このようなわけで第二次世界大戦後の権力の二極配分は、ヨーロッパが一九四五年以降半世紀にわたって前例のない平和を保ってきた理由の一つとされているのである。

国際政治における唯一最強の「通貨」

もっとも極端な形の現実主義は、民族国家をビリヤードの球のように取り扱う。その中身が半透明な殻に覆われているうえに、行動がまったく予測できないというわけだ。国際政治学ではこのような国家の中身についての知識はいらない。必要とされるのは相互作用を支配している物理学の機械的諸法則を理解することだけだ。つまり、クッションにぶつかったビリヤードの球はどんな角度ではずむのか、あるいは一つの球が二個の球にぶつかった瞬間にエネルギーがどう配分されるのか、という点がわかればよいのである。したがって、国際政治は複雑かつ歴史的に発展している人間社会の相互作用とは関係ないし、戦争はさまざまな価値の衝突とは無縁なものとされる。ビリヤードの球式研究法では、戦争か平和かの見通しについて判断を下すには、国際体制が二極構造になっているか多極構造になっているかについての貧弱な知識があればそれで事足りるのである。

現実主義は国際政治の診断書であり、同時に、国家がいかに対外政策を遂行していくべきかについての処方箋でもある。現実主義の処方箋としての価値は明らかに、その診断書としての正確さから出てくる。善良な人間ならおそらく誰ひとりとして、マキャベリが言うように「多くの善良でない人間」の振る舞いによって強制されるのでないかぎり、現実主義のひねくれた教義に従って活動しようなどと望みはしないだろう。処方箋としての現実主義は、結局のところ、政策ガイドの役割を果たすいくつかのなじみ深い規則に行き着くのである。

第一の規則は、国際的な不安定という問題は最終的には潜在敵国に対する力の均衡の維持を通じて解決される、というものだ。戦争は国家間の紛争に関する最終的解決手段であるため、諸国家は自国を守るために十分な力をもたなければならない。諸国家は国際協定に頼ってばかりもいられないし、なんら強制力や制裁力をもたない国連のような国際組織に頼ることもできない。

ラインホルト・ニーバーは日本の満州侵略に制裁を加えられなかった国際連盟を例に挙げ、「国際的な共同体の威信は……十分に統合された一つの共同精神を樹立したが、手に負えない国家を罰するほど大きなものではない」と論じた[11]。国際政治の領域における真の通貨は軍事力だ。たしかに天然資源や工業生産力など他の力も重要だが、それらは主に自衛のための軍事能力を育成する手段として重要なのだ。

現実主義の第二の教えは、ある国を味方につけるか敵に回すかを判断する際には相手の体制内部の体質やイデオロギーよりもむしろその国力を基準にすべきだ、ということである。たとえばヒトラーを打ち破るための米ソの提携や、イラクに対するジョージ・ブッシュ政権のシリアとの協力など、世界政治のなかにこうした事例は無数に存在している。ナポレオンの敗北後、オーストリアの外務大臣メッテルニヒ公の率いる反フランス連合は、ヨーロッパの平和に対する新たな予測もつかない将来の脅威への対抗勢力としてフランスが必要だ、という理由から、同国の分割あるいは懲罰的な領土割譲を求めなかった。そして事実、のちにヨーロッパの現状を覆そうとしたのはフランスではなく、ロシアでありドイツなのであった。

イデオロギーや報復の観念にとらわれないこのような冷静な勢力均衡政策は、キッシンジャーの最初の著書の主題であり、いまなお現実主義を実践するうえでの古典的な手本ともなっている。(12)

これと関連のある第三の教えとして、外国の脅威を推し量る場合に、政治家は相手国の意図よりもその軍事的な能力のほうをもっと念入りに検討すべきだ、という点が挙げられる。現実主義の観点からすれば、意図というのはある意味で、いつでも出てくるものなのである。今日は友好的で戦火を交えるなど思いもよらないような国が、明日にはその雰囲気を一変させることだってあり得るのだ。それに対して軍事力——戦車、飛行機、銃器の保有数——はさほど気まぐれではなく、むしろ相手の国の意図を探る指標ともなるのである。

国家体制を形成する「正統なシステム」と「革命的なシステム」

現実主義の一連の教義の最後のものは、外交政策から道義心を排除する必要があるということと関係がある。モーゲンソーは、国々に広く受け入れられている「世界を支配する道徳律と特定国家の道徳的願望とを同一視」しがちな傾向を批判し、こうした傾向が高慢と勇み足をもたらすのに対して「権力という観点から定義された利害という考え方は……道徳的な行き過ぎと政治的な愚行からわれわれを救ってくれる」と述べた。(13)

キッシンジャーも同じような趣旨に沿いながら、国家体制には正統なシステムと革命的なシステムの二つがあると論じている。正統な国家体制をとる諸国はすべて互いに根本的な正統性をもっていることを認め合っており、他国を傷つけたりその生存権を脅かしたりはしない。これに対して革命的な国家体制をとる諸国のなかには、現状をそのまま受け入れるのを潔しとしない国もあるため、たえず大きな紛争に悩まされていく。(14)

当初から世界革命を求める闘争と社会主義の世界的勝利に熱をあげていたソ連は、このような革命的国家の典型だった。だがアメリカのようなリベラルな民主主義国も、ときとして自国の政体をベトナムやパナマなどあまり似つかわしくない地域に広めようとする際に革命的な国家と同じような行動をとる場合がある。とはいえ革命的な国家体制をとる諸国間では、その本質からいって正統な国家体制よりもはるかに多くの紛争を引き起こしやすい。このような国は平和共存ということに満足せず、あらゆる紛争を、最高原理をめぐる善と悪との闘争と見なすからである。そして、とりわけ今日の核時代においては平和がもっとも重要な目標であるという点からすれば、当然ながら正統な国家体制は革命的な体制よりはるかに望ましいものといえよう。

以上のような考え方からは、道義心を外交政策のなかに持ち込むことへの強い反発が生まれてくる。ニーバーはこう語る。

道学者は政治的な現実主義者と同じくらい危険な案内人かもしれない。彼はたいてい、当代のどんな社会的平和のなかにも存在する抑圧と不正の要素を見逃している。……協調や友誼をあまりにも無批判に賛美していては、結局のところ伝統的な不正を受け入れ、表立った形での抑圧よりも目立たない形での抑圧を好むようなはめに陥ってしまうのである。(15)

ここからはいくぶん逆説的な状況が生じてくる。つまり現実主義者は、一方では軍事力にもとづいた力の均衡をたえず維持しようとしながら、他方ではそれと同じ程度に強大な敵との和解につとめようとするのだ。敵との和解という発想は、現実主義者の立場からすれば当然のなりゆきである。なぜなら、仮に国家間の競争がある意味で恒久的かつ普遍的なものだとすれば、敵国の指導者やイデオロギーに変化があったからといって国際的な安定をめぐるジレンマの根本的な改善にはつながらないからである。革命的な手段を通して安全保障問題への救済策を見出そうとする試み――たとえば、人権侵害問題への批判を通して対立国の政権の基本的な正統性を攻撃するような試み――は心得違いであるばかりか危険なやり方でもあるのだ。

したがって、かつての現実主義者メッテルニヒが軍人ではなく外交官だったことや、現実主義者キッシンジャーが国連をひどく見下していた一方で、一九七〇年代初期の米ソのデタント――つまり、リベラルな民主主義国と改革のきざしすらなかったソ連との緊張緩和政策――の考案者だったことは、なんら偶然ではないのである。当時のキッシンジャーが説明を試みたように、ソビエト共産主義勢力は国際的現実における恒久的な一側面であり、それは望んだからといって消滅するものでもなく、抜本的な改革がなされるようなものでもなかった。そしてアメリカと当時のソ連は核戦争の回避という点では共通の利という考え方に慣れておく必要があった。アメリカと当時のソ連は核戦争の回避という点では共通の利害をもっており、だからこそキッシンジャーは、この共通の利害をふまえた関係促進の努力のなかにユダヤ人移民問題のようなソ連の人権問題を持ち込むことに一貫して反対したのである。

現実主義は第二次世界大戦後の外交政策についてのアメリカ人の考え方を形成するうえで大きな、かつ有益な役割を果たした。現実主義は、たとえば国際的安定のために、なにはさておき国連に信頼をおくというようなまったく無邪気でリベラルな国際主義に心の支えを求めようとする風潮からアメリカを救い出すことによって、このような役割を果たしたのである。現実主義は、この時代の国際政治を理解するのにふさわしい構想であった。なぜならその当時、世界は現実主義が示した前提のとおりに動いていたからだ。それは現実主義の原理が時代を越えた真理を反映していたためというより、むしろ世界が根本的に異なり反目し合うイデオロギーをもった諸国家のあいだではっきり分割されていたためである。

二十世紀前半の世界政治は最初はヨーロッパの侵略的な国家主義――なかでもドイツの国家主義――に支配され、次いでファシズム、共産主義とリベラルな民主主義との衝突に支配されていた。ファシズムが明らかに「あらゆる政治世界はあくなき権力闘争の場だ」というモーゲンソーの主張を受け入れていたのに対して、自由主義と共産主義は「われわれこそが正義だ」という普遍主義を共有し、それが世界のすみずみにまで対立と抗争を広げていくことになった。この執念深いイデオロギー上の敵対関係においては、いかなる諸国家体制の相互作用の調整弁であるはずのリベラルな国際主義が無視されたり、侵略という国家目標の推進のために不正に利用されたりするのも当然の話である。

第二次世界大戦の時期に日本やドイツ、イタリアは国際連盟の決議など鼻にもかけなかったし、一九四六年以降の国連安全保障理事会でのソ連の拒否権発動は、この組織を弱体化させるのに十分であった(16)。このような世界においては、国際法は幻想であり、まさに軍事力だけが安全保障問題に対する唯一の解決法なのであった。だからこそ現実主義は、世界の動きを理解するうえでの適切な構想と見えたのであり、戦後期におけるNATOや他の西欧および日本の軍事同盟創設に必要とされた精神的支えをも提供したのである。

現実主義は、悲観論に彩られた世紀の国際政治にはふさわしい見解であり、その思想の主要な実践者である多くの人々の生活史のなかからきわめて自然に育まれてきたのである。たとえばキッシンジャーは、ナチス支配下のドイツから亡命を余儀なくされた少年時代に、文明生活が野蛮な権力闘争に転化していくさまを目のあたりにするという個人的な体験をもっていた。彼はハーバード大学の学生時代に書いたカントについての優等賞受賞の論文のなかで、歴史の進歩というカントの考え方を批判した。その代わりに彼は、その当時からすれば一種のニヒリズムにも近い視点、つまり神は存在せず、またさまざまな出来事の流れに意味を与え得るヘーゲル流の普遍的な歴史のような現世的メカニズムさえ存在しないという視点に立っていた。歴史はむしろ国家間の混沌とした間断のない一連の闘争であり、そこでは、自由主義もなんら取り立てて特権的な地位を占めているわけではない、とされたのである。[17]

万能ではなくなった「現実主義」の重大な弱点

たしかに現実主義は、かつてのアメリカの外交政策に貢献してきた。しかしながら、現実の国際関係をとらえるうえでこの主義の構想が、現実の診断書としても政策の処方箋としても重大な弱点をはらんでいることにわれわれは目をつぶっていてはならない。なぜなら、現実主義はいまや外交政策のそつのない専門家連中のあいだでちょっとした崇拝の対象になっているからだ。彼らは往々にして現実主義の前提を鵜呑みにし、それが現実の世界にどういう面でもはやそぐわなくなっているかを悟ろうともしないのである。

現実主義の理論的構想がその寿命を越えていつまでも生き残ってきたせいで、冷戦後の世界のなかでいかに考え行動すべきかという点についてもいささか奇妙な提案がなされるようになった。たとえば、一九四五年以降の欧州大陸を覆う平和はヨーロッパの二極分割体制のおかげなのだから、西側はワルシャワ条約機構を存続させていくべきだ、というような提案がある。(18)あるいは、ヨーロッパの分極構造の終焉は、この地域に冷戦時代以上の不安定と危険をもたらしかねず、それを防ぐ策として西ドイツへの核拡散をはかるべきだ、との主張もある。(19)

この二つの提案を聞いていると、一人の医者の姿が思い浮かんでくる。その医者は、ある癌患者に苦痛をともなう長期の化学療法をほどこし、ついには癌を完治させた。だがその後も彼は、患者に対して、いままでこんなに効果があったのだから今後もずっと化学療法を続けるべきだと必死に説得しているのだ。もはやどこにも存在しない疾病をあれこれいじりまわしてきた現実主義者も、いまでは、自分たちが健康な患者に対して高価かつ危険な治療法を提案していることに気づいている。なぜその患者が基本的には健康体であるのかを理解するため、われわれはここで、病気の根本的な原因、すなわち国家間の戦争についての現実主義者の仮説をいま一度見直していかなくてはならない。

5 「権力」と「正統性」との力関係

現実主義理論の主張によれば、国際的な政治体制においてはいつになっても政情不安や侵略、戦争は起こり得るものであり、それが人間的な状態なのである。つまり、このような状態は普遍的な人間の本性に根ざしているのだから、特定の型やタイプの人間社会が出現したからといって変えることはできないというのだ。この主張を擁護するため現実主義者たちは、聖書に記された最初の血なまぐさい戦いから二十世紀の二つの世界大戦にいたるまで、人類の歴史にはつねに戦争が横行していると指摘する。

こうした主張はどれも一見もっともらしく聞こえるにせよ、現実主義は、二つのきわめて怪しげな土台のうえに成り立っているのである。その一つは、人間社会の活動と動機についての到底受け入れることのできない単純化であり、もう一つは歴史という問題を回避する姿勢である。

もっとも、純粋な形の現実主義は国内政治についての考察をいっさいおこなわず、戦争の可能性をひたすら国家体制の構造という面から引き出そうとする。ある現実主義者は言う。

「国家間には対立があって当然であり、それは、国際体制が侵略への強い動機を生み出しているからである。……国家は、他国に対して自国の力を最大化することによって無政府状態のなかでの生き残りをはかるのだ……(1)」

だがこの純粋な形の現実主義は、国際体制を作り上げている人間社会の本質に関するきわめて単純化された仮説をひそかに再導入し、その仮説が国際体制を構成する個々の単位社会の特質ではなく「体制そのもの」の特質であると勘違いしている。

たとえば、無政府的な国際秩序のなかではどの国も他国の脅威を感じるはずだという想定は、人間社会が本来侵略的な性質をもっていると考え得るだけの理由がないかぎり、まったく理屈に合わない。現実主義者の描く国際秩序は、ホッブズのいう自然状態、つまり万人の万人に対する戦争状態ときわめて似通っている。けれどもホッブズの語る戦争状態は、たんなる自己保存の欲望から生じているのではなく、その自己保存が虚栄心や承認への欲望と共存しているという理由から生まれてくるのだ。もしも自分の意見を他人に押しつけようと望む人間が一人もいないとすれば、とりわけ宗教的狂信のような精神を抱く人間が一人もいないとすれば、ホッブズも、原始的な戦争状態などは最初から生じるはずがないと自分から言明するだろう。万人の万人に対する戦いは、自己保存本能からだけでは十分に説明しきれないのである。

自然の平和な状態というものを仮定したのはルソーである。ルソーは、虚栄心やうぬぼれが人間にとって自然なものだという考えを否定し、恐れを抱き孤立した自然人は、わずかばかりの利己的要求がたやすく満たされるがゆえに本来的に平和なのだ、と説いた。恐怖や不安は人間に、とどまることのない権力の追求をもたらすのではなく、孤独と静けさとをもたらしていく。自然状態に暮らす牛のような人間は、一人ひとりが生き、あるいは生かされていることに満足し、他人に依存していない自分自身の存在感を体験することに満足するのだ。

かくして原始の無政府状態は平和を生み出す。ほかの言い方をするなら、自分は自然の状態で生きつづけたいと願う奴隷の世界では、血なまぐさい戦いに駆り立てられるのは主君たちだけであり、したがってそこには対立が起きないのである。

もしも人間社会がルソーのいう自然状態に暮らす人間のように、あるいはヘーゲルのいう奴隷のように振る舞うなら、つまり自己保存だけにしか関心を払わないと仮定するなら、無政府な状態でありながらなおかつ平和な国家体制を想像するのは十分に可能であり、そこでは二極体制とか多極体制とかいう問題はまったくどうでもよいことになる。

したがって、諸国家が互いに脅威を感じて武装するという現実主義者の主張は国家体制のあり方から生まれるのではない。それはむしろ、人間社会が国際舞台ではルソーのいう臆病で孤立した人間としてではなく、どちらかといえばヘーゲルのいう承認を求める支配者やホッブズのいう虚栄に満ちた最初の人間に似通った振る舞いをしがちだという、隠された仮説から生じるのである。

軍備増強と領土縮小による「力の最大化」

過去の諸国家からなる国際体制では平和を手にするのはきわめて困難であったが、それはある特定の国が自己保存以上のものを追求しているという事実を反映している。巨大な「気概」をもった個人と同様、このような国家は、王朝存続という理由や宗教的、国家主義的、あるいはイデオロギー上の理由から、自己の価値や尊厳の承認を求め、その過程で他国に対して服従か戦いかを強いていく。要するに国家間の戦争の究極的な原因は、自己保存にではなくむしろ「気概」にあるのだ。

人類の歴史が純粋な威信を賭けた血なまぐさい闘争とともにはじまったように、国際紛争も国家間の承認を求める闘争とともにはじまり、それが帝国主義の発生源となったのである。だから現実主義者は、諸国家からなる国際体制内の力の配分という、たんなる事実からは何も引き出すことができない。そういう事実に対する知識が意味をもつのは、国際体制を構成している社会の性格についてある種の仮説を――すなわち、少なくともその社会のいくつかは、たんなる自己保存ではなく承認を求めているのだという仮説を――現実主義者自身が打ち立てた場合だけなのだ。

モーゲンソーやケナン、ニーバー、キッシンジャーなど、かつての現実主義者たちは、その分析のなかに諸国家の内政に関する考察をある程度加えていたため、国際紛争の原因についてはのちの構造的現実主義学派の人々よりもまともな説明を与えることができた[2]。彼らは少なくとも、国家間の対立がビリヤードの球の動きのような機械的な相互作用から生じるのではなく、支配への人間的な欲望に衝き動かされざるを得ないものであることを認識していたのだ。それにもかかわらず、どんな流派の現実主義者たちも、いざ内政問題を語るとなると、国家の行動をきわめて単純化した形で説明せずにはいられなかったのである。

たとえばモーゲンソーのような現実主義者が権力闘争は「時空を越えて普遍的なものだ」と述べたにせよ、彼がそのことを経験的に証明できるとは思えない。なぜなら、社会にしろ個人にしろ、自己の相対的な力を最大化しようとする欲望以外の何者かによって動かされていると考え得る事例が無数に存在しているからだ。一九七四年にギリシア軍部が権力を民政に委譲したことや、一九八三年にアルゼンチン軍部が失政の責任追及を恐れて政権の座を降りた事実は、「力の最大化」をはかるという観点からは合理的に説明できない。

十九世紀の最後の二十五年間にイギリスは、とくにアフリカにおける新植民地獲得のために国力のかなりの部分をつぎこんだが、第二次世界大戦後は大英帝国を解体するためにほとんど同程度の国力を費やした。また、トルコは第一次世界大戦以前、アドリア海からはるか中央アジアのロシア領にいたる汎トルコ帝国、あるいは汎ウラル－アルタイ帝国の建設を夢見ていたが、のちにはケマル－アタチュルクの指導のもとで、このような帝国主義的な目標を放棄し、小アジアのこぢんまりした民族国家にまで国境線を後退させた。領土縮小を求めるこれらの国々のケースも、征服と軍備増強によってさらに領土拡大をめざす諸国と同様、権力闘争の事例とされるのだろうか？

おそらくモーゲンソーなら、権力の形態もその権力の蓄積方法もさまざまに違っているのだから、こういう事例もまさに権力闘争を示しているのだと論じるだろう。ある国は現状維持という政策によって力の保持をめざし、他の国は帝国主義の政策を通じて力の増大をはかり、そしてなかには国威発揚政策を用いて力を誇示しようとする国もある。植民地に独立を許したイギリスも、ケマル主義によって領土を縮小したトルコも権力基盤の強化を余儀なくされたのであり、したがって力の最大化をはかろうとする意図に変わりはない。これらの国にとっては領土の縮小が、長い目で見れば自己の権力の保証となっている。(3) 国家が力の最大化をはかる場合、必ずしも軍備拡張や領土拡張といった伝統的な手段をとる必要はない。経済成長を通じて、あるいは自由と民主主義を求める闘争の先頭にみずからをおくことによってもそれは達成できる、というわけである。

けれどもさらによく考えてみたい。「力」の定義を、侵略や暴力によって領土支配の拡大をはかる国にとっての目標というだけでなく、領土縮小をはかる国家にとっての目標でもあるという具合いにあまりにも広げすぎると、その定義が価値を失ってしまうことは明らかだ。そんな定義は、なぜ国家が戦争に乗り出すのかという点を理解するうえでなんの役にも立たない。なぜなら、そこまで拡大解釈された「権力闘争」は他国に脅威をもたらすどころか、かえって積極的に恩恵を与えるものとなるからである。

たとえばもしわれわれが韓国と日本の輸出市場の追求を、両国にとっての権力闘争のあらわれととらえるなら、それは両国が相互利益のために、そしていっそう安価な製品を入手できるというその地域全体の利益のために、どこまでも追求し得る種類の権力闘争となってしまうのだ。

イギリスが植民地にしがみつかなかった最大の理由

いかなる国も、国家目標の達成のためには、それがたんに国家の存続という目標のためであっても力を追求していかねばならない。それは自明の理である。このような形の力の追求は普遍的なものではあるが、そこにはさして取り上げるほどの意味はふくまれていない。ところが、いかなる国もその力、とりわけ軍事力の最大化をめざすという場合には、それはまったくの別問題となる。今日のカナダやスペイン、オランダ、あるいはメキシコのような国々を力の最大化をめざす国として理解したからといって、それがいったい、いかなる観点から役に立つというのだろうか？　どの国ももっと豊かになろうとしているが、その富が望まれるのは国内消費のためであって、たんに近隣諸国にくらべて国力を高めるためではないのだ。逆にそういう国は、自国の繁栄に密接なかかわりをもつという理由で、近隣諸国の経済成長へ支援の手を差し伸べることだろう。(4)

要するに国家は、ただたんに力を追求しているわけではない。国家は正統性という概念によって示されたさまざまな目標を追求しているのだ。(5)この概念は、力それ自体のための力の追求を強く抑制しており、正統性への配慮を無視する国々は危険を覚悟でそうしているのである。第二次世界大戦後にイギリスがインドなど大英帝国の諸地域の支配を諦めたのは、主に大戦には勝ったものの国力が疲弊したという理由からだった。

しかし同時に、イギリス人の多くが植民地主義を、対独戦争終結の基礎となった大西洋憲章（一九四一年）や世界人権宣言に反すると考えるようになっていたのも事実である。もしも力の最大化が第一の目標であれば、イギリスは大戦後のフランスがそうだったように植民地にしがみつこうとしてもよかったし、あるいは経済力が回復してから植民地をふたたび戦い取ることも可能だった。イギリスにとって植民地を奪回するなど到底思いもよらないことであったのは、植民地主義が非正統的な支配形態だという現代世界の評決をこの国が受け入れていたためである。

強大なワルシャワ条約機構を崩壊させた正統性の変化

権力と正統性という概念との密接な関係は東ヨーロッパを見ればいちばんよくわかる。一九八九年および九〇年は、ワルシャワ条約機構が崩壊しヨーロッパの真ん中に統一ドイツが出現するなど力の均衡が平和時における最大級の変化を見せた年だった。とはいえ物質的な意味での力の均衡の変化は何ひとつ生じてはいない。戦闘によって破壊されたり、軍縮協定によって撤退させたりした戦車はただの一輌もなかった。この変化は、もっぱら正統性の基準の変化から生じたのだ。つまり、共産主義勢力が東欧諸国で次々に信用を失墜させるにつれ、さらにソ連自身がその帝国を力によって復活させる自信を失っていくにつれ、現実の戦争に巻き込まれた場合よりもはるかに急ピッチでワルシャワ条約機構の結束力が消え去ってしまったのである。

兵士や飛行士たちに自分から進んで戦車や飛行機に乗り込み敵国と称される相手に立ち向かっていく姿勢がなければ、あるいは表向き忠誠をつくしている体制を守るためならあえて民間人のデモ隊にさえ発砲する姿勢がなければ、いくらその国が戦車や飛行機をたくさんもっていようとどうにもならない。

正統性はバツラフ・ハベルの語る「力なき権力」を作り上げている。可能性ばかりを見つめて意図というものに目を向けない現実主義者たちは、意図のこれほどまでの急激な変化に直面すると途方にくれるばかりなのである。

正統性の概念が時代とともにこれほど激変してきたという事実は、現実主義の第二の大きな弱点、つまり、現実主義は歴史の問題を回避するという弱点を示している[6]。現実主義は国際関係を、人間の政治的・社会的生活にまつわる他のあらゆる局面とは明確に区別し、周囲で起きている進化のプロセスとはまったく無縁の、時間のない真空状態のなかで孤立した現象として描いている。しかし、このような国際関係はツキディデスの時代から冷戦の時代にいたるまで世界政治のなかに一貫して存続しているように見えるが、そのことばかりに気を取られていると、さまざまな社会における権力の追求や統制の方法、そして権力とのかかわり方には大きな差異があることに目がいかなくなってしまうのである。

近代国家に昇華された「貴族的な優越願望」

帝国主義——ある社会による他の社会の力ずくによる支配——は、優越者として認められたいという貴族主義的な支配者の欲望——すなわち「優越願望」から直接に生じる。主君が奴隷をひざまずかせたくなるのと同様の「気概」に満ちた衝動のおかげで、支配者は万人からの承認を求めるようになり、そのために自分の社会を他の社会との血なまぐさい戦いへと引きずり込んでいく。

このプロセスは、支配者が世界帝国を手に入れるか死ぬかしないかぎり、論理的には決して終わらない。国際体制の構造ではなく支配者の承認への欲望が、戦争のそもそもの原因なのだ。したがって帝国主義と戦争はある社会階級、主君たちの階級、言い換えれば、進んでみずからの生命を賭した過ぎ去りし日々の武勇によって社会的地位を得てきた貴族という名の階級と結びついているのである。

つい二、三百年前までほとんどの人間社会の代名詞であった貴族制社会においては、普遍的だが不平等な承認を求める主君の闘争は広く正統なものだと見なされた。支配圏をたえず拡大するための領土征服戦争は、その破壊的な影響が一部のモラリストや作家たちからは激しく非難されたにせよ、正常な人間の野望の一つと考えられていたのである。

承認を求めようとする支配者の「気概」あふれる努力は、たとえば宗教のような別の形態をとることもあった。宗教的支配への欲望――つまり、ある民族固有の神や偶像を他民族にも認めさせようとする欲望――は、コルテスやピサロの征服のように個人的な支配への欲望に付随して起こる場合もあったし、十六世紀と十七世紀の多種多様な宗教戦争のように世俗的な動機がまったく閉め出される場合もあった。いずれにせよこの努力は、現実主義者が主張しそうな、王朝の拡張主義と宗教的拡張主義の共通の基盤をなす未分化な権力闘争などではなく、承認を求める闘争なのである。

だが近代初期になると、このような「気概」のあらわれ方の大部分がいっそう合理的な承認形態にとって代わられ、そして究極的にはそれが近代自由主義国家へと行き着くことになった。ホッブズとロックが予言したブルジョア革命は、貴族主義的な主君の美徳よりも奴隷の死の恐怖のほうを道徳的に高い立場におき、それによって君主の野望や宗教的熱狂のような非合理な「気概」のあらわれを、際限のない富の蓄積のなかへ昇華させようとした。かつては王朝の存続や宗教問題をめぐっての市民の闘争が起きたその場所に、いまや近代ヨーロッパの民族国家によって新たな平和地帯が築かれたのである。イギリスの政治的自由主義は、十七世紀にこの国をあやうく滅ぼしかねなかったプロテスタントとカトリックとの宗教戦争を終結させた。自由主義の到来によって、宗教は寛容なものに変えられ、その牙を抜かれてしまったのだ。

自由主義が市民の平和をもたらすという事実は、論理的には国家間の関係にもあてはまるはずだ。帝国主義と戦争は歴史的にいえば貴族社会の産物だった。もしもリベラルな民主主義が奴隷をみずからの主君に変え、それによって主君と奴隷のあいだの階級の区別を廃止したのだとすれば、それはまた最後には帝国主義をも廃止するはずである。

以下に紹介する経済学者ヨゼフ・シュムペーターの論文には、その点が若干違った形で述べられている。シュムペーターによれば、民主的な資本主義社会は明らかに非戦的かつ反帝国主義的であるが、それはかつて戦争を煽っていたエネルギーに別のはけ口が与えられるからだという。

競争的なシステムは、大部分の人々の全精力をすべて経済レベルで吸収してしまう。たえまない勤勉と目配り、そして精力の集中が、そのシステムのなかで生き残るための条件だ。そのことはとりわけ経済的職業のシステムにあてはまるが、それを手本として組織されたほかの活動についても同じである。

資本主義以前のどんな社会にくらべても、このシステムのなかでは、戦争や征服に向けられる余分な精力がはるかに少ない。余った精力のほとんどは産業そのものに注がれており、この分野に産業界の総帥ともいえる卓越した人物が輩出する理由もそこにある。

そして残った精力は芸術や科学、さらには社会闘争に向けられる。……したがって純粋に資本主義的な世界は帝国主義的な衝動を育むための肥沃な土壌を与えることはできない。……要するに資本主義世界の人々は、その本性からいって戦争を好まないものなのである。[7]

シュムペーターは帝国主義を「領土を際限もなくやみくもに拡張しようとする国家の気質」と定義した。[8] 征服を求めるこの際限のない努力は、すべての人間社会の普遍的な性格ではなく、奴隷の社会が抽象的に安全を追い求めたために生じたのでもない。むしろそれは、ヒクソス王朝（紀元前十八世紀から十六世紀にかけてエジプトを支配したセム族の王朝）を駆逐したあとのエジプト、あるいはアラブ人がイスラム教に改宗したあとのエジプトでそうだったように、特定の時期に特定の場所で生まれた。なぜなら、そこに出現した貴族主義的な秩序が、戦争を志向する道徳的基盤をもっていたからである。[9]

様変わりしていく「戦争の経済学」

主君ではなく奴隷の意識のなかにある近代自由主義社会の系譜と、最後の偉大な奴隷イデオロギーであるキリスト教がそのような社会に与えた影響力は、今日の世間での同情心の広まりや不当な暴力や死、苦痛に対し容赦しなくなってきたという事実を見ればよくわかる。それはたとえば、先進諸国のあいだで徐々に死刑が廃止され、あるいは戦争での犠牲をますます許さなくなってきていることを考えてみても一目瞭然だ。[10]

南北戦争時代のアメリカでは、脱走兵の銃殺は日常茶飯事だった。ところが第二次世界大戦の時代になると、脱走の罪で処刑された兵士はたった一人であり、しかもその兵士の妻はのちに、本人になり代わって合衆国政府相手に訴訟を起こしたのである。かつてイギリス海軍では、下層社会から入隊した水兵には強制労働まがいの苦役をむりやり押しつけるのがならわしとされた。それがいまや民間部門の仕事と肩を並べるほどの給料で水兵をまるめこんだり、航海中でも家庭のような快適さを与えたりしなければうまくいかなくなっている。

また十七世紀や十八世紀の君主なら、自分個人の栄光のために何万人もの農民兵を死にいたらしめたとしても痛くもかゆくもなかっただろう。ところが今日の民主主義諸国の指導者は、重大な国際的事由でもなければ自国を戦争に導いたりはしないし、無鉄砲な行動は政治的に到底許されないとわかっているので、そのような重大な決断を下す際には当然躊躇するにちがいない。そして戦争に踏みきってしまえば、ベトナム戦争におけるアメリカの場合のように指導者は手痛い目にあうのである。[11]

トクビルは一八三〇年代の『アメリカの民主政治』執筆当時から、すでに世間での同情心の高揚に着目し、その本に、ド・セビニエイ夫人が娘に宛てた一六七五年の書簡を引用している。彼女はその手紙に、バイオリン弾きが印紙を何枚か盗んだ罪で車裂きの刑に処せられ、死んだあと体が四つに切り裂かれて町の四隅に手足がさらされた一部始終の見聞を平静な筆致で描写しているのだ。[12] トクビルは、夫人の語り口がまるで天気の話でもしているような軽い調子であることに驚きつつ、夫人の時代以降このような死刑の習慣が薄らいでいった原因として平等という感覚の発生を挙げている。

民主主義は、かつて社会の諸階級を分けていた壁、つまりド・セビニエイ夫人ほどの教養と繊細さをもつ人々にさえ、バイオリン弾きが同じ人間の仲間だと気づかなくさせていた壁を取り壊してくれた。そして今日、われわれの同情心は、下層階級の人間はおろか高等な部類の動物にまで及んでいるのである。[13]

社会的平等が普及していくにつれ、戦争の経済学も大きく様変わりした。産業革命の前にはどこもほとんどが農業社会であり、国家の富は、生きるのに精いっぱいかそれより少しましな程度の大多数の農民たちが捻出したわずかな余剰農産物から吸い上げねばならなかった。野心的な君主が自分の富を増やそうとすれば、誰か他人の土地と農民を強奪するか、さもなければ新世界の金銀のような価値ある資源を手に入れるほかはなかった。

ところが産業革命以降、土地や人間や天然資源は、テクノロジーや教育、労働の合理的な組織化にくらべて富の源泉としては重要性が著しく低下した。後者によってもたらされた労働生産性のとてつもない増大は、領土の征服を通じて手に入れたどんな経済的成果よりはるかに重要かつ確実なものだった。そして日本やシンガポール、香港など狭い国土と限られた人口しかもたず、しかも天然資源にもほとんど恵まれていない国々は、自国の富を増やすため帝国主義的手段に訴える必要がまったくないという、経済的にはかえって羨むべき状態にあることに気づいたのである。

もちろん、石油のような特定の天然資源の支配は経済的に大きな利益をもたらす可能性がある。しかしながら、侵略など武力によるやり方が将来の資源獲得法として魅力を発揮することはなさそうだ。同じ資源がグローバルな自由貿易体制を通じて手に入るという事実を考えれば、戦争という手段は二、三百年前にくらべて経済的にはいっそう割に合わないものになってきている。[14]

それればかりか、カントをひどく嘆かせたように、科学技術の進歩につれて戦争の経済的コストが飛躍的に増大してきたのである。すでに第一次世界大戦当時から、在来のテクノロジーのおかげで戦争は大きな出費をともなうものになっており、いくら勝利者の側に立ったにせよ、戦争への参加そのものによって社会全体が弱体化する場合もあった。そして、いうまでもなく核兵器は、戦争の潜在的コストを何倍にも増加させたのだ。

冷戦の期間を通じて核兵器が平和維持に果たした役割は、たしかに広く認められている[15]。一九四五年以降ヨーロッパで戦争が起きなかった理由を説明する際には、二極体制のようなさまざまな要因とともに、核兵器の抑止力も度外視できそうにない。

しかしながら、ひるがえってこう考えてみるのもよいだろう。つまり、仮に二つの超大国が武力衝突のもたらす途方もない潜在的コストを意識していなかったとしたら、冷戦時代の危機——ベルリンやキューバや中東をめぐる危機——のどれか一つが現実の戦争にまでエスカレートしていたかもしれないのである[16]。

自由主義社会の本質的な戦争嫌いの性格は、このような社会が互いにきわめて平和的な関係を維持しているところからも明らかだ。これまでも数多くの書物が、リベラルな民主主義国同士で戦火を交えるケースは仮にあったとしてもごくわずかだという点に触れてきた[17]。たとえば政治学者のマイケル・ドイルは、近代のリベラルな民主主義が存在してきたおよそ二百年のあいだに、そのような事例はただの一つもなかったと主張している[18]。

むろん、アメリカが二つの世界大戦や朝鮮戦争、ベトナム戦争、あるいはペルシア湾での戦争のように、リベラルな民主主義国が、そうでない国と戦う場合はあり得る。そうした戦争の遂行にともなう高揚感は、伝統的な専制国や独裁国のそれにまさるものなのかもしれない。けれども、リベラルな民主主義諸国は相互不信もなく、相手国の支配にも関心を抱いていない。これらの国々は普遍的な平等や諸権利などの原理を共有しているため、互いの正統性に対して異議を唱える理由など持ち合わせていないのだ。

このような諸国の「優越願望」は、戦争以外のところにそのはけ口を見出してしまったか、さもなければ、現代版の血なまぐさい闘争を引き起こす気力も残らない程度にまで衰弱しきっている。要するにそこでは、誇り高いリベラルな民主主義が、攻撃的・暴力的な人間の自然な本能を抑えるというより、むしろその本能そのものを根本的に変えてしまい、帝国主義への意欲を消し去っているということなのである。

驚くべき歴史の方向転換を支えた民主勢力の「確かな目」

一九八〇年代なかば以降、ソ連や東欧で起こった変動からは、外交政策に対する自由主義思想の平和的な影響が見てとれる。現実主義者の理論によれば、ソ連の民主化はこの国の戦略的立場になんら変更をもたらさないはずだった。実際、現実主義にくみする人々の多くは、ベルリンの壁の崩壊や東欧というソ連の防波堤の消失をゴルバチョフが黙って見過ごすわけはない、とあっさり予言していた。

ところが、一九八五年から一九八九年にかけてソ連の外交政策に生じた一連の驚くべき方向転換は、ソ連の国際的立場をめぐるなんらかの具体的な変化の結果ではなく、まさにゴルバチョフのいう「新思考」から生じたのである。ゴルバチョフと当時の外相エドアルド・シュワルナゼは、ソ連の「国益」を既定の事実と見なさず、それに対するきわめて明確な再解釈をおこなった。[19]「新思考」路線はソ連が直面していた対外的脅威の再評価からはじまった。そして、民主化の進行の直接の結果として、「資本主義包囲網」への恐怖や攻撃的、報復主義的機構であるNATOへの恐怖というような同国のかつての中心問題が片隅に追いやられていったのである。

一方、ソビエト共産党の理論誌『共産主義者』は一九八八年のはじめに、「社会主義への軍事的侵略」をもくろむような「政治的影響をもつ勢力は、いまやアメリカにも西欧にもまったく存在しない」と述べ、「ブルジョア民主主義はそのような戦争の勃発に対する一つの歯止めの役割を果たしている」と説明した。[20] 対外的脅威をどう認識するかは、国家体制におけるその国の立場によって客観的に決定されるわけではなく、逆にイデオロギーの影響をもろに被るものといえそうだ。

こうして、ソ連における脅威に対する認識の変化は、同国の通常兵力の一方的・大幅削減への道を開いていった。東欧諸国での共産主義政権の転覆によって、チェコやハンガリー、ポーランドなど民主化途上の国々も同じような軍事力の一方的削減の声明を発表した。以上のような事態が起こり得たのは、ソ連や東欧の新たな民主勢力が、民主主義諸国は互いにほとんど脅威を引き起こしたりしないという点を、西側の現実主義者たち以上に理解していたためである。[21]

「現実主義のものさし」だけでは決して測れないこれからの世界

現実主義者のなかには、これまでリベラルな民主主義国同士の戦争がなかったという経験的にも明白な事実に対して、言葉巧みに言い逃れをしようとする者もいる。彼らは、リベラルな民主主義国は互いに国境を接してはいなかった（だから戦いようがなかった）とか、リベラルな民主主義ではない国々から大きな脅威を受けていたため互いに手を取り合わざるを得なかったのだ、とか主張する。つまり、イギリスやフランス、ドイツなど伝統的に敵対関係にあった国々が一九四五年を境にして平和共存を開始したのは、リベラルな民主主義への共通の熱意というよりむしろ旧ソ連への共通の恐怖感のせいであり、だからこそこれらの諸国はＮＡＴＯやＥＣのような同盟に結束していったのだ、というのである。[22]

このたぐいの結論を出せるのは、諸国家をあくまでビリヤードの球としてとらえ、その内部で起きている事態から頑固に目をそらしている人間だけだ。もちろん、国家同士が共通の敵のいっそう大きな脅威に対抗するために平和的関係を結び、その脅威が取り除かれるやいなや互いに敵対状態に戻ってしまうという場合もたしかにある。たとえばシリアとイラクはイスラエルとの抗争状態にあるあいだだけは結束するものの、それ以外の期間のほとんどは死力をつくして戦ってきたのである。

いかなる平和な時代にあっても、こうした朋友同士のいがみ合いは誰の目にも明らかなところだ。しかしながら、冷戦の期間を通じて旧ソ連に対して結束を固めてきた民主主義諸国のあいだには、そのような敵意は何ひとつ存在していない。現代のフランス人やドイツ人のいったい誰が、昔受けた仕打ちに報復するため、あるいは新領土を奪い取るために、ライン川を徒渉するチャンスを虎視眈々とうかがっているというのか？[23] オランダやデンマークのような現代の民主主義国同士の戦争は、ジョン・ミューラーの言葉を借りれば「頭の片隅をかすめる可能性」すらない。

アメリカとカナダは大陸を横切って続く無防備な国境線を、カナダ側にいわせると力の真空状態であるにもかかわらず、ほぼ一世紀にわたってそのまま放置してきた。現実主義者がみずからの主張を首尾一貫させようとするなら――もちろん彼がアメリカ人であればの話だが――冷戦の終結によってチャンスの窓が開いたのを幸いにカナダを占領せよ、とアメリカ人に提唱すべきなのだ。冷戦から出現したヨーロッパの秩序もやがては十九世紀の列強による割拠状態に戻るだろう、などと考えるのは、今日のヨーロッパ世界のきわめてブルジョア的な性格を見ない論議である。

自由主義ヨーロッパの無政府的な国家間の体制は、不信感や不安定を助長したりはしない。なぜなら、ヨーロッパ諸国のほとんどが、互いに相手を十分知りつくしているからだ。これらの国々は、隣国が死の危険を冒すにはあまりにも放縦かつ消費主義的であり、企業家や経営者に満ちてはいても、戦争をはじめたくてたまらない君主や扇動家はいないことを承知しているのである。

とはいえ、この同じブルジョア的ヨーロッパが戦争の動乱に巻き込まれたことは、現存する多くの人々の実体験でもある。帝国主義と戦争は、ブルジョア社会が到来したからといって消え去りはしなかった。歴史上もっとも破壊的な戦争は、実際のところ、ブルジョア革命以降に発生したのである。この点をわれわれはどう説明したらよいのだろうか？　シュムペーターは、帝国主義が一種の先祖返りであり、社会進化の初期の段階の遺物である、と説明した。

「それは、現在の生活条件からではなく、過去の生活条件から生まれる要素だ——あるいは、歴史の経済的解釈の観点からいえば、現在の生産関係からではなく、むしろ過去の生産関係から生まれた要素なのである[24]」

ヨーロッパが一連のブルジョア革命を体験してきた一方、第一次世界大戦後の時期にかけてその支配階級は、貴族という階級から引きずり下ろされつづけてきたが、その彼らの目から見ると、国家の偉大さや栄光というものは商業によって置き換えられてしまったわけではなかったのである。貴族的な社会の好戦的な気風は、もしかすると民主主義的な子孫に受け継がれ、危機や熱狂の時代にはそれが表面に浮上してくることがあるかもしれない。

帝国主義と戦争の存続を先祖返り的な遺物だと論じたシュムペーターの説明に、われわれはもう一つ、「気概」の歴史からじかに引き出された説明をつけ加えるべきだろう。王朝存続や宗教的野望などに代表される前時代的な承認の形態がある一方、普遍的で均質な国家のなかではその承認の問題は十分に近代的な形で解決されている。しかしこの両者のはざまでは、「気概」は国家主義（ナショナリズム）という形をとることができる。国家主義は明らかに二十世紀の戦争と深いかかわりをもってきたし、東欧や旧ソ連での国家主義の復活は、ポスト共産主義時代のヨーロッパの平和を脅かすものである。そこでわれわれは、次にこの問題について考えていきたい。

6 国家主義(ナショナリズム)と国益の経済学

国家主義(ナショナリズム)はすぐれて近代的な現象である。なぜなら、それは主従の関係を相互的かつ平等な承認に置き換えるからだ。だが、国家主義は十分に合理的なものではない。なぜなら、それはある特定の国民や民族集団しか認めようとしないからだ。

国家主義は、たとえばその国のなかの諸民族全体を先祖伝来の遺産と考えがちな世襲君主制よりも、いっそう民主的で平等主義的な正統性をもった形態の一つなのだ。したがって、国家主義者の運動がフランス革命以来の民主主義運動と密接にかかわっていたのも驚くにはあたらない。とはいえ、国家主義者が認めてもらいたがっている尊厳は、普遍的な人間としての尊厳ではなく、自分たちの集団の尊厳である。このような承認への欲求は、固有の尊厳を認めてもらおうとする他の集団との対立をもたらしかねない。だから国家主義が王朝や宗教の野望に代わって帝国主義の土壌となる可能性は十分あり得るし、まさにドイツはその実例だったのである。したがって、十八世紀から十九世紀の偉大なブルジョア革命以降も帝国主義と戦争が存続してきたのは、たんに先祖返り的な戦士の気風が生き残っていたためだけでなく、支配者たちの「優越願望」が経済活動に中途半端にしか昇華されなかったという事実のためでもあった。

過去二、三世紀にわたる国際体制には、自由主義社会と非自由主義社会とが混在していた。非自由主義社会では、国家主義のような非合理的な「気概」の形態が往々にして幅を利かせ、そしてあらゆる国家が多少なりとも国家主義の影響を受けてきた。ヨーロッパ、とくにその東部および南東部地域では諸民族が複雑に入り組んでおり、その絡み合いの解消と個々の民族国家への分離は対立抗争の大きな原因の一つとなって今日まで長年引き継がれている。

また、自由主義社会が非自由主義社会の攻撃から身を守るために戦争を起こしたし、自由主義社会みずからが非ヨーロッパ社会への攻撃と支配に乗り出したりする場合もあった。表向きは自由主義を奉じる社会も、その多くが不寛容な国家主義という添加物によって変色させられたし、市民権の基礎を事実上は人種や民族的起源においたために、その社会のさまざまな権利の概念を普遍化することに失敗した。リベラルなイギリスやフランスは、十九世紀の最後の十年間にアフリカやアジアで広大な植民地帝国を手に入れ、住民の合意というよりむしろ力ずくで支配をおこなったが、そんなことができたのも両国がインド人やアルジェリア人、ベトナム人などの尊厳をみずからの尊厳より低いものだと考えていたからである。歴史家ウイリアム・ランガーの言葉によれば、帝国主義は「国家主義のヨーロッパの国境を越えた投影であり、数世紀のあいだ欧州大陸に存在してきた由緒ある権力闘争や力の均衡を世界的スケールで投影したもの」なのである。(1)

意欲に燃え猛威を振るった「近代国家主義（ナショナリズム）」

フランス革命後に勃興した近代の民族国家は、多くの重要な面で国際政治の性格を根本から変えてしまった。(2)君主たちが民族の雑多な農民集団を率いて、ある都市や地方の征服に乗り出すというような王朝的な戦争は夢物語となったのだ。

政略結婚や征服が幾世代も続いてきたからといって、たんにそれだけでオランダや、スペインのピエモンテ地方がオーストリアの「所有物」であった時代はもはや終わりを告げた。また国家主義の重圧を受けて、ハプスブルク家やオスマン＝トルコなどの多民族帝国は崩壊しはじめた。近代政治と同様、近代的な軍事力もよりいっそう民主主義的なものとなり、国民皆兵制度が誕生した。そして、一般大衆の戦争への参加によって、支配者個人の野心だけでなく国民全体をなんらかの形で満足させるような戦争目的が必要とされてきた。国民や民族ももはやチェスの駒のようには取り換えがきかなくなったため、同盟関係も国境線もはるかに厳格なものになった。このことは、形式上の民主主義国ばかりではなく、人民主権はなくても国家的アイデンティティの命ずるところを無視できないビスマルクのドイツのような国にもあてはまった(3)。

さらに、国家主義によって国民大衆がいったん戦争への意欲をかきたてられると、彼らの「気概」に満ちた怒りは王朝同士の抗争ではほとんど見られなかったほどに燃え上がり、敵国との穏当かつ柔軟な取り引きをもくろむ支配者たちの手足を縛る場合もあった。その典型例が、第一次世界大戦を終結させたベルサイユ講和条約である。ウィーン会議とは対照的にこのベルサイユの協定では、ヨーロッパに効果的な力の均衡を再建することに失敗した。それは、一方では旧ドイツとオーストリア＝ハンガリー帝国に代わる新たな国境線を引く際に国家主権の原理を適用する必要があり、他方では対ドイツ報復を求めるフランス国民の要請があったからである。

しかしながらわれわれは、過去数世紀における国家主義の巨大な力は認めつつも、この現象については正しい視点から論じていかねばならない。ジャーナリストや政治家はもとより学者でさえ、国家主義を人間の特質にひそむ根深い根本的な熱望であるかのように考えたり、国家主義の基盤である「民族」

をあたかも家族や国家と同じくらいに古い永遠の社会的存在のように考えたりするのが日常茶飯事となっている。いったん鎌首をもたげた国家主義は歴史のなかで猛威を振るい、宗教やイデオロギーのような他の志向形態によっては押し止めることもできず、ひいては共産主義であれ自由主義であれ、か弱い葦をことごとくなぎ倒してしまうだろう、という考えが常識となっているのだ。[4]

旧ソ連や東欧全体にわたる国家主義的心情の復活もあって、こうした見解は経験的な裏づけを与えられているようにも見えるし、なかには冷戦後の時代が十九世紀にひけをとらないほどの国家主義復興の時代になるだろうと予言する向きさえある。[5]

旧ソ連の共産主義者の主張によれば、国家の問題はもっと根本的な階級という問題から派生したものであり、階級なき社会への移行によってきれいさっぱり解決されたのだという。ところが民族主義者がソ連内の共和国で一人、また一人と共産主義者を政権から追放し、東欧の旧共産圏諸国でも同じ事態が起こるにつれて、この主張の空疎さが明らかとなり、そのことは多くの人々に国家主義を駆逐したとするあらゆる主張の信用性を失墜させる結果となったのである。

冷戦後の世界に広くあらわれた国家主義の力は否定できないにせよ、国家主義を永遠不滅であり、すべてを征服しつくすものだとする見解は、偏狭でもあるし真実からはずれてもいる。このような考えは第一に、国家主義がどれほど最近の、そして偶発的な現象であるかという点を見誤らせてしまう。国家主義は、アーネスト・ゲルナーの言葉を借りれば、なんら「人間の魂に深く根ざしたもの」ではないのだ。[6]

人間はかねてからある種の大きな社会的集団に対して、それが存在するかぎり愛着心を感じてはきたが、このような集団が言語的にも文化的にも均質な存在であると定義されたのは産業革命以後のことだった。工業社会が到来するまでは、民族性を共有する人々のあいだにも階級の違いが広く行き渡っており、それが相互交流を妨げる障害物となっていた。ロシアの貴族は、自分の領地で暮らす農民よりもフランス貴族とのあいだにはるかに多くの共通点をもっていたはずだ。ロシアの貴族は、社会的条件がそのフランス貴族と似通っていただけではなく自分自身もフランス語を話し、その一方で自分のところの農民とは面と向かって話をする機会もほとんどなかったのである。[7]

国家もまた、民族性というものをまったく考慮に入れていなかった。たとえばハプスブルク朝のカール五世はドイツの一部とスペイン、オランダを同時に統治していたし、トルコのオスマン帝国はトルコ人、アラブ人、ベルベル人、それにヨーロッパの一部キリスト教徒を支配していたのである。

しかしながら、このような経緯をたどってきたすべての社会に徹底的に平等主義を叩き込み、社会の均質化と啓蒙を強いたのがまさに第二部で論じてきた近代自然科学の経済的な論理であった。そこでは、支配者も被支配者も一つの国家経済のなかに縒り合わされている以上、どちらも同じ言語を話さなければならないとされた。田舎から出てきた農民たちは、近代的な工場で働き、ひいては事務仕事に就くためにも共通語の読み書きができるようになり、ある程度の教育を受けておく必要があった。階級、血縁、部族、宗派といったかつての社会区分は、労働力の一貫した流動性を必要とする圧力のもとでしだいに衰え、共通の言語とそれを土台にした文化だけが人々の主要な社会的きずなとして残された。要するに国家主義は、だいたいにおいて、工業化とそれにともなう民主的で平等主義的なイデオロギーの産物だったのである。[8]

近代国家主義の果実である国家は、以前から存在していた自然な言語区分を土台にしていた。しかし同時にその国家は、誰が、あるいは何が言語や国家を構成するのかを、ある程度自由に定義できた国家主義者たちの手によって人為的に建設されたものでもあった。[9]

たとえば近年になって再び目を覚ましたソビエト中央アジアの諸国は、ボルシェビキ革命以前には、自覚した言語的国家として存在していたわけではない。ゲルナーによれば、地球上には八千以上の自然な言語があり、そのうちの七百が主要な言語だとされるが、一方で国家の数は二百にも満たないのである。

バスク地方の少数民族をかかえるスペインのような二つないしそれ以上の言語集団にまたがっている古くからの民族国家の多くは、目下、これら新しい言語集団の個別のアイデンティティを認めよという圧力にさらされている。そこには、国家が永遠のものでもなければ、時代を越えた人々の愛着心の自然な源泉でもないのだということが示されている。民族の同化や国家の再定義は当然起こり得べきことであり、また、なんら珍しいことではないのである。[10]

ヨーロッパが体験した途方もない非合理性

国家主義は、その固有の人生史をもっているように思える。ある歴史的発展段階、たとえば農耕社会においては、人々の意識のなかに国家主義はまったく存在していない。工業社会への移行のさなか、あるいはその直後に国家主義は急速に成長する。そして、経済近代化の第一段階を通過し終えた国民がその国民的アイデンティティや政治的自由を否定されたとき、国家主義はとりわけ激しく燃え上がる。

だから、ファシストの超国家主義を生み出した西欧の二つの国、イタリアとドイツが工業化と政治的統一のいちばん遅れた国であったとしても、あるいは第二次世界大戦直後の時期にいちばん強力な国家主義を生んだのが第三世界におけるかつてのヨーロッパ植民地であったとしても、それは別段驚くにはあたらない。このような過去の経緯からすれば、工業化の到来が比較的遅れ、共産主義によって長いあいだ民族的アイデンティティを抑圧されていた旧ソ連や東欧に、今日のもっとも強力な国家主義が見出されたとしても、やはりそれはなんら不思議ではないのである。

とはいえ、長年にわたって比較的安定したアイデンティティを確保してきた民族集団にとっては、「気概」に満ちた自己同一化の源泉としての国家は衰退しているようにも見える。一時は国家主義が激しく吹き荒れたものの、その嵐がどこよりも早く過ぎ去ったのは国家主義者の情熱によってひどく痛手をこうむった地域、ヨーロッパである。ヨーロッパ大陸では二つの世界大戦が、国家主義を比較的ゆるやかな形で再定義するための強力な刺激剤として作用した。

ヨーロッパの人々は、国家主義的な承認の形態にひそむ途方もない非合理性を体験したおかげで、それに代わるものとして普遍的で平等な承認をしだいに受け入れるようになってきた。そして戦争に生き残った人々は、国境を取り除くために、また、民衆の情熱を国家としての自己主張から切り離して経済活動に振り向けるためにじっくり努力していくようになった。そこから生まれたのが、最近ではむしろ北アメリカやアジアからの経済競争の圧力に動かされている感もあるプロジェクト、すなわちECであるのはいうまでもない。

もちろんECは国家間の差異を廃止してはこなかったし、創設者たちが望んだ超主権的な性格を築き上げるうえでも困難に直面してはいる。だが、農業政策や通貨統一の問題をめぐってEC内で繰り広げられている国家主義的主張のたぐいは、二つの世界大戦を煽り立てた当時の威丈高な叫びとは裏腹に、いまでは借りてきた猫のようにきわめておとなしいものになっているのである。

半永久的な「流刑」に処せられた宗教

国家主義は自由主義と経済的な私益とが束になってかかっても打ち負かせないほどすさまじく強大な力である、と主張する人々もいる。だが彼らは、承認のための手段としては国家主義の直前まで機能していた組織的な宗教の運命に思いを馳せてみるべきだろう。

宗教にもかつてはヨーロッパの政治において全能の役割を果たしていた時代があったし、そこではプロテスタントとカトリックがみずから政治的党派を組織し、宗派同士の戦争でヨーロッパの富を乱費していたのだ。イギリスの自由主義は、すでに見てきたように、同国の内戦に見られる宗教的な狂信に対する直接の反動としてあらわれた。宗教は政治という舞台に欠かせない不滅の特色だという当時の人々の信念に反して、自由主義はヨーロッパにおいて宗教をたたきのめしたのである。

数世紀にわたる自由主義との抗争のはてに、宗教は寛容になることを教え込まれた。十六世紀であれば、自分たちの特定の宗派の教義を信仰させるために政治権力を用いないというのは、ほとんどのヨーロッパ人にとってじつに奇妙な話に感じられたことだろう。だが今日では、他の宗教の実践が自分の宗教的信仰を脅かすなどといえば、どれほど敬虔な牧師でも奇想天外な発想だと思うにちがいない。

かくして宗教は個人的な領域へと追いやられ、考えようによってはヨーロッパの政治世界からの半永久的な流刑に処せられてしまったのである。[11] 国家主義が宗教のように牙を抜かれ、近代化され、そして個々の国家主義が互いに分離されてはいるが対等な関係にある現状を受け入れるにつれ、帝国主義と戦争のための国家主義的基盤は弱められていくだろう。[12]

近年のヨーロッパ統合化への動きは、第一次世界大戦と冷戦によってもたらされた一時的な逸脱であって、近代ヨーロッパ史の全般的な潮流は国家主義をめざしているのだ、と考えている人は数多い。しかし、ひょっとすると二つの世界大戦は十六世紀と十七世紀の宗教戦争が宗教に対して果たしたのと似通った役割を演じ、たんに次の世代だけでなく、以後のすべての世代にその影響を及ぼしていくかもしれないのである。

もし国家主義が政治勢力としてはしだいに消え去る運命にあるとするなら、その前に、宗教がそうだったように寛容さを叩き込まれていくはずだ。むろん民族集団は個々の言語とアイデンティティの感覚を保持していけるが、そのアイデンティティは政治の領域ではなく、主として文化の領域のなかで表現されるようになるだろう。フランス人がフランスのワインを、ドイツ人がドイツのソーセージを味わいつづけるのは可能だとしても、それはすべて個人的な領域に限っての話だ。このような進化は、過去数世代にわたって、ヨーロッパのもっとも進んだリベラルな民主主義諸国のなかで実際に起こってきたことなのだ。

現代ヨーロッパ社会の国家主義については、いまなおしきりに喧伝されているが、それは、国民とか民族的アイデンティティという考え方がわりあい新しいものであった十九世紀の国家主義とは性格をまったく異にしている。ヒトラーの没落以降、西欧の国家主義は、他民族を支配することがみずからのアイデンティティにとって重要であるなどとは決して考えてこなかった。事実はまったく正反対なのだ。もっとも近代的な国家主義は、ケマル＝アタチュルクの歩んだ道をたどり、祖国の内部で国家としてのアイデンティティを純化し強化することをみずからの使命と見なしてきたのである。実際のところ、あらゆる国家主義は「トルコ化」のプロセスを経ているといえるのかもしれない。

このような国家主義に新たな帝国建設の力があるとは思えない。できるのはせいぜい既存の帝国をぶち壊すことくらいなものである。ドイツのシェーンフーバー率いる共和党、あるいはフランスのルペン率いる国民戦線のような今日のもっともラディカルな国家主義政党にしても、外国人の支配にはなんら関心を抱いておらず、ただ外国人を追い払い、折紙つきの強欲な中産市民よろしく他人から干渉されずに人生の喜びだけを享受していくことだけに心を奪われているのだ。じつに驚くべき、そして意味深い事実は、ヨーロッパではつねに落伍者と見られていたロシアの国家主義が急速にトルコ化のプロセスをたどり、かつての拡張主義を投げ捨てて「小さなロシア」という考え方を選んできたことである。[13]

現代ヨーロッパは、主権を放棄し、私的生活の心地よい満足感のなかで国家としてのアイデンティティを楽しむ方向に移りつつある。宗教と同様に国家主義も消滅の危機にさらされているわけではないが、やはり宗教と同様、ヨーロッパ人に対して帝国主義の大事業のために快適な生活を投げ捨てさせるまでの力は失ってしまったように思える。[14]

ようやく目を覚ました「眠れる獅子」たち

だからといって、ヨーロッパが将来的に国家主義者の対立から解放されるというわけではない。これまで共産主義の支配のもとでは眠れる獅子に甘んじ、最近ようやく鎖を取り払われた旧ソ連や東欧の国家主義には、とくにこのことがあてはまるだろう。実際のところ、冷戦の終結にともなってヨーロッパでは国家主義の抗争が起こる可能性は高まったといってもよい。国民や民族の集団が長期にわたって主権や独立の主張を自粛してきたような場合、国家主義は民主化の拡大に欠かせない付随物なのである。

たとえばユーゴスラビアでは、一九九〇年のスロベニア、クロアチア、そしてセルビアでの自由選挙実施によって内戦の舞台がセットされた。この選挙の結果、スロベニアとクロアチアの両共和国で独立支持の非共産主義政権が誕生したのである。

長年存続してきた多民族国家の崩壊は間違いなく暴力的な流血の惨事をもたらすが、そこに民族集団がからんでくるとさらにたいへんな事態となる。たとえばクロアチアに住むセルビア人は全人口の約八分の一であるのに対し、旧ソ連では、六千万の人々（その半数はロシア人）が自分の母国である共和国以外の地域で暮らしている。そこではすでに大規模な住民移動がはじまっており、各共和国が独立したことによってその移動には拍車がかかってきている。

現在生まれつつある国家主義の多くは、とくにそれが社会的・経済的発展水準のわりあい低い地域の場合、きわめて原始的な形態――つまり不寛容で、排外主義的で、攻撃性むきだしの形態――をとる可能性が大きい[15]。

さらに、古くからある民族国家は、自分たちの存在を個別に認めてもらおうとするさまざまな小言語集団によって下から突き上げられていく恐れもある。スロバキア人とモラビア人は、いまやチェコ人とは別個のアイデンティティを求めている。ケベックのフランス系カナダ人は、自由主義カナダの平和と繁栄だけでは満足せず、自分たちの文化の特異性の保存をもあわせて望んでいる。クルド人、エストニア人、オセット人、チベット人などが、自分たちの民族的アイデンティティを獲得するための新しい民族国家を誕生させていく可能性は数え上げればきりがない。

「三つの点」で確実に生まれ変わりゆくヨーロッパ

だが、このような国家主義の新たなあらわれについては、正しい視点から見ていく必要がある。第一に、国家主義は主にヨーロッパのいちばん近代化の遅れた地域、とくにバルカン半島内部あるいはその周辺部、そして旧ロシア帝国の南の地域でもっとも鮮烈なあらわれ方を示すだろう。

だが、こうした地域でいくら国家主義の炎が燃え上がったところで、先に述べたような寛容度の大きな、古い形のヨーロッパ国家主義が、長期にわたって進化していくそのプロセスに影響を及ぼすとは思えない。旧ソ連のトランス－コーカサス地方の民族が、すでに言語道断な残虐行為を犯してきたとはいえ、東欧の北部地域の国家主義――チェコスロバキア、ハンガリー、ポーランド、そしてバルト諸国の国家主義――が自由主義とは相容れない侵略的な方向に進んでいくと決めつける証拠はほとんどないのだ。

もちろんここでは、ポーランドとリトアニアのあいだに国境紛争は起こらないなどというつもりはない。だからといって、これらの国々が必ずしも他地域でよく起こる政治的暴力の大渦に呑み込まれるわけではないし、また経済的な統合への圧力によってそのような事態は回避されていくにちがいない。

第二に、新たな国家主義同士の対立がヨーロッパと世界のより広範な平和と安全保障に与える影響は、第一次世界大戦の引き金となった一九一四年のセルビア人国家主義者によるオーストリア－ハンガリー帝国王位継承者の暗殺事件の衝撃よりははるかに小さいはずである。

ユーゴスラビアが空中分解し、新たに自由を得たハンガリー人とルーマニア人がトランシルバニア地方のハンガリー系少数民族の地位をめぐってはてしない暴力沙汰を繰り返したとしても、いまのヨーロッパにはもはや自国の戦略的立場を強化するためにこうした抗争につけこもうとするような大国はどこにも存在しないのである。それどころか先進ヨーロッパ諸国のほとんどは、このような泥沼化した争いには巻き込まれまいとするだろうし、干渉の姿勢を見せるとしてもそれは、よほどの人権侵害や自国民への脅威に直面した場合に限られるはずだ。

第一次世界大戦も自国の領土からはじまったユーゴスラビアは、国家としては解体の一途をたどっている。だがヨーロッパの他の国々は、この問題の解決の方向性として、ヨーロッパの安全保障というい っそう大きな問題からユーゴスラビアを切り離して考えるべきだという点で大筋の合意に達しているのだ。(16)

三点目として、現在東欧や旧ソ連で起きている新たな国家主義の闘争のもつ過渡的な性質を認識しておくことが重要だ。この闘争は、共産主義帝国の崩壊にともない、この地域に新しく一般的な(ただし普遍的ではない)いっそう民主的な秩序を生み出していくための産みの苦しみなのである。このプロセスから誕生する新しい民族国家の多くがリベラルな民主主義国家であり、いまのところ独立闘争のために激しさを増している国家主義もやがては成熟して、最終的には西欧諸国同様「トルコ化」の過程をたどっていくだろうことは十分に予測できる。

国家主義がリベラルな民主主義国にもたらす「催眠効果」

民族的アイデンティティに基礎をおいた正統性の原理は、第二次世界大戦後、第三世界でも完全に定着した。工業化や国家独立が遅れた第三世界では、正統性の原理の到来もヨーロッパに先を越されたが、いったんそれが到来するや、ほとんどヨーロッパと同じ影響を受けた。一九四五年以降も第三世界で民主主義の形式を整えている国家は比較的数少なかったが、そのほとんどは正統性にまつわる宗教的あるいは王朝的な根拠を捨て去り、民族自決の原理を選び取ったのだ。古い既存の国家主義よりもはるかに自己主張が強く、ヨーロッパの国家主義以上に自信にあふれていたところに、この地域の国家主義の新しさがあるといえよう。たとえば汎アラブ国家主義は十九世紀のドイツやイタリアの国家主義同様、民族統一への強い願いに支えられてはいたが、かといってその国家主義は単一の、政治的に統一されたアラブ国家の建設によって成就されはしなかったのである。

だが、第三世界における国家主義の隆盛が国際紛争への一定の歯止めになってきたのも、また確かである。民族自決の原理が――たとえ自由選挙を通じた正式な民族自決ではなく、先祖伝来の祖国で独立して生きていくという民族集団としての集団の権利ではあっても――広く受け入れられたおかげで、どの国にとっても軍事的干渉や領土拡大のもくろみはきわめて困難なものになった。第三世界の国家主義勢力は、テクノロジーや国家の発展の相対的レベルとはまったくかかわりなく、ほとんどつねに勝利をわが手に収めてきた。たとえばフランスはベトナムとアルジェリアから駆逐され、アメリカはベトナムから、ソ連はアフガニスタンから、リビア人はチャドから、ベトナム人はカンボジアから追い出されてしまったのだ。(17)

一九四五年以降に起きた主だった国境の変化は、帝国主義による領土拡張というよりむしろ民族の境界線に沿った国家の分離――たとえば一九七一年のパキスタンとバングラデシュの分離――というケースがほとんどだった。先進諸国にとって領土征服がかえって高くつくようになった理由――敵国民支配の経費もふくめた戦争遂行コストの飛躍的増大や、より身近な富の源泉である国内経済の発展の見通しなど——の多くは、そのまま第三世界諸国問の紛争にもあてはまってきたのである[18]。

第三世界、東欧、そして旧ソ連の国家主義は、ヨーロッパやアメリカの国家主義にくらべて相変わらず激しい形をとっているし、それは今後も欧米以上に長く生き残っていくことだろう。このような新しい国家主義がもつ活気のおかげで、発展したリベラルな民主主義国に住む多くの人は、自国の国家主義がゆっくり衰退に向かっていることにも気づかず、国家主義こそが今日という時代の証明にほかならないなどと思い込まされてきているようだ。

国家主義のような歴史的にも新しい現象を人々が人間社会の永久不変の特質だと信じるのは、奇妙な話である。さまざまな経済の力は、階級対立を民族的障壁に置き換えることによって国家主義を促進したのである。そして、その過程で、中央集権化され言語的に均質化された国家を作り上げてきた。ところがいまや、その同じ経済的な力が、単一かつ統合された世界市場を作り上げることによって民族という壁を崩壊させようとしているのだ。現在の世代、あるいは次の世代に、国家主義が政治的に中和されることはないかもしれない。だからといって、そのような事態が最終的には訪れるだろうという展望はいささかも揺らぎはしないのである。

7 脱歴史世界と歴史世界——二極に大きく分かれいく世界

リベラルな民主主義を採用していない国々では、武力外交(パワー・ポリティクス)がいまだにはびこっている。第三世界では工業化と国家主義の到来が遅れたために、この地域のほとんどの国と工業化の進んだ民主主義諸国とのあいだの行動の違いは際立ったものになっていくだろう。そして近い将来、世界は、歴史を脱した地域（脱歴史世界）といまだに歴史にしがみついている地域（歴史世界）とに分けられるはずだ(1)。

脱歴史世界では、経済が国家間の相互作用の主軸となり、武力外交の古くさい規範は今日的な意義を失っていくだろう。つまり、ここで思い浮かぶのは、たとえば多極化してドイツの経済支配を受けながらも、近隣諸国がそのことにさほど軍事的脅威を感じず、軍備増強へのさしたる努力も払わないような、そんな民主的なヨーロッパの姿である。そこでは、経済競争は少なからず繰り広げられるにせよ、軍備競争はほとんどなくなる。脱歴史世界は依然として民族国家に分かれているが、個々の国家主義は自由主義と和睦しており、その自己主張もますます個人的な領域に限られていくだろう。一方では経済的合理性が市場と生産の一体化を推し進め、それにともなって伝統的な国家主権の特徴の多くはなし崩しに消滅していくことになる。

その反対に歴史世界では、そこに関与している国々に武力外交の古い規範が依然として適用されるため、特定の国の発展段階に応じて起こる多種多様な宗教的、民族的、そしてイデオロギー的衝突によって世界は相変わらず引き裂かれたままに残るはずだ。また歴史世界では、民族国家が政治的アイデンティティの中心的存在でありつづけるだろう。

脱歴史世界と歴史世界の境界は急速に変化しており、そこに一線を画するのはむずかしい。旧ソ連は、一方の陣営から他方の陣営へ移行してきている。そして今後、リベラルな民主主義への移行に成功した後継国家群と、そうならなかった国家群とに分かれていくだろう。

天安門事件以降の中国は到底民主主義を達成したとはいえない状況だが、経済改革がはじまってから同国の外交政策は、いうなればますますブルジョア的になっている。現在の中国の指導者たちはもはや経済改革を後戻りはさせられず、このまま世界経済に門戸を開きつづけなければならないということを承知しているようだ。

国内的には毛沢東主義のさまざまな面での復活がもくろまれているにせよ、このような事情から、外交政策上での毛沢東路線への回帰は阻まれてきている。

メキシコ、ブラジル、アルゼンチンなどラテンアメリカの比較的大きな国々は、前世代に歴史世界から脱歴史世界への移行をとげ、逆戻りができるにもかかわらず、どの国も、いまや経済的な相互依存を通じて他の民主主義的な先進工業国としっかり結びついている。

多くの面で、歴史世界と脱歴史世界は並存状態を続けながらも別々の道を歩み、二つの世界のあいだには、あまりかかわりあいもなくなっていくだろう。しかしながら、いくつかの軸をめぐってこの二つの世界が衝突することはある。

脱歴史世界と歴史世界間の衝突を引き起こす「移民問題」

その第一は、石油である。石油生産は依然として歴史世界に集中しており、またそれは脱歴史世界の経済的安定にとっても決定的な意味をもつ。

一九七〇年代の石油危機の際に、各種の必需物資のグローバルな相互依存推進についての話し合いがもたれたにもかかわらず、石油生産だけは相変わらず一極集中の様相を見せ、そのために石油市場では政治的な理由による操作や攪乱が可能になっている。そして石油市場が混乱すれば、脱歴史世界の経済はただちに壊滅的な影響を被りかねない。

二つの世界の衝突を起こしかねない第二の軸は、いまのところ石油ほど目立ってはいないが長期的にはおそらく石油よりもやっかいな問題、すなわち移民である。現在も、貧しく不安定な国々から豊かで安全な国々への人々の流入はたえまなく続き、それが先進世界のほとんどすべての国に影響を与えている。この流入は近年コンスタントに増えているが、歴史世界に政治的変動が起こればその傾向に一気に拍車のかかる恐れもある。

ソ連の解体、東欧における深刻な人種暴動の勃発、あるいは未改革の共産主義中国による香港の統合といったような事件はすべて、歴史世界から脱歴史世界への大量の人口移動の契機となるだろう。そしてこの人口流入のおかげで脱歴史世界の国々は、その流れを食い止めるためにせよ、あるいは自国の政治体制に参加することになった新移民たちからの突き上げが理由にせよ、歴史世界に関心をもちつづけていくのは間違いない。

脱歴史世界の国々にとって移民を阻止するのがきわめて困難である理由は、少なくとも二つある。第一にこれらの国々は、人種差別主義者とも国家主義者とも思えない外国人たちを排除する原理をつくることが、リベラルな民主主義国家として遵守を約束してきた権利を侵害することにつながるという恐れから移民制限に二の足を踏むのだ。発展した民主主義諸国はどこでも一度は移民の制限をおこなってきたが、そこにはたいてい良心の呵責がつきまとっていたのである。

移民が増加するのは、第二に経済的な理由からだ。というのも、先進国はほとんどどこでも、第三世界なら無尽蔵に供給できるような種類の未熟練および半熟練労働力の不足を感じているからである。むろん、すべての低賃金労働が輸出できるというわけではない。とはいえ、ちょうど初期の資本主義が国内労働力の高度の流動性のおかげで統一された民族国家の成長を促進したように、単一かつグローバルな市場における経済競争は地域的な労働市場の統合をうながしていくことになるだろう。

二つの世界の相互関係をめぐる最後の基軸は、ある種の「世界秩序」に関係している。つまり脱歴史世界の国々の多くは、歴史世界の特定の国が近隣諸国に与える脅威についてはもとより、歴史世界では紛争や暴動がきわめて発生しやすいという理由から、そちらの世界へある種のテクノロジーが拡散していくのを防ぐべきだという一般的な理論を作り上げていくにちがいないのだ。

目下のところ、こうした科学技術には核兵器や弾道ミサイル、化学兵器や生物兵器などがふくまれている。しかしながら将来、世界秩序の問題は、テクノロジーの拡散を規制しなかったために生じる環境危機のようなものにまで広がっていくかもしれない。

そしてもし、脱歴史世界は歴史世界とはひと味違った行動をとるという仮定が正しければ、脱歴史世界の民主主義諸国は、外部の脅威から自分たちを守ることと同時に、いまだ民主主義が存在していない国々へ民主主義の大義を普及させていくことに共通の関心を払うようになるだろう。

一九七〇年代と八〇年代に民主主義が大きく前進したにもかかわらず、国際関係についての現実主義者の展望は一つの処方箋的原理としての意義をもちつづけている。歴史世界は現実主義的な原理にもとづく行動に固執しており、一方で脱歴史世界も依然として歴史世界にとどまっている国々に対処する際には現実主義的な方法をとらなければならない。民主主義諸国と非民主主義諸国との関係はこれからも相互不信と恐怖によって彩られるだろう。そして、経済的な相互依存がしだいに強まってはいくにせよ、力こそが相変わらず両者の相互関係における最後の切り札となるにちがいない。

その一方で現実主義は、世界がどう動いていくのかについての診断書としては物足りない点が多い。現実主義者は不安定性や力の最大化への企てというものを人類史上のあらゆる時代とあらゆる国家のもつ特質だと考えているが、それらの要素は、より詳細な吟味には耐えられないほどいい加減なものである。人類史のプロセスは一連の正統性という考え方——王朝や宗教の正統性、また民族主義の正統性、あるいはイデオロギーの正統性という概念——を生んできた。そしてそれらは、帝国主義や戦争の潜在的な根拠を同じ数だけ生み出している。

近代自由主義以前のこうした正統性の形態は、いずれもなんらかの支配と服従の形態にもとづいていた。したがって帝国主義も、ある意味では社会体制によって決定されていた。正統性の概念が過去の長い年月にわたって変化をとげてきたのと足並みをそろえて、国際関係も変化してきたのだ。

戦争と帝国主義が歴史を通してはてしなく続いていくように見えたにせよ、実際には、戦争はそれぞれの時代ごとにまったく異なった目的のために戦われてきたのである。時代と場所に関係なく、国家の行動に共通の筋道を与えるような客観的な国益などは、何ひとつ存在しなかった。逆に国益のほとんどは、それを解釈する個々人によって、またその時代に機能している正統性の原理によって決められてきたのである。

だとすれば、すべての人間をみずからの支配者とすることによって主君と奴隷との区別をなくそうとするリベラルな民主主義国が、それぞれに異なった外交政策目標をもっているというのも当然の話といえよう。主要な諸国家が正統性について一つの共通した原理を分かち合ったからといって、それで脱歴史世界に平和を生み出せることにはならない。それはたとえば、ヨーロッパのあらゆる国家が君主制や帝政であった時代と同じなのだ。むしろ平和というものは、民主主義的な正統性がもつ特殊な性質と、人間的な承認への切望を満たしていく民主主義の力から生まれてくるにちがいない。

歴史を逆流させないための最大の「保証書」

民主主義諸国と非民主主義諸国とのあいだに横たわる相違、そして、滔々たる歴史のプロセスには世界のすみずみにまでリベラルな民主主義を広げていく可能性が秘められているという事実は、人権や「民主主義の諸価値」に関心を抱くアメリカの対外政策の伝統的な道徳主義がまったく誤っていたわけではないことを示している。(2)

キッシンジャーは一九七〇年代に次のように語っている。

「ソ連や中国のような共産主義国家に対して真っ向から挑戦するのは、道徳的には満足できるものであるにせよ、実質的には軽率なやり方だ。なぜならソ連や中国は、地域紛争や軍備管理のような問題についての現実的な調停という方法を拒むからだ」

一九八七年にレーガン大統領は、ベルリンの壁を取り壊せとソ連に要求して激しい非難を浴びせられたが、なかでも、それまでソ連の力の「現実」に長いあいだ飼い慣らされてきた東ドイツでの非難がいちばん手厳しいものであった。とはいえ、民主主義へ向かう進化の途上にある世界では、ソ連の正統性に対するこうした真っ向からの挑戦が、そのとき共産主義のもとで生きている多くの人々の喉まで出かかっている願望と一致しているかぎり道徳的に満足すべきものであり、同時に政治的にも賢明な振る舞いであったのである。

もちろん誰ひとりとして強力な兵器、とりわけ核兵器をもつ非民主主義国家に対して軍事的な挑戦を突きつけよなどと提唱したりはしないだろう。ところがまさにそういわんばかりの革命が、一九八九年に東欧で起こったのだ。この一連の革命はまったく前代未聞の出来事であり、民主主義諸国の側も、自分たちの対峙している独裁政権の崩壊のきざしを目のあたりにして確固とした外交方針を打ち出せなかった。

だが、権力というものを考える場合に民主主義国は、正統性もまた権力の一形態であり、強大な国家は往々にしてその内部に深刻な弱点を隠しているという点を銘記しておくべきだ。これは、敵味方の選別をイデオロギー上の理由——相手方が民主主義的であるかどうか——によって決める民主主義諸国は、長い目で見ればいっそう強力かつ永続的な同盟国に恵まれるということを意味している。同時に民主主義国は、敵国に対処する際、互いの社会に道徳面での違いがあることを忘れるべきではないし、強大な権力者ばかり追いかけるあまり、人権の問題を棚に上げたりすべきでもないのである。(3)

さらに民主主義諸国の平和的な行動に示されるとおり、アメリカやその他の民主主義国家は、世界の民主主義の勢力範囲を維持することと、可能かつ穏当だと思われる地域へ民主主義を普及させることに長期的な意味での関心を払っている。つまり、民主主義国同士が争ったりしなければ、脱歴史世界は着実に拡大し、ますます平和と繁栄を謳歌していくはずなのだ。

東欧や旧ソ連で共産主義が崩壊し、ワルシャワ条約機構の直接の軍事的脅威がほとんど消滅したという事実を見ると、われわれは今後の推移に対して無関心ではいられない。なぜなら、長い目で見れば西側にとっては、世界のこのような地域の諸国で今後リベラルな民主主義が繁栄していくことが、これらの国々自体、および再統一後のドイツや経済力に秀でた日本からの脅威をふたたびよみがえらせないための最大の保証だからである。

民主主義と国際平和を促進するためには民主主義国の相互協力が欠かせないということは、自由主義そのものとほぼ同じくらい古くからある発想だ。法に支配された民主主義諸国の国際連盟という考え方は、カントの有名な論文『永遠平和のために』や『世界公民的見地における一般史の構想』に示されている。

カントによれば、人間が自然状態から市民社会へと移行したときに勝ち得たものは、諸国間にはびこっている戦争状態によって、ほとんどその価値をなくしてしまったのである。つまり「互いの戦争に使用される軍備のための国力の浪費、戦争によってもたらされる荒廃、さらには戦争にたえず備えて行動する必要性などによって（国家は）人間性の全面発達を妨げている」[(4)]というわけだ。国際関係についてのカントの著作は、そののち、現代の自由主義的な国際主義（インターナショナリズム）にとっての精神的基盤となった。

カントの提唱した連盟構想は、最初に国際連盟を、ついで国際連合を設立しようとしたアメリカ人にとっては発想の源泉だった。しかし先に述べたように大戦後の現実主義は、世界の安定にとっての真の救済策とは国際法よりもむしろ力の均衡であると提唱することによって、多くの点で自由主義的な国際主義を骨抜きにする解毒剤の役割を果たしたのである。

国際連盟や国際連合は、最初はムッソリーニから、次は日本人とヒトラーから受けた挑戦に対して、そしてさらにはソ連の拡張主義に対して、集団安全保障体制を提供することに明らかに失敗し、カント哲学の国際主義や、ひいては国際法一般への大きな不信感をふりまいた。しかしながら、そもそもの出発点でカントの教えに背いたために、その哲学理念の実践が最初から重大な欠陥をふくんでいたという点は、あまり理解されていないようである。(5)

永久平和のためのカントの第一条は、「各国家における公民的体制は共和的、すなわちリベラルな民主主義でなければならない」と述べている。(6) さらに第二条では、「国際法は自由な諸国家の連盟のうえに基礎をおくべきである」(7) と述べている。言い換えれば共和的な憲法を共有する自由な諸国家の連盟のうえに基礎をおくべきだ、ということだ。

これについてカントの述べている理由はじつに明快だ。つまり、共和政治の原理に基礎をおいた諸国家なら互いに戦ったりはしないだろうというのである。なぜなら自治をおこなっている国民は、専制政体のもとにある国民よりはるかに戦争の犠牲を嫌うし、一方で国際的な連盟は、みずからを機能させるために権利に関して自由主義的な原理を共通にもち合わなければならないからだ。国際法は要するに、国内法が拡大されたものにすぎない。

国際連合は、はじめからこれらの条件にしたがって行動したわけではなかった。国連憲章は「そのすべての加盟国の主権平等」という、あまり説得力のない原則を取り入れ、「自由な国々」の連合についての記述を落としてしまった。(8) つまり国連の加盟資格は、当該国が人民主権にもとづいているかどうかにはかかわりなく、主権というある最低限の形式的基準を満たしている国々にはすべて開かれていたのだ。だからスターリンのソ連も当初からその組織の創設メンバーの一員であり、安全保障理事会の理事国の一つとなり、会の決議などに対する拒否権ももったのである。さらに植民地諸国解放後の国連総会は、カントのいう自由主義的な原理をもたず、国連を反自由主義的な政治議題を押しつけるための有利な道具と考えていた第三世界の新興国家によって占められることになった。

政治的な秩序や諸権利の本質についての原則に関してさえ、あらかじめ合意がなかったため、国連は創設以来、とくに集団安全保障という決定的な分野で何ひとつまともな成果を達成することができないでいる。それはなんら驚くべきことではないし、同時に、国連がアメリカ国民からいつも多大な疑惑の目で見られているのも驚くにはあたらない。国連の前身である国際連盟の場合、一九三三年以降ソ連が加わったにせよ、参加国の政治的な体質はどちらかといえば似通っていた。しかしながら集団安全保障を実施する能力については、日本やドイツのように、国家よりなる国際体制のなかでも大国であり重要な役割を果たす国が民主主義でなかったため、さらにはこの両国が連盟規約の遵守に積極的ではなかったため、決定的に弱体化されていたのである。

二十世紀の絶望的な嵐から身を守る「避難所」

冷戦時代が終わりに近づき、ソ連と中国で改革の動きが出はじめるにつれ、国連はかつてのひ弱な体質をいくらか脱してはきた。国連安全保障理事会はイラクに対して前例のない経済制裁措置を決め、同国のクウェート侵攻後は武力の行使を認可したが、このような姿勢は、将来起こり得るかもしれない国際的行動の一つのありようを指し示している。しかしながら安全保障理事会は、旧ソ連や中国など完全な改革にいたっていない大国の背信行為にいまだ毅然とした対処ができず、国連総会も、依然として自由を得ていない国々で占められている。はたして近い将来に国連が「新たな世界秩序」の基盤となるのかどうか、首をかしげたくなるのも無理はない。

もしわれわれが、初期の国際組織がもっていた致命的な欠陥に苦しまないような、カント自身の教えに沿った形の国際的連合体を創設しようとすれば、それは国連よりもむしろNATO型の連合体――つまり、自由主義的な原理への共通の熱意によって結びついた真の自由国家の連合体――にはるかに似通ってくるはずだ。このような連合体は、世界の非民主主義諸国が生み出す脅威に対して、みずからの集団安全保障体制を守る活動をさらにいっそう強力に展開し得るものでなくてはならない。それができれば、加盟国は国家間の交渉に際しても国際法にしたがって行動していけるようになる。

実際のところ、カントのいう自由主義的な国際秩序は、冷戦時代を通じ、NATO、EC、OECD、G7、GATT[9]（現在はWTO）など自由主義を加盟資格としている組織の庇護のもとでいやおうなしに生み出されてきたのである。民主主義的な先進工業諸国は今日、相互経済活動を規定する拘束力の強い法的合意の網の目のなかで互いに有効に結びついている。これらの国々は、牛肉の輸入割り当てやヨーロッパの通貨統合のあり方について、あるいはアラブ・イスラエル間の抗争については政治的に争っているかもしれないが、民主主義国同士のそうした論争に決着をつけるため、みずから武力を行使することなどは到底想像もつかない話なのである。

アメリカその他のリベラルな民主主義諸国は、共産主義社会の崩壊によって自分たちの生きる世界が地政学上の古い世界からますますかけ離れている事実を、そして、歴史世界の原則と方法が脱歴史世界の生活には適さないという事実を、しっかり認識しておかねばならないだろう。

脱歴史世界にとって重大な問題は、競争力と技術革新の促進、内外赤字の調整、完全雇用の維持、深刻な環境問題に対する相互協力というような経済的な問題となるはずだ。言い換えるなら脱歴史世界は、四百年前に起こったブルジョア革命の相続人だという事実を受け入れねばならない。脱歴史世界とは、快適な自己保存への欲望が純粋な威信のための死を賭けた戦いより高邁なものとされ、普遍的かつ合理的な承認が支配を求める闘争にとって代わってしまった世界なのである。

現代に生きる人々は、自分が脱歴史世界に到達しているのかどうか――国際世界がさらなる帝国を、独裁者を、承認への満たされぬ欲望を抱いている国家主義を、あるいは砂漠の竜巻のように吹き荒れる新たな宗教を出現させるかどうか――について際限なく議論していける。だがどこかで現代人は、みずからのために築き上げてきた脱歴史世界という名の住居、つまり二十世紀の絶望的な嵐から身を守るのに欠かせない避難所として役立った脱歴史世界という名の住居が、これから長いあいだ住んでいくうえで満足に値する家なのかどうかという問題にも直面しなければならない。

たしかに今日、先進国に暮らすほぼすべての人にとって、リベラルな民主主義がその主要なライバルであるファシズムや共産主義よりも望ましいものだということは十分納得できるであろう。しかしながらリベラルな民主主義はそれ自体、本質的にわざわざ選び取るに値するものなのだろうか？　あるいはリベラルな民主主義のなかでも、われわれは相変わらず欲求不満につきまとわれていくのだろうか？さらに、ファシズムの最後の独裁者や、横柄な軍部や、共産党の指導者が地球の表面から駆除されたあとでさえも、われわれの自由主義的な秩序の奥底には依然として矛盾が残されていくのだろうか？　われわれが本書の最終部で論じようとしているのは、まさにそのような問題なのである。

第五部

「歴史の終わり」の後の新しい歴史の始まり

——二十一世紀へ「最後の人間」の未来

1 自由と平等の「王国」のなかで

本来の意味でいう歴史においては、人間（諸階級）は承認を求めて互いに戦い、また労働によって自然と戦っているが、マルクスはこの歴史のことを「必要の王国」と呼ぶ。そしてこの領域を超越したところに「自由の王国」があり、人間はそこでは（互いを無条件に認め合い）もはや争うこともなく最低限の労働しかおこなわないのだ、と。

コジェーブ『ヘーゲル読解入門』(1)

先に普遍的な歴史を書き記すことの可能性を論じた際に、方向性をもった歴史的変化がはたして進歩といえるかという問題についてはあとまわしにすると述べておいた。歴史がわれわれをとにもかくにもリベラルな民主主義へ導いていくのだとすれば、この問題は、リベラルな民主主義とその土台になっている自由や平等の原理がよいものであるかどうかという問題に置き換えることができる。

常識的な考えからすれば、リベラルな民主主義はファシズムや共産主義など二十世紀の主要なライバルたちよりすぐれた点を多く持ち合わせているし、われわれのもって生まれた価値観や伝統への忠誠心は無条件に民主主義へ肩入れせよと命ずることだろう。だが、無邪気に民主主義を賛美したり、またその失敗を単刀直入に指摘するのを回避したからといって、必ずしも民主主義の大義に役立つわけではない。そして、民主主義とそれがもたらす不平不満についての、より突っ込んだ検討なしには、歴史が終わりを迎えたかどうかという問題に答えることは明らかに不可能なのである。

われわれはしだいに、民主主義の生き残りという問題を外交政策とのからみで考えるようになってきた。ジャン・フランソワ・ラベルのような人々の目からすれば、民主主義の最大の弱点は、冷酷で頑固な独裁国から自分の身を守れないところにあった。このような独裁国の脅威ははたして薄らいでいるのか、そうだとすればそれはいつごろからか、といった問題は、いまだに権威主義や神権政治、不寛容な国家主義に満ちた世界においては、今後もわれわれを悩ませていくだろう。

だがここではとりあえず、民主主義がその外交上のライバルを打ち負かし、その存続を脅かす外敵に当分は向き合わずにすむと仮定しよう。その場合、ヨーロッパやアメリカで長年続いてきたこの安定したリベラルな民主主義ははたして、あとは放っておいても永遠に生きながらえていけるのだろうか？ それとも共産主義がそうだったように、内部の腐敗が原因でいつか崩壊してしまうのだろうか？ リベラルな民主主義国が失業、公害、麻薬、犯罪など山積する問題に苦しめられているのはいうまでもない。だがこういう当面の関心事は別にして、民主主義内部にはもっと根深い不満の源があるのかどうか――そこでの生活は真に満ち足りたものなのか――という問題が横たわっている。もしもわれわれの目にそうした「矛盾」が映らないとすれば、ヘーゲルやコジェーヴと口をそろえて、われわれはすでに歴史の終点に達したといえる立場にあるだろう。だがその反対なら、厳密な意味での歴史は継続しているといわねばならない。

以上のような問題に答えるためには、前にも述べたように、民主主義への挑戦の経験的事例を世界じゅうから集めるだけでは不十分だ。なぜならそういうものはつねに曖昧さがつきまとい、それ自体が誤りだという可能性もあるからだ。われわれが共産主義の崩壊を論拠にして、民主主義は今後は何ものにも脅かされないとか共産主義と同じ轍を踏むことはないと考えたりできないことははっきりしている。むしろわれわれには、民主主義的な社会をはかる超歴史的な尺度、民主主義の潜在的弱点を示してくれるような「本来の人間」の概念が必要なのだ。先にホッブズやロック、ルソー、そしてヘーゲルのいう「最初の人間」について検討してきた理由もここにある。

右と左からの「自由主義社会」批判

人類がすでに歴史の終点に達しているというコジェーブの主張は、承認への欲望が人間のもっとも根本的な願いだとする彼の見解にもとづいている。コジェーブにとっては承認を求める闘争が、最初の血なまぐさい戦い以来の歴史の原動力とされた。そして、人間相互の承認を可能にしている普遍的で均質な国家のなかでこの願いが十分に満たされているからこそ歴史は終わりを迎えた、というのである。

コジェーブが承認への欲望を強調したのは、自由主義の将来的展望を理解する観点としてきわめてふさわしいことだといえよう。というのも、すでに見てきたように、過去数世紀の主要な歴史的現象――宗教、国家主義、そして民主主義――は本質的に、承認を求める闘争の形を変えたあらわれと考えられるからだ。現代社会で「気概」がどのように満たされ、あるいは満たされていないかを分析することは、欲望についての同様の分析以上に、民主主義の妥当性についての深い洞察を与えてくれるにちがいない。

したがって「歴史の終わり」という問題は、最終的には「気概」の未来についての問題ということになる。つまり、コジェーブが主張したようにリベラルな民主主義は承認への欲望を十分に満たすのだろうか、それともこの欲望は根本的には充足されないままに残り、その結果、まったく別な形でみずからを表現していくようになるのだろうか、という問題なのだ。

普遍的な歴史を築き上げようとするかつての試みは、二つの平行する歴史的プロセスを生み出した。

その一つは近代の自然科学と欲望の論理に導かれ、もう一つは承認を求める闘争に導かれている。この両者は、最後には都合のよいことに、資本主義的なリベラルな民主主義という同じ終着点にたどりついた。けれども欲望と「気概」とは、はたして同じ種類の社会的・政治的制度によってそんなにうまく満たされるのだろうか？　欲望は満たされたが「気概」は満たされないとか、あるいはその逆のことが起こって、結局はどんな人間社会も「本来の人間」を満足させられないという事態がもたらされるのではあるまいか？

自由主義社会は欲望と「気概」とを同時に満たしてはくれず、かえってその両者の間に深刻な亀裂が生じてしまうという可能性については、左翼と右翼を問わず自由主義への批判者たちから指摘されている。自由主義社会では誰もが互いに認め合えるような未来は本質的にあり得ない、と左翼が攻撃するのは、先に触れた社会的不平等が理由である。そして資本主義が社会的不平等をもたらすというのは、とりもなおさず不平等な承認を意味している、というわけだ。

一方、右翼からの批判によれば自由主義社会の問題点は、万人が認められないということではなく、平等な承認という考え方そのものにあるとされる。人間は生まれながらに不平等なのだから平等な承認などもってのほかだ、人間を平等なものとして扱うのはその人間性を承認するのではなく否定することだ、というのである。それぞれの主張を次に見ていくことにしよう。

右に述べた二つの批判のうち左翼からの自由主義社会批判は、十九世紀からいっそう広がってきている。不平等の問題は、今後数世紀にわたって自由主義社会を悩ませつづけていくだろう。というのもこの問題は、ある意味で、自由主義という枠組みの内部では解決できないからだ。とはいえ、平等な承認それ自体の妥当性についての右翼の不満にくらべれば、さまざまな不平等も今日の秩序のもとではさほど根本的な「矛盾」とは思えない。

社会的不平等は二つのカテゴリーに分けられる。一つは因習から生まれたもの、もう一つは自然や自然的必要性からもたらされたものである。第一の範疇にふくまれるのは、平等への法的な壁——排他的な諸階層への社会の分割、アパルトヘイト、黒人差別法、財産による投票権の差別など——である。それに加えて、前にも述べたように、異なった人種集団や宗教集団によって経済活動への姿勢に違いが見られるというような文化による因習的な不平等も存在する。これは実定法や政策から生じるものではなく、自然のなせるわざというわけでもない。

平等を妨げる自然の壁としては、まず、人々のあいだの生まれつきの能力や資質の不平等が挙げられる。誰もがコンサートピアニストやレイカーズ（アメリカのプロ・バスケットチーム）のセンタープレイヤーになれるわけではなく、マジソンが述べたように、誰もが財産を手に入れる才能を平等に与えられているわけでもない。ハンサムな青年やみめ麗しい乙女は、月並みな容姿の人間にくらべれば、魅力的な結婚相手を見つけるうえで有利なはずだ。また資本主義市場の機能に直接起因するような不平等もある。経済内部における分業、市場そのものの冷酷な作用がそれである。こうした不平等な関係は、資本主義と同様に不自然なものではあるが、資本主義経済体制を選択すれば必然的に不平等が生まれることもまた事実だ。労働力の合理的組織化なくしては、そしてまた資本がある産業、ある地域、ある国家から他に移転するにつれて勝者と敗者を生み出すことなくしては、近代経済の生産性は獲得できないのである。

とはいえ真に自由主義的な社会は、どこも原則として、因習から生じた不平等の排除にやっきとなっている。さらに資本主義経済のダイナミズムは、労働力需要のたえまない変化を通じて、平等を妨げる因習的・文化的障壁を取り壊していく傾向にある。一世紀にわたるマルクス主義思想のおかげでわれわれは、資本主義社会を非常に不平等な社会だと考えることに慣らされてしまったが、実際のところ資本主義社会はその前身である農業社会にくらべれば社会的にははるかに平等なのだ(2)。

「自助の精神」原理がうまく働かない社会

資本主義はまったく因習的な社会関係をたえず攻撃するダイナミックな力であり、家柄からくる世襲の特権を、技能や教育を基礎にした新しい階級関係と置き換えていく。読み書きの能力や教育が広く行き渡らないかぎり、また社会の流動性が高まらないかぎり、そして職業の門戸が特権にではなく才能に対してもっと開かれていかないかぎり資本主義社会は機能せず、あるいは最大限の効率を発揮できないのだ。それに加えて近代の民主主義国家はほとんどすべてが、企業を規制したり富裕層から低所得層への所得の再配分をおこなったりしているし、同時に、アメリカでの社会保障や医療扶助制度からドイツやスウェーデンにおけるいっそう総合的な福祉システムにいたるまで、社会福祉の責任を一定程度は受け入れてきた。おそらくアメリカは、西側の民主主義国のなかではこのような国民に対する家父長的役割を引き受けるのにいちばん不熱心だが、それでもニューディール時代の基本的な社会保障立法は保守派にも受け入れられ、それ以前の状態へ逆戻りするのはほとんど不可能であることが実証されてきた。

このようなあらゆる平等化のプロセスから生じる社会は「中産階級社会」と呼ばれてきた。だがこの言葉は誤解を招きやすい。現代の民主主義諸国の社会構造は依然としてピラミッド型をなしており、クリスマスツリーのように真ん中が膨らんでいるわけではないからだ。もっとも、このピラミッドの中央部はかなりの人々を収容できるし、社会的流動性が高いおかげでほとんど誰もが中流志向を持ち合わせ、自分がその一員、少なくとも潜在的にはその一員であると考えている。中産階級社会は今後もいくつかの面で大きな不平等を残すだろうが、その不平等の原因としては、生来の能力の差や経済的必要から生じる分業、そして文化の占める比重がますます高まっていくはずだ。

戦後のアメリカがマルクスのいう「階級なき社会」を現実に手に入れたというコジェーブの主張は、次のような意味に解釈できる。つまり、社会的不平等のすべてが取り除かれたわけではないし、そこに残された障害は、ある意味で人間の意志というよりむしろ事物の本性にもとづく「必然的かつ撲滅不能なもの」だった、と。こういう限定をつけたうえであれば、自然的欲求が手際よく解消され、どんな歴史的尺度から見ても最小の労働時間で欲しいものが手に入るようになった社会は、たしかにマルクスのいう「自由の王国」を手に入れたと呼んでも差し支えないだろう。(3)

ただし、以上のように平等という言葉を比較的ゆるやかな意味で用いたにせよ、既存のリベラルな民主主義国のほとんどは、依然としてこの基準に完全にはあてはまらない。そして、自然や必然性というよりむしろ因習による不平等のなかでいちばん根絶しにくいのが文化から生じた不平等である。

たとえば現代アメリカのいわゆる黒人「下層階級」のおかれた状況がそうだ。デトロイトやサウス－ブロンクスで成長する黒人青少年の前に立ちはだかる壁は、理論上は公共政策の問題として救済し得る困難、つまり教育水準の低さからはじまるにすぎない。地位や身分がほとんどすべて教育によって決定される社会では、黒人が就学年齢に達する前から不幸を背負わされているとしても不思議はない。チャンスを利用するのに必要な文化的価値観を教え込んでくれる家庭環境がないため、そのような若者は、中流アメリカ人の生活よりもっと親しみがあり魅力的な「街頭暮らし」にいつもひかれてしまう。

こうした環境のもとでは、いくら黒人の法的平等が達成され、アメリカ経済が雇用機会を提供したとしても、黒人の生活にはさほどの変化は起こらないだろう。さらに、このような文化的不平等の問題を解決する道筋も明らかではない。というのも、黒人下層階級を援助するために実施された社会政策は、家族の絆を破壊し国家への甘えを増長させることで逆に彼らをだめにしてきた、というまことしやかな説までささやかれているからだ。

これまで誰ひとりとして、「文化創造」の問題——つまり、道徳的価値観を自分の心のなかに取り戻させるという問題——を公共政策の課題として解決してはこなかった。だから、平等の原理が一七七六年のアメリカ（独立）に正しく打ち立てられたとしても、その原理は一九九〇年代の多くのアメリカ人にとってはまだ十分に実現されてはいないのである。

さらにいえば、資本主義が巨大な富をもたらし得るとしても、平等に認められたいという人間的な欲望、すなわち「対等願望」は相変わらず満たされないままに残るだろう。

労働の分化は、異なった職業における尊厳の格差をもたらした。清掃員やバス運転手は脳外科医やフットボール選手よりも見下されるのが常だし、失業者の尊厳などはもっと低く見られてしまう。繁栄した民主主義国での貧困の問題は、自然の欲求を満たすというレベルから承認の問題へと移り変わってきたのだ。低所得者やホームレスの人々をほんとうに傷つけているのは、暮らし向きの苦しさというよりむしろ、その尊厳がないがしろにされているということである。

富や財産をもたない人間は、社会からまじめに取り合ってもらえない。政治家は彼らのご機嫌をうかがおうとはせず、警察や司法制度も彼らの権利を必死で守ろうとはしない。いまだに自助の精神を重んじる社会では、彼らが職を得ることは不可能である。なんとか仕事を見つけたとしても、それが卑しいものに感じられる。彼らには教育を通じて出世したり、他の方法で自分の隠された力を開花したりする機会にほとんど恵まれていない。

富める者と貧しい者の差別が存在するかぎり、また、職業には貴賤があると見なされているかぎり、どれほど物質的に豊かになったとしても、こういう状況を是正したり、暮らし向きの悪い人々の尊厳が日々損なわれている現状を克服したりするのは不可能だ。要するに欲望と「気概」とを同時に満たすことはできない相談なのである。

自由と平等の「緊張関係」こそ自由主義の核心

もっとも完全な自由主義社会にさえ重大な社会的不平等が残されていくという事実は、こうした社会の土台をなす自由と平等という双子の原理のあいだに、じつはたえず緊張関係があることを示している。この緊張関係は、トクビルがはっきりと述べているように、それを生み出すもとになった不平等と同じく「必然的かつ撲滅不能なもの」である。(4)

社会的弱者に「平等な尊厳」を与えるためあらゆる努力を払えば、それ以外の人々の自由と権利を制限することになる。とくに、社会的不平等を生み出した原因が社会構造に深くかかわっている場合はなおさらだ。積極的な雇用・教育促進計画のもとで少数民族の人々に仕事や大学教育の場が与えられれば、それだけ他の人々にとっての余地が減っていく。国民健康保険や福祉に政府の支出をまわした分だけ、民間経済のための資金は失われる。失業から労働者を守ったり倒産から企業を守ったりするすべての施策は、経済的自由を制限する。自由と平等の釣り合いをどこでとるかはもともと決まっているわけではなく、この両者を同時に最大限に発揮させる方法もあり得ないのだ。

極端な例としてマルクス主義体制は、自由を犠牲にしながら社会的平等をとことん推し進めようと企てた。才能ではなく必要に応じた報酬制度と分業の廃止の試みを通じて、人間の生まれつきの不平等を一掃しようとしたのである。「中産階級社会」を越えた地点まで社会的平等を推し進めようとする将来の試みは、必ずやこのようなマルクス主義的企ての失敗という事実に直面することを迫られるだろう。というのも、「必然的で撲滅不能」と思えるほどの格差をなくすためには、怪物じみた巨大な国家の建設が必要とされるからだ。

中国共産党やカンボジアのクメール・ルージュ（赤いクメール）は、あらゆる人々の最小限の人権さえ奪われるという犠牲のうえにのみ、都市と農村の区別や肉体労働と知的労働の違いを消し去ることができた。旧ソ連は、社会が労働意欲を失うという犠牲のうえにのみ、労働量や才能によってではなく必要に応じて報酬を支払うことができたのである。そしてこのような共産主義社会も、最後にはミロバン・ディラスが「新階級」と名づけた党幹部や官僚群のような大きな社会的不平等を受け入れるはめになったのである。[5]

世界各地での共産主義の崩壊にともなって、いまや注目すべき状況があらわれた。つまり左翼論者による自由主義社会批判は、いっそう克服しがたい不平等を解決する決め手をすっかり失ってしまったのである。

「気概」にもとづいた個人的承認への欲望は、これまでのところ、やはり「気概」にもとづいた平等への欲望と対立してきた。今日では、政治の領域でも経済の領域でも、既存の経済的不平等を克服するため自由主義的な原理を洗いざらい廃棄せよと主張する自由主義批判者などほとんどいない(6)。論争の中心は、自由主義社会を構成する原理についてではなく、まさにどの地点で自由と平等のトレードオフが成立するかという問題である。

レーガンのアメリカやサッチャーのイギリスのような個人主義から、ヨーロッパ大陸のキリスト教民主主義やスカンジナビアの社会民主主義まで、社会によって自由と平等のバランスのとり方は違うはずだ。社会慣例や生活の質はそれぞれの国できわめて異なっている。だがどの国も、自由と平等とのいずれを重視するかの選択は広い意味でのリベラルな民主主義の土俵の上でおこなわれており、その基本をなす原理が損なわれることはない。いっそうの社会民主主義化を望むからといって形式を重視する民主主義を犠牲にする必要はないし、したがって社会民主主義化への望み自体は、歴史の終わりの可能性に対して異議を唱えていることにはならないのである。

対応を誤るときわめて危険な諸刃の剣となる「対等願望」

左翼の側から加えられてきた経済的な階級問題の論争はいまでは下火になったものの、今後リベラルな民主主義が別な形の不平等をふまえた新たな、そして、もしかするといっそうラディカルな挑戦状を突きつけられる可能性がなくなるかどうかは定かでない。

すでに今日のアメリカの大学においては、左翼好みの伝統的な階級問題に代わって、人種差別や性差別、ホモへの偏見のような形での不平等が議論の的になっている。個人個人の人間としての尊厳を平等に認める――「対等願望」を承認する――という原則がいったん確立されれば、自然に生じる不平等や残るべくして残ってきた各種の不平等を、これまでどおり人々が受け入れていくかどうかは保証のかぎりでない。

自然が能力を各人に不公平に振り分けているという説にしても、それは取り立てて根拠のある事実とはいえない。今日の世代はこういったたぐいの不平等を自然なもの、あるいは必然的なものとして受け入れているが、それが将来も続くとはかぎらないのだ。『女の園』のなかでアリストファネスが描いたもくろみを復活させ、美少年を醜い少女と、美少女は醜男と結婚させようとする政治運動があらわれるかもしれない。(7) あるいはまた将来、自然が生む不平等を抑制する新たな技術が開発されて、美や知性のような自然のなかの善いものがより公平に分配し直される可能性もある。(8)

一例として、われわれが障害者をどのように扱ってきたか考えてみよう。これまで障害者は、生まれつき近視や斜視の人と同じように自然の悪意に翻弄された人間であり、一生そのハンディキャップを背負っていかねばならないと見なされていた。しかしながら現在のアメリカ社会は、彼らの肉体的な障害だけでなく、その尊厳に加えられた傷の治療にもつとめてきた。

多くの政府機関や大学が取り組んでいる障害者援助の手だては、さまざまな面で、必要と思われる以上に金のかかるものだった。多くの自治体が、障害者専用の交通サービスを提供する代わりに、障害者が利用しやすいようすべての公営バスを改造した。公共施設に車椅子用の別の入口を確保する代わりに、正面玄関へのスロープ設置を義務づけた。もっと簡単で金もかからない方法があることを考えると、このような施策につぎ込んだ費用や努力は、障害者の物理的な不便さを軽減するというより、むしろ彼らの人間としての尊厳を傷つけないためのものといえる。守られるべきは障害者の「気概」であり、そのために自然の不平等を克服し、健常者と同様バスに乗り込んだり建物の正面玄関を出入りしたりする彼らの姿を示そうとしたのだ。

平等に認められたいという熱望——すなわち「対等願望」——は、物質的豊かさや実質的な平等がさらに進んだからといって必ずしも弱まるわけではなく、それによって逆に勢いづく場合も考えられる。トクビルによれば、社会階級や社会集団のあいだの格差が大きく、それが長い伝統に支えられている場合には、人々はその格差を甘受するようになる。だが、社会が流動的で集団間の関係がもっと緊密であれば、人々は残存する格差にいっそう敏感になり、憤りも強くなるという。

民主主義国家においては、平等への愛は自由への愛よりも深く永続的な情熱であった。民主主義がなくても自由は手に入ったが、平等は民主主義時代固有の決定的な特質であり、だからこそ人々は自由より平等に執拗にこだわりつづけてきたのだ。自由の行き過ぎ——レオナー・ヘルムスリーやドナルド・トランプのような人物の傲慢不遜な振る舞い、アイバン・ボースキーやマイケル・ミルキンといった連中の犯罪、エクソン社のバルデス号がプラドー湾に与えた被害（アメリカのタンカーバルデス号が、一九八九年三月、アラスカ沖で原油流出事故を起こし、海鳥やラッコなどが大量死した事件）など——は忍び寄る総中流化や多数派の横暴など極端な平等から生じる害悪よりはるかに目につきやすい。しかも、政治的自由が少数の市民にこのうえない喜びを授けるのに対して、平等は多数の人々にささやかな楽しみを与えるのである。(9)

そのようなわけで、あらわな形の「優越願望」を政治の世界から締め出そうとする自由主義の企ては、四百年にわたっておおむね成功を収めてきた一方、われわれの社会は今後も万人の尊厳を平等に認めるという問題に相変わらず悩ませられつづけていくことになるだろう。

過剰な平等志向が産み落とした矛盾だらけの諸権利

今日のアメリカの民主主義社会には、あらゆる不平等のなごりを一掃するために生涯を捧げている人々がおり、彼らは、少女は少年より高い散髪代を払うべきではないとか、ボーイスカウトはホモの隊長も受け入れるべきだとか、ビルの建設にあたっては必ず正面玄関に車椅子用のコンクリートのスロープをつけるべきだとか主張している。現実のアメリカ社会には不平等はあまり残されていないが、だからといって平等を求める声が減るわけではなく、かえって不平等が少ないからこそ、このような情熱が存在しているのである。

現在の自由主義に対してこの先も左翼が挑戦してくるにせよ、それは、われわれになじみ深い二十世紀的なやり方とはかなり違った形になるだろう。共産主義が自由に与えた脅威はあまりに直接的で見え透いており、現在では共産主義の教義も失墜したため、このような脅威もいまや先進国じゅうですっかり影をひそめている。左翼が今後リベラルな民主主義へ挑戦してくる場合には、民主主義の基本的な制度や原則へ正面攻撃を仕掛けるというより、むしろ自由主義の装いをまといつつ内部からその変質をはかっていく可能性のほうがはるかに高いはずだ。

たとえばリベラルな民主主義国のほとんどでは、前世代に、新しい諸権利が雨後の筍のごとくに生み出されてきた。生命や自由や財産を保護してそれでよしとするのではなく、多くの民主主義国がプライバシーや旅行、雇用、レクリエーション、性的嗜好、妊娠中絶、子供の生活などに関する権利を規定した。もちろんこれらの権利の多くは社会的意味も曖昧で、互いに矛盾し合っている。とはいえ、独立宣言や憲法に定められた基本的諸権利が、社会のいっそう徹底的な平等化をめざす新手の権利によって深刻な制限を受けているような事態を予想するのはむずかしいことではない。

権利の本質についての現在の議論の支離滅裂ぶりは、人間を合理的に理解できるかどうかという可能性をめぐる根深い哲学的危機から生じているのだ。権利は、人間とは何かという理解から直接生まれるものであるが、人間の本質についての合意がなく、あるいはそんな理解は原理的に不可能だと考えられているなら、権利を定義することも、まがいものかもしれない新たな権利の誕生を阻止することもできない。その一例として、人間と人間にあらざるものとの区別が失われた未来における権利の超普遍化の可能性を考えてみたい。

ほとんどの環境保護論者が陥っている自己矛盾と大欠陥

古典的な政治哲学によれば、人間は獣と神の中間あたりの尊厳をもっているとされた。人間の本性は部分的には獣だが、一方で人間は理性をもち、それゆえに他の動物には与えられていない人間特有の美徳をもっているというのである。カントやヘーゲルにとって、そして両者が立脚したキリスト教の伝統にとって、人間と人間にあらざるものとの区別は絶対的に重要だった。人間が自然のなかのあらゆるものより高い尊厳をもっているのは、人間だけが自由だからである。つまり人間は、他のなんらかの原因で生じたのではなく、みずからが原因そのものであり、自然の本能によって損なわれたりせず、自律的に道徳上の選択ができる存在であるとされたのだ。今日では誰もが人間の尊厳について論じるが、なぜ自分たちが尊厳をもっているかという点での合意があるわけではない。道徳的選択ができるから人間には尊厳が与えられていると考える人は、ほとんどいないのだ。

近代の自然科学とカントやヘーゲル以降の哲学を全体として考えれば、それは、自律的な道徳上の選択の可能性を否定し、人間の行動を総じて人間以下、理性以下の衝動とのからみで理解する方向へ動いてきた。かつてカントが自由かつ合理的な選択とみなしたものは、マルクスにとってはもろもろの経済力の産物であり、フロイトにとっては深く秘められた性的衝動であった。ダーウィンによれば、人間は文字どおり人間以下の存在から進化してきたとされた。こうして人間の本質はますます生物学や生化学の面から理解されるようになったのである。

二十世紀の社会科学は、人間はその社会的・環境的条件の産物であり、動物の場合と同じようにある決定論的な法則に従って行動するものだ、と教えている。動物行動の研究によれば、動物もまた威信を賭けた戦いをおこない得るし、ひょっとすると誇りを抱いたり承認への欲望を感じたりするかもしれないという。ニーチェの説では、現代人は「生きた泥土」からの連綿たる進化を経て自分自身に到達したとされる。人間は自分を生み出してくれた動物の生活と質的には同じであり、たんに量的に異なっているにすぎないというわけだ。こうして、みずからが作り出した法則に従えるだけの理性を持ち合わせた自律的な人間像は、独りよがりの神話と化してしまったのである。

人間には動物以上の尊厳があるおかげで、自然を征服する資格、つまり自然を自分の目的のために利用したり操作したりする資格が与えられており、その征服は現代の自然科学によって可能となった。だが現代の自然科学は、人と自然との間には本質的な相違などなく、人間とはより高度な組織と理性を備えた泥土にすぎないことを指し示しているように見える。そして、もしも人間が自然以上の尊厳を備えているといえる根拠がないのだとすれば、人間による自然の征服を正当化することもできなくなる。

人間のあいだにはたいした違いなどないと主張する平等主義の情熱は、人間と高等動物との差異の否定にまで行き着きかねない。動物保護運動の立場からすれば、サルやネズミやクロテンも人間と同じように苦しみを感じるし、イルカだって高度な知能をもっている。そうであるなら、殺人は罪であるのにどうしてこのような動物を殺しても許されるのだろうか？

しかも議論はこれだけにとどまらない。高等動物と下等動物の区別はどうやってつけるのか？　苦痛を感じる動物とそうでないものとの区別は誰がつけるのか？　実際のところ、痛みを感じる能力や高度な知能をもっていることが、なぜ優越した価値の資格でなければいけないのか？　とどのつまり、道端の石ころから宇宙の彼方の星にいたる自然界のあらゆる存在のなかで、人間が最高の尊厳をもっているのはどうしてなのか？　昆虫やバクテリア、回虫、そしてエイズ・ウイルスだって、人間と平等な権利をもっていてしかるべきではないのか？

けれども現在の環境保護論者のほとんどは、昆虫やバクテリアにも権利があるなどとは思っていないし、その事実は、彼らもやはり人間の尊厳の優越性を信じていることのあらわれなのである。つまり、彼らがアザラシの赤ん坊やクサウオを保護しようとするのは、われわれ人間がそういう生き物をまわりにおきたがっているからだ。だが、環境保護の立場からいえばこれは偽善にほかならない。もしも人間が自然の生物よりすぐれた尊厳を有しているといえるだけの合理的な根拠がないとすれば、アザラシの赤ん坊のような自然の一部が、これまた自然の一部であるエイズ・ウイルスより高い尊厳をもっているといえる合理的な根拠もなくなるからだ。

環境保護運動のなかにもこうした点では首尾一貫している極端な活動家がおり、彼らはそのような自然——感覚や知能をもった動物だけでなく自然の創造物すべて——に人間と同等の尊厳があると信じているのだ。このような信念は、エチオピアのような国の大規模な飢餓問題への無関心につながる。なぜなら、こうした飢饉が発生するのは人間の行き過ぎに対する自然のしっぺ返しの一例にすぎないからだ。そして結局は、人類が産業革命以降ずっと悪影響を与えてきた生態系のバランスをこれ以上崩さないために、五十億を越える地球人口を一億かそこらの自然な数にまで戻すべきだという確信にまで達してしまうのである。

現代人が「相対主義」によって追い込まれた知性の袋小路

平等の原理の適用を人間だけでなくそれ以外の生物にまで広げていくのは、今日では奇想天外な解釈に聞こえるかもしれない。けれどもそれは、「人間とは何か?」という問題の解答に苦慮している現代のわれわれの手詰まり状況の反映なのだ。もしもわれわれが、人間は道徳的選択も理性を自律的に働かせることもできないと本気で信じているなら、そしてもしも人間がそれ以下の生き物と本質的には同じだと本気で信じるなら、動物や他の自然の存在に人間と同じ権利を徐々に拡大していくことは、可能なばかりでなく不可避でさえある。

平等で普遍的な人間性には人間固有の尊厳がともなうという自由主義の考え方は今後、両面からの挟み撃ちにあうにちがいない。一方には人間であることの本質という問題以上に特定の集団のアイデンティティを重視する勢力があり、そしてもう一方には、人間と人間にあらざるもののあいだにはなんら明確な区別はないと信じる勢力がいるのだ。われわれは現代の相対主義によって知性の袋小路のなかに取り残されてしまったため、この両面からの攻撃に断固たる反撃をおこなえもせず、伝統的に理解されてきた自由主義的な諸権利の擁護さえままならなくなるのである。

普遍的で均質な国家のなかに見出せるような種類の相互承認は、多くの人を完全に満足させることができないでいる。というのも、アダム・スミスの言葉を借りれば、富める者はみずからの富を誇りにしつづけ、その一方で貧しき者はみずからの貧困を恥じ、自分が同胞の目に映らない存在だと感じつづけていくからである。現在、共産主義が崩壊したにもかかわらず、相互承認のこのような不完全さは、リベラルな民主主義と資本主義に代わる他の選択肢を見つけようとする左翼の側からの企ての温床となっていくだろう。

とはいえ、平等な人間が互いを対等に認め合っていないというのは、リベラルな民主主義に対するもっとも陳腐な批判である。それに対して右翼の側からの批判、つまりリベラルな民主主義が不平等な人間を平等に認めがちだというところからくる批判は、よりいっそうの脅威であり、究極的にはより深刻な問題提起でもある。その点について次に考えていくことにしたい。

2 歴史の終わりに登場する「最後の人間」

現代という時代のもっとも普遍的な標識がある。それは、人間は自分でも信じがたいほど尊厳を失ってしまったということなのだ。人間は長いあいだ、存在一般の中心であり悲劇の英雄だった。そして少なくとも、自分自身が存在の決定的な、そして本質的に価値のある側面と密接に結びついていることを証明しようと心を砕いてきた——たとえば、道徳的価値こそ価値の要諦だと信じて人間の尊厳にしがみつこうとしているすべての形而上学者のように。神を捨て去った者のほうが道徳への信仰にその分だけいっそうしっかりとしがみついている。

ニーチェ『権力への意志』(1)

われわれが当面の議論の総仕上げをするためには、歴史の終点において登場するといわれる存在、つまり「最後の人間」に触れないわけにはいかない。

ヘーゲルによれば普遍的で均質な国家は、かつての奴隷を自分自身の主君に変えることによって、主従関係のなかにあった矛盾を完全に解消する。もはや主君は、ある意味で人間以下の人間からさえも認められなくなり、奴隷ももはやどんなものであれ、自分たちの人間性の承認を否定されることはなくなる。そのかわり、自分自身の価値を認識している自由な個々人が、他のすべての個人を自分と同じ資質のゆえに認めていくのである。とはいえ、主従関係の矛盾が消え去っても維持されてきたものが双方の側にある。それは主君にとっての自由、そして奴隷にとっての労働である。

ヘーゲルに対する最大の批判者の一人であるマルクスは、承認が普遍的であるというヘーゲルの命題を否定した。経済的諸階級の存在が承認の普遍化を妨げている、というわけである。もう一方の側からの、そしてマルクス以上に深遠な批判を持ち出したのはニーチェであった。というのも、ニーチェの思想はマルクス主義のように大衆運動や政党のなかに具体的に盛り込まれはしなかったものの、人間の歴史的進歩の方向性について彼が提起した問題はいまだに未解決のままであり、地上から最後のマルクス主義政権が消滅したあとも解決されそうには思えないからである。

ニーチェにとって、ヘーゲルとマルクスのあいだの差異はほとんどなかった。なぜなら両者とも、普遍的な承認が実現する社会という同じ目標をもっていたためだ。それに対してニーチェは、事実上、次のような疑問を投げかけている。

そもそも、普遍化され得る承認などというものをもつ価値があるのだろうか？　承認の質のほうが、承認の普遍化以上にはるかに重要ではないのか？　そして承認の普遍化の行き着く果てにおいては、承認そのものの陳腐化や無価値化が避けがたいのではなかろうか？

ニーチェのいう「最後の人間」の本質は、勝利を収めた奴隷である。キリスト教は奴隷のイデオロギーであり、民主主義はキリスト教の世俗化された形を示している、とのヘーゲルの説にニーチェは全面的に同意する。法の前での万人の平等は、神の王国における全信仰者の平等というキリスト教理念の一つの具体化である。だが、神の前での人間の平等というキリスト教の信仰は偏見以外の何ものでもなく、その偏見は、自分より強い者に対する弱者の憤りから生まれたのであった。キリスト教は、罪悪感と良心を武器に団結すれば、弱者も強者に打ち勝てるという実感に源を発している。近代になってこの偏見は広く普及し、抗しがたい力をもつようになったが、それは、このような考えが真理とされてきたため

ではなく、弱者の数が増えてきたためなのだ。(2)

リベラルな民主主義国家の致命的弱点

リベラルな民主主義国家は、ヘーゲルがいったような主君の道徳と奴隷の道徳との統合体ではない。ニーチェにとってそれは、奴隷の無条件の勝利を意味していた。(3) 民主主義社会では実際に支配をおこなう者は一人もいないため、主君の自由と満足は跡形もなく消えてしまった。リベラルな民主主義国家の典型的な市民は、ホッブズやロックが説いた個人、つまり、快適な自己保存と引き換えに、自分自身が優越した価値をもっているのだという誇りに満ちた信念を放棄した個人である。

ニーチェにいわせれば、民主主義的な人間は全身が欲望と理性のかたまりであり、長期的な私益を計算しながら数多くの些細な欲求を満たしていく新たな方法を見出すことには長けていた。だがそのような人間は「優越願望」をまったく欠いており、幸福な自分に満足し、些細な欲求を乗り越えていけない自分に対してなんらの羞恥心を感じることさえなかったのである。

もちろんヘーゲルは、近代人が欲望の充足だけでなく承認をも求めて戦い、普遍的で均質な国家から諸権利を許されたときその承認を手に入れる、と主張した。今日でも、東欧や中国、旧ソ連がそうであるように、権利を奪われた市民が権利を得るために戦っていることはたしかに事実である。けれども、たんに権利を許されただけで、はたして彼らが人間として満足するかどうかは、これまた別問題だ。

ここで思い出されるのは、自分を会員として認めてくれるようなクラブには決して入会したがらなかったグルーチョ・マルクスのジョークである。いわく、

「たんに人間様だというだけでみんなが認められたからって、そこになんの価値があるのかね？」

一九八九年の東ドイツのように自由主義革命が成功を収めたのちは、万人が新しい権利システムの恩恵に浴するようになる。自由のために戦ってきたかどうかにかかわらず、また旧体制下でのかつての奴隷的存在に満足していたとか、その体制の秘密警察に協力していたとかいうことにかかわらず、誰もがそうなるのだ。そのような承認を許す社会は「気概」を満足させるための出発点となるかもしれないし、万人の人間性を否定する社会よりましであることははっきりしている。

しかし、リベラルな権利が認められるだけではたして、貴族的な主君を死の危険にまで駆り立てていった大きな欲望は充足されるのだろうか？　そして、このようなつましい種類の承認が仮に大勢の人を満足させたとしても、はるかに野心的な少数の人々はそれで満ち足りるのだろうか？　民主主義社会のなかでいろいろな権利をもっているというだけで誰もが十分に満足し、市民であること以上の野望を抱かなくなったとすれば、逆にそんな権利は軽蔑に値するようなものに見えてきはしないだろうか？　その一方で、普遍的かつ相互的な承認によっても「気概」が本質的には充足されないままに残るとすれば、民主主義社会は決定的な弱点をさらしているといえないだろうか？[4]

アメリカでは、一九八七年にカリフォルニア州当局が自己尊敬委員会を認可したことに示されるように「自己尊敬(セルフ・エスティーム)」運動が盛んになっているが、それを見ると、普遍的な承認という考え方にひそむ内部矛盾が理解できる[5]。

この運動は正しい心理学的考察から出発する。つまり人生における成功への第一歩は自分の価値を感じることであり、それができなくなったとき、自分は無価値な人間だという思いが百発百中の予言のごとく当人に襲いかかってくる、というわけだ。つまりこの運動では、誰もが人間であり、したがってある種の尊厳をもっているというカント主義やキリスト教の考えが（運動の提唱者たちはそんな自分たちの精神的ルーツに気づいていないにせよ）そもそもの前提とされている。そしてカントも、キリスト教の伝統にくみしていれば、道徳律に従って生きるかどうかを決める力はすべての人間が等しく持ち合わせている、と述べたにちがいない。

とはいえこの普遍的な尊厳は、人間が、ある種の行為は道徳律に反するがゆえに悪である、といえるかどうかにかかっている。自分自身を真に尊敬するには、ある基準にのっとった生き方ができなかった場合に羞恥心や自己嫌悪の情を感じるという力が欠かせないのである。

一つの光り輝く星を誕生させるための「混沌」

今日の自己尊敬運動が抱えている問題は、その参加者が民主的で平等な社会に暮らしながらも、何を尊敬すべきかについて滅多に自分から進んで選択しようとしない点にある。

この運動をやっている人たちは社会に出て誰彼の区別なく抱擁し、いかに苦しくすさんだ生活であってもあなたにはまだ価値がある、あなたはひとかどの人物なのだ、と語りかけようとする。彼らは、どんな人間も、どんなおこないも、無価値なものとして退けようとはしたがらない。たしかに一つの便法としては、不幸のどん底にある人間に対して決定的場面でその人の尊厳や人間そのものを無条件で支持してやれば、当人の心を引き立たせてやれるかもしれない。

しかし結局のところ、母親は自分がこれまで子供をないがしろにしてきたのではないかと気づき、父親は自分がこれまでアルコールで気を紛らわしてきたのではないかと気づき、そして娘は自分がこれまで嘘をついてきたのではないかということに思いあたるはずだ。「他人には効くごまかしの数々も、自分自身との逢瀬を重ねる街燈まばゆき裏通りでは何の意味もない」のである。

自己尊敬は、どんなにささやかであってもなんらかの達成感と結びついていなければならない。むずかしい目標を達成すればするほど、自己尊敬の気持ちも膨れ上がる。海兵隊員としての基礎訓練をまっとうした人間なら、たとえば貧窮者用の無料食堂に列をつくっている人間より自分に対して高い誇りを抱くのは明らかだ。とはいえ民主主義国家においては、特定の人物や生活様式や行為が他のものよりもすぐれていて価値もある、などと述べること自体に基本的に抵抗がつきまとうことも確かである。(6)

普遍的な承認についてはさらにもう一つの問題があるが、それを一言でまとめると「誰が尊敬してくれるのか?」という問いに行き着く。他人から認められたときの満足感は、認めてくれた相手がどんな人物かによって大きく違うのではないだろうか? こちらがその判断を尊重するような人物から認められたのであれば、理解力をもたないその他大勢から認められた場合よりはるかに満足がいくのではないだろうか? そして最高の業績というものが、みずからもそれを成し遂げた者によってのみ評価され得ることを考えれば、きわめて小さな集団から自分が認められるというのがいちばんすばらしく、したがっていちばん満足のいく承認の形態ではあるまいか?

たとえば理論物理学者であれば、自分の研究が『タイム』誌に認められるより、同僚の物理学者のなかでもっとも優秀な人間から認められたほうがよほどうれしいはずだ。そして、これほど高尚な話ではなくても、承認の質の問題は依然として決定的である。たとえば現代の大きな民主主義国家の一市民として認められたからといって、小規模で固く結びついた工業社会以前の農業共同体の一員として認められていたときより、必ずしも大きな満足が得られるものなのだろうか? 後者には近代的な意味における政治的「諸権利」など一つもないが、血縁や労働や宗教などによって結ばれた、こぢんまりと安定した社会集団の一員となれば、たとえ封建領主からは往々にして搾取や迫害を受けたにせよ、互いに承認し合い尊敬し合っていく。それにくらべて巨大なアパート群に暮らす現代都市の住民は、なるほど国家からは認められているかもしれないが、ともに生活し労働する仲間に対してはまったくの赤の他人なのである。

ニーチェは、真の卓越した人間性、偉大さ、あるいは高貴さを発揮できる場は貴族社会だけだと考えていた[(7)]。言い換えれば、真の自由や創造性は「優越願望」、つまり自分を他者よりすぐれた存在として認めさせたいという欲望から生じるというわけである。いくら人間が生まれながらに平等だとしても、たんにほかのみんなと同じになりたいという欲求だけで自分の限界まで力をつくすわけではない。というのも、みずからの限界を乗り越えていくには、自分を他人より優越した存在として認めてもらおうとする欲望が欠かせないからである。

この欲望は征服や帝国主義の土台となるばかりでなく、偉大な交響曲にせよ、絵画、文学、道徳規範、あるいは政治制度にせよ、生活において価値のあるものを作り上げるための前提条件でもある。真の卓越はそれがどんな形であれ、自己に敵対する自己の一部であり究極的にはあらゆる苦痛をともなう自己との戦い、すなわち不満から生じる、とニーチェは指摘した。

「一つの光輝く星を誕生させるため、人は自分のなかにつねに混沌を抱えていなければならない」

健康と自己満足は「債務」にすぎない。「気概」とは、闘争や犠牲を進んで求め、そして恐怖に満ち窮乏した本能的な動物や肉体的に制約された動物以上にすばらしい存在としての自己証明を試みる人間の側面なのである。人は誰もがこうした欲求を感じるわけではないが、それを感じる人間にとっては、たんに自分の価値が人並みであると知っただけでは「気概」を満足させることはできない。

人生のあらゆる面にわたる「不平等」を求める戦い

「不平等」を求める戦いは、人生のあらゆる面にわたっている。人間の完全な平等を基礎とする社会の建設をめざしたボルシェビキ革命のような事件でさえ例外ではない。

レーニン、トロツキー、そしてスターリンのような人物は、たんに他の人々と同等の存在となるために一個の人間として苦難の道を選んだのではない。もしそうであれば、レーニンはサマラ（クイビシェフの旧名）を離れなかっただろうし、スターリンはティブリス神学校の学生のままでいたはずだ。革命を起こしてまったく新たな社会を建設するには、なみなみならぬ厳格さやビジョン、冷酷さ、そして知性を身につけた人物が必要とされたし、そのような性格をこれら初期のボルシェビキたちはふんだんに持ち合わせていたのだ。

とはいえ彼らが建設に努力した社会は、彼ら自身に備わっていた野心と個性とを否定しようとする社会だった。ボルシェビキはもとより、中国のコミュニストからドイツの緑の党にいたるあらゆる左翼運動が、指導者への「個人崇拝」をめぐって結局は危機に直面する理由も、おそらくはそこにあるのだろう。平等主義の社会を構成している「対等願望」の理念と、そのような社会を作り上げるのに必要な「優越願望」を備えたタイプの人間とのあいだには、緊張関係がどうしても避けがたいものなのである。

レーニンやトロツキーのように、より純粋かつ高邁な目標をめざして苦闘する人物は、したがって、もっぱら万人が平等には創られていないとされる社会から生み出される可能性のほうが強い。その正反対の命題に固執する民主主義社会では、あらゆるライフスタイルや価値観が平等だという信念が助長されがちだ。民主主義社会はその市民に、いかに生きるべきか、あるいは幸福や美徳や偉大さを身につけるにはどうしたらよいかを直接に教示したりはしない(8)。その代わりに寛容の美徳が育まれ、それが民主主義社会の美徳のかなめとなっていく。そして、もしもある特定の生き方が他の生き方よりすぐれていると断言できなければ、人は生そのもの、つまり肉体や肉体の欲求や恐怖を肯定するところにまで後退していく。

人間はすべて同等の美徳や才能を備えているわけではないが、肉体が苦痛を受けるという点では誰もが同じだ。そのため民主主義社会は、肉体的苦痛を味わわせないという問題に最大の配慮を払いがちだ。民主主義社会の人間が物欲にとりつかれ、無数のこまごまとした肉体的欲求を必死で満たそうとする経済世界に住んでいるのは、決して偶然ではない。ニーチェによれば、最後の人間は「暖かさを求めたがために、生きていくのが困難な土地から立ち去ってしまった」のである。

> 労働は一つの楽しみであるため、人はなお働く。けれども人は、この楽しみがあまりに苦しいものとならないよう用心する。もはや人は貧しくもならず豊かにもならない。どちらにせよ、あまりにも力をつくさねばならないのだ。誰がいまなお支配したがっているのか？　誰が服従するのか？　どちらにせよ、あまりにも力をつくさねばならないのだ。
>
> 羊飼いはおらず、そして畜群が一つ！　人はみな同じになろうと欲し、人はみな同じである。違和感を覚えたものは誰もがみずから進んで精神病院に入る(9)。

歴史の始点にいた「奴隷」と歴史の終点に立つ「最後の人間」の唯一の共通点

公共生活におけるほんとうの道徳的内容について真剣に疑問を抱くことは、民主主義社会の人々にとってはとりわけむずかしい。道徳にはより良いものと劣ったもの、善と悪との区別がふくまれるが、こうした区別は寛容という民主主義の原理にそぐわない。そのため「最後の人間」は、論議をかもしたくないという理由で、自分個人の健康や安全にもっぱら目を向ける。今日のアメリカの人々は、他人の喫煙習慣を非難する資格はあっても、その宗教上の信仰や道徳的振る舞いについてはとやかく言えないと思っている。アメリカ人にとっては自分の体の健康――食べ物や飲み物、運動、体型――のほうが、祖先を苦しめた道徳問題よりはるかに重大な脅迫観念なのである。

自己保存を何よりも大切にするという点で、「最後の人間」はヘーゲルが歴史の出発点とした血なまぐさい戦いにおける奴隷と似ている。けれども、その当時から続いてきた歴史のプロセス、つまり民主主義をめざす人間社会の複雑で累積的な進化の結果として、「最後の人間」がおかれた状況はいっそうひどいものになっている。というのもニーチェによれば、絶対的かつ無批判に受け入れられた一組の価値観や信念の枠組みのなかで生きているのでなければ、生命をもつ者は、健康でも強靭でも創造的でもあり得ないからだ。そのような枠組みなしには、そしてみずからの仕事を「愛されるに値する以上にとことんまで愛していく気持ち」がなければ、「どんな画家も絵を描かず、どんな将軍も勝利を収めず、どんな国家も自由を獲得しない[10]」のである。

しかし、われわれの歴史認識こそがまさにこのような愛を不可能にしている。なぜなら歴史はわれわれに、過去には文明、宗教、倫理規範、「価値体系」など無数の枠組みがあったことを教えてくれるからだ。このような枠内で生きていた人々は、現代人が持ち合わせているような歴史認識を欠いており、自分たちの枠組みが唯一可能なものだと信じていた。ところが歴史のプロセスにあとから登場した者、人類の老齢期に生きる者は、それほど無批判ではいられない。近代的な経済世界に向けて社会を整備するうえで不可欠な普遍的、近代的教育は、人間を伝統や権威へのしがらみから解放する。そして人々は、自分を取り巻く地平線が固い土地ではなくたんなる境界であって、近づけば消えながらさらにその向こうの地平線にとって代わられる蜃気楼にすぎない、ということを悟る。

だからこそ現代人は「最後の人間」なのだ。彼はうんざりするほど歴史を経験したため、価値の直接体験などという可能性をすっかり醒めた目で見るようになってしまったのである。言い換えれば近代教育は、相対主義への傾向を後押ししていることになる。

相対主義とは、あらゆる枠組みや価値体系がその時代や場所と相関関係にあり、真実など何ひとつ存在せず、価値体系などはすべてはそれを提唱した人々の偏見や利害関係の反映にすぎない、とする教義である。特権的な思想の存在を認めないこの教義は、自分が他人にひけをとらない生き方をしていると信じたがる民主主義的人間の願望と、ものの見事に嚙み合っている。その意味で相対主義は、偉人や強者ではなく、いまや自分にはなんら恥ずべき点はないと教えられた凡人の解放をもたらす。(11)

歴史の始点にいた奴隷は、本能的に臆病であったため、血なまぐさい戦いにみずからの生命を賭けることを辞退した。歴史の終点にいる最後の人間は、歴史が無目的な戦争に満ち、そのなかで人々がキリスト教徒とイスラム教徒の、プロテスタントとカトリックの、あるいはドイツ人とフランス人のどちらにつくかをめぐって争ってきたことに気づいているため、ある大義に生命を賭けるような愚かな振る舞いはしない。

人間を勇気と自己犠牲の向こうみずな行為に駆り立てた忠誠心は、その後の歴史によって、愚かな偏見にすぎないと証明された。近代教育を受けた人間は家のなかでの暮らしに満足し、心の広い自分、狂信的ではない自分を祝福するのである。ニーチェのツァラトストラは、こうした現代人について次のように述べている。

「それゆえに諸君は語る。『われわれはまったく現実的であり、信仰も迷信ももたない』と。かくして諸君は胸を張る――ところが、ああ、そこは空っぽなのだ[12]」

現代に出現した新しい形の「奴隷制」

現代の民主主義社会に暮らす人々、ことに若者たちのあいだには、自分の心の広さを祝福するだけでは物足りず、「ある枠組みのなかでの生活」を好んで求める者も多い。つまり彼らは、伝統的な宗教が差し出すような、たんなる自由主義以上に深い信仰や「価値観」へ熱中する生活を選びたがるのだ。しかしそこには、ほとんど克服しがたい問題が待ち受けている。彼らはおそらく、歴史上の他のどんな社会よりも信仰選択の自由がある。カトリックやバプティストになるという伝統的な選択肢は言うに及ばず、イスラム教徒にも仏教徒にも、神智論者にもハーレ・クリシュナ教徒にも、あるいはリンドン・ラローシュの信者にもなれるのだ。

とはいえ、あまりにも選択の幅が広いのは困りものだし、どれか一つの道に決めた人間も、選び取らなかった道が無数にあることには気づいている。それはウディ・アレン演じるミッキー・サックスによく似ている。この男は自分が末期癌を患っていると知って、世界じゅうの宗教をやけくそになって漁り歩くのだ。だが最終的に自分の宿命を受け入れるようになったのは、ふとしたきっかけからだった。ルイ・アームストロングの「ポテト・ヘッド・ブルース」を聴いたとき、彼はようやく価値あるものの存在を悟ったのである。

社会が幾世代も離れた祖先たちから手渡されてきた単一の信念で一つに結ばれていたときには、その信念は当然のものとして受け入れられ、人間の徳性を作り上げる要素ともなっていた。信念が人を家族と、そして社会全体の他の構成員と結びつけたのだ。今日の民主主義社会でこのような選択をしたとしても、さしたる犠牲や影響はないだろうが、それによって得られる満足の度合いはますます減っていく。選択肢があまりにも多いために、信念は人々を結びつけるというより、むしろ分断しがちなのである。もちろん、人は信念を一つにする数多くの小さな共同体の一つに加わっていけるけれども、その集まりが仕事や近隣関係という共同体とオーバーラップすることはほとんどあり得ない。そして信念が不都合なものになったとき——両親の遺産を相続できなくなったり、精神的指導者と仰いでいた人物の公金横領が発覚したりという場合——その信念はちょうど青春の一時期の気の迷いのようにはかなく消えていくのがつねである。

「最後の人間」に対するニーチェの関心は、民主主義社会の性格について深く検討を加えてきた他の多くの近代思想家たちにも共通している。[13] こうした思想家の一人であるトクビルは、民主主義の到来とともに主君の生活様式が地上からなくなるのではないかという点についてのニーチェの関心を先取りしていた。法の命じるままに従うのではなく、むしろ自分にも他人にも法を与える主君という存在は、奴隷より高貴であると同時に満ち足りてもいたのだ。だからこそトクビルは、民主主義国アメリカの生活に私的性格が強いのは重大問題であり、このままでは民主主義以前の共同体において人々を結びつけていた道徳的絆がやせ細っていくのではないかと考えた。後輩であるニーチェ同様トクビルは、主君と奴隷との形式的関係がなくなっても奴隷がみずからを支配するようにはならず、かえって新しい形の奴隷制に縛りつけられていくのではないかと気づかったのである。

世界に専制政治が出現する際の目新しい特徴について述べてみたい。観察していてまず思いあたるのは、互いに平等で似通ったじつに多数の人々が、人生を満足させるために、たえずけちでちっぽけな快楽を追い求めている点だ。

彼らはみな別々に暮らし、その他大勢の運命などまったくの他人事にすぎない。自分の子供とプライベートな友人が人類のすべてなのだ。それ以外の同胞市民については、間近にいても見向きもしない。触れ合っているのに感じない。彼はただ自分ひとりで、自分のためだけに存在する。親戚縁者はまだ残っているにせよ、どう考えても、彼は故国をすでに失ったといってよさそうだ。

このような人間集団の頭上には、彼らの喜びを確保し、運命を見守ることにひとり責任をもつ巨大な守護力が存在する。この力は絶対的であり、細心、整然、慎重、そして穏健なものである。この守護力の目的が、人を大人にする準備をさせることにあるとすれば、その力は子供に対する両親の権威と似たものになるだろう。ところがそうではなくて、この力は逆に人を永遠の子供にとどめようとする。人々が歓楽しか頭にないとすれば、この力は彼らに歓楽を与えてそれで事足りるのである(14)。

アメリカのように広い国家では、市民としての義務はごく限られているし、広大な国土とくらべたときの個人の卑小さのおかげで人々は自分が自分の主人だとは思えず、かえって一人ではどうしようもない現実を目のあたりにして弱さや無力さを感じさせられてしまう。もっとも抽象的・理論的なレベルを度外視するとすれば、いったいどんな意味合いにおいて、人々は自分がみずからの主人となったなどといえるのだろうか?

「歴史の終わり」における人間の意味と未来

トクビルはニーチェ以前から、貴族制社会が民主制へと移行するにつれて何が失われたかをあまりにも知りすぎていた。彼によれば民主制は、詩や形而上学理論から帝政ロシア末期の金細工師ファベルジェの精妙なインペリアル・イースター・エッグにいたるまで、貴族制社会によく見られた美しいけれど役に立たないものをあまり生み出さなくなったという。

一方で民主主義社会は、工作機械、フリーウェイ、大量生産の車、プレハブ住宅など、使い勝手はよいが醜悪な品物をきわめて大量に作り出してきた(現代アメリカでは、才能と地位に恵まれた若い世代が、美しくもなければ役にも立たない代物を生み出し、それで社会がなんとか機能している。たとえば弁護士たちが毎年起こす訴訟の山はその一例だ)。とはいえ、道徳的・理論的領域での人間の可能性、たとえば余暇によって培われる貴族社会の気風、そしてその意図的に功利主義を排斥する気風から育まれる人間の可能性が喪失したことにくらべれば、精密な名人芸が消え失せたことなど取るに足りない話である。トクビルは、数学者であり信心深い作家、パスカルにまつわる有名な文章のなかで、こう語っている。

もしもパスカルが何か大きな利益しか眼中になく、あるいは名声欲だけに衝き動かされてきたのだとしたら、あのように精神力を十二分に奮い立たせ、創造主の懐深く隠された秘密をそれまでようまく発見し得たとは思えない。いわば自分の魂を生活のあらゆる煩わしさから切り放してこの探求に全身全霊を捧げ、そして肉体を生につなぎとめている紐帯(ちゅうたい)を早々と絶ち、四十歳を迎えずして老衰で死んだ彼の姿を見るとき、私は茫然として立ちつくし、月並みな目的からではかくも非凡な努力など生み出せないことを悟るのである。(15)

子供の時分にすでにユークリッドの諸命題を独力で発見したほどのパスカルは、三十一歳の年に修道院での隠遁生活に入った。助言を求めて訪れる人と会うとき彼は、何本も釘を打ちつけた革帯を自分の座る椅子に結びつけ、会話が少しでも楽しく感じられたときは、肉体に苦痛を与えるために体をその椅子に強く押しつけたのである。(16) ニーチェ自身と同じようにパスカルも、成人してからはずっと病気がちで、最後の四年間は他人と意思を通じ合わせる力を完全に失った。彼はジョギングもせず、タバコの副流煙が健康に及ぼす害を気づかうこともなかったが、死の前の何年かのあいだに、西洋の伝統に根ざしたもっとも深い精神的瞑想をいくぶんかは振り払うことができたのである。

パスカルが数学のような基礎学問の領域で嘱望されていた将来を宗教的な黙想のために犠牲にしたことに対して、あるアメリカの伝記作家はとくに憤りを感じている。この作家は、パスカルがわずかでも自分をそんな生活から「解き放していたなら……無意味な神秘主義のかたまりや人間の悲惨や尊厳についての陳腐な観察の重圧がもとで人生のよりよき半分を圧し潰してしまう代わりに、自分のすべてを全面的に開花させて生きていけたかもしれない」と述べている。[17]「最後の人間」のなかでももっとも鋭敏な者たちは語る、「かつては、全世界が狂っていた」と。

「アメリカ的生活様式」の勝利をニーチェがいちばん恐れていたとするなら、トクビルはその勝利が避けがたいという事実をいさぎよく認め、このような生活様式の普及を甘んじて受け入れたのである。彼はニーチェとは違って、民主主義国の圧倒的多数の人々の生活がささやかながらも改善されつつあることを察知していた。しかも彼は、民主主義の前進がどうにも食い止められそうになく、その流れに逆らってもいかんともしがたいし、かえって逆効果だと感じていたのである。望み得ることといえば、せいぜい民主主義の熱烈な支持者たちに、それ以外にもまともな選択肢はあるし、中庸を保つほうがむしろ民主主義そのものの長寿につながる、と教え示すことくらいだった。

コジェーブは、近代民主主義が避けがたい趨勢であると信じた点でトクビルと考えを一にしていたが、反面でそれにつきまとう犠牲についても重々承知していた。もしも人間というものが承認を求める闘争への欲望と自然支配のための労働によって定義されるならば、そしてもし歴史の終点において人間がみずからの人間性と物質的豊かさを達成するならば、そのとき人間は労働と闘争をやめてしまっており、したがって「本来的意味での人間」は存在しなくなるだろう、というのである。

歴史の終わりにおける人間の消滅は、それゆえ宇宙の破局ではない。自然の世界は久遠の昔から存在したように存在しつづける。そしてそれゆえに、人間の消滅は生物学的な破局でもない。人間は、自然すなわち与えられたままの存在と「調和」を保った動物として生きつづける。消滅するのは本来的意味での人間――つまり、与えられたままを否定する行為とか、誤謬(ごびゅう)とか、あるいは一般的には

「客観」に敵対する「主観」――なのである[18]……。

「歴史の終わり」とは、戦争や血なまぐさい革命の終わりを意味することになるだろう。目的において合意した人間には、戦うべき大義はなくなるだろう。[19]人間は経済活動を通じて自分の欲求を満たすが、もはや戦いにみずからの生命を賭ける必要はなくなる。言い換えれば人間は、歴史の始点となった血なまぐさい戦い以前のように、ふたたび動物になるのだ。

餌をあてがわれているかぎり、犬は一日じゅう日向で心ゆくまで眠っている。なぜなら犬は、自分が犬であることに不満を抱いたりしないからだ。他の犬が自分よりすぐれた行動をしようが、犬としての自分の経歴が思わしくなかろうが、あるいは世界の遠いどこかで仲間が虐げられていようが、いっこう気にかけない。不正の一掃に成功した社会へ人間が到達できたとしたら、その生活は犬の生活とそっくりになっていくだろう。[20]人間の生活はそのとき、不正が不可欠に思えてくるという奇妙なパラドックスを抱え込む。というのも不正に対する戦いこそが、人間のなかの最高のものを呼び起こすからである。

ニーチェと違ってコジェーブは、歴史の終点における動物への回帰に怒りを感じてはいない。むしろ彼は、「最後の人間」にとっての終の住処(ついのすみか)の建設を指揮する組織、ECに余生を捧げて働くことに満足を見出した。

ヘーゲルに関する講義録に加えられた一連のアイロニーに満ちた脚注のなかで、コジェーブは、歴史の終わりが同時に芸術と哲学の終わりであること、そしてそれが、とりもなおさずコジェーブ自身の生涯の活動の終わりであることを指摘している。ホメロスの『イーリアス』、ダ・ビンチやミケランジェロの聖母像、鎌倉の大仏のような、その時代の最高の精神の息吹をとらえた偉大な芸術の創造はもはや不可能となるだろう。なぜならそこには、新しい時代の訪れもなく、芸術家が形象化すべき人間精神の明らかな差異もないからだ。芸術家たちは春の美しさや乙女の乳房の優雅なふくらみから数限りなく詩を生み出せはしても、人間のおかれた状況についてはなんら根本的に目新しいことを語り得ないのである。

同じように哲学も不可能となる。それは、ヘーゲル体系の成立とともに哲学が真理の地位を占めてしまったからである。未来の「哲学者」は、ヘーゲルと違った何かを述べようとしても、新しいことは何も語れず、ただかつての時代の無知のありようについて繰り言を口にするだけなのだ[21]。

だが、いっそう肝心な点がある。つまり、「消滅するのは……哲学や言説による英知の探求だけではなく、まさにその英知そのものでもある。なぜならこのような脱歴史時代の動物のなかには世界と自己の(言説による)認識など、もはやいっさい存在しないからである[22]」

最後の「約束の地」は真の幸福・満足を約束してくれるのか

ルーマニアでチャウシェスク大統領の警護隊と戦った革命家たち、天安門で戦車の前に立ちはだかった勇敢な中国の学生たち、民族独立のためモスクワに反旗をひるがえしたリトアニア人たち、自分たちの議会と大統領を守ったロシア人たちは、もっとも自由で、それゆえにもっとも人間らしい人間であった。彼らはかつての奴隷のように、みずからが自己解放の血なまぐさい闘争に進んで生命を賭けられることを証明した。

しかし、彼らが必然的に最終的勝利を手にしたあかつきに、みずからのために作り上げるのは安定した民主主義社会であり、そこでは従来の意味での闘争や労働は不必要になり、革命闘争のさなかには可能だったように、自由かつ人間的な状態へと戻ることはすでにできなくなってしまうのだ。(23)

いま彼らは、安定した民主主義社会という約束の地にさえたどりつけば、今日のルーマニアや中国に存在する多くのニーズや欲望が満たされて「幸福」になれると想像している。そしていつかは、皿洗い機やビデオテープレコーダーや自家用車がもてる日もくるだろう。だが、彼らは自分自身にも満足するのだろうか？　それよりむしろ人間の満足は、幸福とは逆に、目標それ自体からではなく、それに向かって闘争や労働を重ねていく過程から生まれるのだということがつまびらかにされていくのではなかろうか？

ニーチェのツァラトストラが「最後の人間」について群衆に語ったとき、騒ぎが起きた。「われわれにその『最後の人間』を与えよ、おお、ツァラトストラ！」「われわれをしてその『最後の人間』となさしめよ」群衆はそう叫んだのだ。

「最後の人間」の人生とはまさに西欧の政治家が有権者に好んで与える公約そのもの、つまり肉体的安全と物質的豊かさである。これがほんとうに過去数千年にわたる人類の物語の「一部始終」なのだろうか？　もはや人間をやめ、ホモサピエンス属の動物となりはてた自分たちの状況に、幸福かつ満足を感じていることをわれわれは恐れるべきではないのか？　それとも、われわれがあるレベルでは幸福でありながらもう一方では自分に依然として不満を感じ、そのためにいまにも世界を戦争と不公正と革命に満ち満ちた歴史へ引き戻してしまう、そんな危険性があるのだろうか？

3 民主主義社会における「優越願望」のはけ口

リベラルな民主主義の信奉者にとって、ニーチェのたどった道にとことんついていくのはむずかしい。ニーチェは民主主義と、その土台をなす合理性への公然たる敵対者だった。彼は、弱肉強食を歓迎する新たな道徳、社会的不平等を強めるばかりか一種の残虐性さえ助長するような新たな道徳の誕生を望んでいた。正真正銘のニーチェ主義者たらんとすれば、心身ともに強靭でなくてはいけない。ニーチェは――部屋の暖房さえ拒んだため冬には指が土色に変わり、狂気に見舞われる数年も前から、割れるような頭痛に悩まされずにすむ日はほとんど十日に一日もなかったというニーチェは――慰安にも平和にも和らげられることのない生き方を指し示してくれている。

たとえニーチェの道徳観には反発したにせよ、一方でわれわれは彼の鋭い心理学的観察の多くをすんなりと受け入れることができる。強者に対し弱者が敵意を抱くがゆえに生まれた正義と罰への願望、同情や平等といった精神作用が衰弱していく可能性、あえて平和や安全を求めず、アングロ-サクソン的功利主義の伝統において理解されるような幸福に満足しない人間がいるという事実、闘争や冒険がいかにして人間の魂の一部を占めているかというからくり、他者より優れていたいという欲望と個人的な卓越や克己の可能性との関係――これらについてのニーチェの洞察はすべて、人間のおかれた状況の的確な反映と考えてもよいし、われわれはそれを、いま生きている社会のキリスト教自由主義の伝統を断つ必要なしに受け入れていけるのである。

実際、ニーチェは承認に対する欲望について語っているため、その心理学的洞察はわれわれにもなじみやすい。ニーチェの興味の中心は「気概」——物事や自分自身に価値をおく人間の能力——の未来についてであるといってもよいだろう。そして彼は、人間の歴史意識や民主主義の普及がこの「気概」を脅かすと考えていた。ニーチェの哲学が一般にヘーゲルの歴史主義を急進化したものと見なされているように、彼の心理学は、承認を強調したヘーゲルの主張をいっそうつきつめていったものととらえることができる。

リベラルな民主主義への嫌悪という点では、われわれはいまのところニーチェの考えに同調する必要こそないが、民主主義と承認への欲望とのあいだの関係がうまくゆかないことについての彼の意見は役に立つ。つまり、リベラルな民主主義が生活の場から「優越願望」をうまく追放し、それを合理的消費に置き換えていけばそれだけわれわれは「最後の人間」に近づいていくというわけだ。

だが、人はこうした意見に反発するだろう。それは要するに、普遍的で均質な国家のなかで誰もが画一化され、世界のどこへ行こうと他人と変わりばえがしないという発想への反発なのだ。人間はブルジョアよりもむしろ市民になりたがり、主君をもたない奴隷の生活——合理的消費の生活——に結局のところ嫌気がさしてしまう。たとえ最大の理想がこの地上ですでに達成されてしまったにせよ、人間はやはり生き甲斐となる理想、そして死をも賭けられるような理想を求めるだろうし、国際的な国家システムが戦争の危険性を一掃したとしても、人間はやはり生命の危険を冒したがるだろう。

この点こそ、いまだリベラルな民主主義が解決していない「矛盾」なのである。

歯止めのきかない「対等願望」が歴史に与える悪影響

長い目で見ればリベラルな民主主義は、過度の「優越願望」、あるいは過度の「対等願望」——平等に認められたいという熱烈な欲望——によって内側から覆される恐れがある。なかでも民主主義にとっていっそう大きな脅威となるのは最終的には「対等願望」である、というのが私の直観だ。歯止めのない「対等願望」にふけり、不平等を一つ残らず消し去ろうと血まなこになっている文明は、自然そのものが設けた限界にたちどころにぶつかるだろう。

われわれは、共産主義が国家の力で経済的不平等を全廃しようと試み、そのうちに現代的な経済生活の土台を切り崩してしまった時代の終わりに立っている。そしてもしも、近い将来に「対等願望」の情熱が燃えさかって、醜いものと美しいものとの区別が法律で禁じられたり、足のない人でも精神面だけでなく肉体的にも健常者と対等だなどという主張がまかり通ったなら、ついには共産主義同様みずからの首をしめる結果に終わるだろう。

だからわれわれはのうのうとしてはいられない。マルクス－レーニン主義の「対等願望」にもとづいた前提を完全に打ち破るまでには、一世紀半の時間が費やされたのだ。しかしながらこの点では、自然が味方してくれる。熊手をふるって自然を放り投げようとするのは勝手だが、それはすぐ手元に戻ってくるのである。

一方で自然は、今日の平等主義的、民主主義的な世界においてさえ「優越願望」をかなりの程度まで維持しようと企てるだろう。というのも、ある程度の「優越願望」が生活そのものにとって欠かせない前提条件だとするニーチェの主張はまったく正しいからである。

他人よりも優秀だということを認めてもらいたいと望む人間が一人もおらず、そういう欲望の本質的な健全さや価値を認めない文明からは、芸術も文学も音楽も学問もほとんど生まれないだろう。優秀な人間ほど大衆に奉仕する生活を選びたがらないため、統治も行き届かなくなるにちがいない。経済のダイナミズムがあまり発揮されず、そのため工芸や工業は百年一日のごとく単調なものとなり、科学技術は二流にとどまるだろう。そしておそらくいちばん決定的なのは、このような社会が、「優越願望」という偉大な精神を吹き込まれた文明、そして支配への情熱のために市民たちが進んで自分の楽しみや安全を犠牲にし、臆することなく生命を賭けるような文明に対して、みずからを守り得ないということだ。「優越願望」は、これまでもつねにそうだったように、道徳的には曖昧な現象である。「優越願望」からは、生活における善きものも悪しきものも同時に、しかも必然的に流れ出る。もしもリベラルな民主主義が「優越願望」によって覆されるとすれば、それはリベラルな民主主義が「優越願望」を欲しているためであり、普遍的かつ平等な承認という基盤に立つだけでは決して生き残っていけないからである。

したがって、アメリカのような現代のリベラルな民主主義国が、他人に対する自分の優秀さを認めてもらいたいと望む人々をかなり広く許容しているというのも驚くにはあたらない。「優越願望」を追放し、あるいはそれを「対等願望」に変えようとする民主主義の努力は、せいぜいうまくいっても中途半端に終わるのが関の山だった。そしてむしろ、民主主義の長期にわたる健全性と安定度は、「優越願望」が市民の役に立つような形での良質かつ多数のはけ口をもっているかどうかにかかっている。これらのはけ口は、「気概」にひそむエネルギーを引き出して生産的用途に振り向けるだけでなく、共同体を千々に引き裂きかねない過剰なエネルギーを断ち切るアース線の役割も果たしているのだ。

「優越願望」が育てる真の企業家精神

自由主義社会におけるこのようなはけ口のなかで何よりも大切なのは、企業家精神やその他の形をとった経済活動である。

労働はまずもって「欲求のシステム」——魂の「気概」の部分ではなくむしろ欲望の部分——を満たすためにおこなわれる。とはいえ、前に指摘したように、労働はじきに「気概」にとっての奮闘の舞台ともなる。企業家や産業資本家の行動は、たんに利己的な欲求の満足という問題としてはとらえにくい。資本主義は、ライバルに勝ちたいという企業努力における規律のある高尚な「優越願望」をたんに許しているだけではなく、それを積極的に求めているのである。

ヘンリー・フォードやアンドリュー・カーネギー、テッド・ターナーのような企業家のレベルに達した人間は、消費だけが目的で働いたりはしなくなる。家にせよ車にせよ妻にせよ、数えきれないほど手に入れることができてしまうからだ。もちろんこのような人々も、巨万の富を求めるという点では「貪欲」だが、その富は、個人的消費のための品物を得る手段というよりは、むしろ起業家としての能力の象徴あるいは勲章なのだ。

彼らは生命の危険を冒すことはないにせよ、自分の財産、地位、そして名声をある種の栄光のために危険にさらす。彼らは身を粉にして働き、ささやかな楽しみには目もくれず、もっと大きな無形の喜びを追い求める。その労働は往々にして、自然というもっとも過酷な主君さえ見事に支配してしまうような商品や機械を生み出すのだ。

そして彼らは、古典的な意味で公共心に富んではいなくても、市民社会が生み出した社会事業の世界には必ず参加する。したがって、シュムペーターが描いた古典的な資本主義的企業家はニーチェのいう「最後の人間」ではないのである。

アメリカのような民主主義的な資本主義国では、有能かつ野心的な人物は政界や軍隊や大学や教会ではなく、むしろビジネス界に入るのが当然とされている。しかも、このような野心家を生涯にわたって経済活動に縛りつけておけるというのは、民主政治の長期安定にとっても決してマイナスではない。それは、こういう人々の築いた富が経済全体をうるおすせいだけではなく、その当人たちを政界や軍隊から締め出しておけるからである。政治や軍事に手を染めると、彼らは自国での刷新や海外での冒険をもくろむまでおちおち休んでもいられなくなってしまうだろうし、そのために国家にとって悲惨な結果を招く恐れもあるのだ。

もちろんこのことは、情熱を利害によって制しようと望んだかつての自由主義の創始者たちの狙いどおりの結果にほかならない。スパルタやアテネやローマなど古代の共和制は、愛国心や公共心を生み出したとしておおいに賞賛された。これらの国家はブルジョアではなく市民を作り出したのである。ところがその後、産業革命に先立つ時代には、これらの市民は選択権をほとんどもっていなかった。商人の生活には栄光もダイナミズムもなければ、刷新も支配もない。父や祖父がやっていたのと同じ伝統的な商売や手工業をせっせと営んでいくしかなかったのだ。

野心家のアルキビアデスが政治の世界に入り、思慮深いニキアスの忠告をはねつけてシチリアを攻め、かえってアテネの国家に破滅をもたらしたというのもなんら不思議ではない。とはいえ近代自由主義の先駆者たちの考えからすれば、こうしたアルキビアデスの承認への欲望は、最初の蒸気機関やマイクロプロセッサーの製造に向けられていたかもしれないのである。

経済の世界で「気概」を発揮する可能性については、あまり狭くとらえるには及ばない。近代の自然科学を通じて自然を征服しようという企ては、資本主義的な経済世界と密接に結びついてきており、それ自体がきわめて「気概」に満ちた活動なのだ。

そこには、「ほとんど価値のない自然の物質」に精通したいという欲望も、ライバルの科学者やエンジニアより優秀であることを認めてもらいたいという努力もふくまれる。しかも科学という領域での活動は、科学者個人にとっても社会にとってもリスクからはなかなか逃れがたい。なぜなら自然は、核兵器とかエイズ・ウイルスの形をとって報復してくる危険性に満ちあふれているからだ。

民主主義下であるがゆえに実現される「野心」

民主主義的な政治もまた野心的な人物にとってのはけ口を提供する。

選挙制度を土台にした政治は、「気概」にあふれた活動分野である。というのもそこでは、候補者同士が、善悪や公正と不公正についての対立した見解をもとに大衆の承認を得ようと争っているからだ。だが、近代民主主義制度の枠組みをつくったハミルトンやマジソンのような人々は、政治につきまとう「優越願望」の危険性や支配への欲望が古代の民主制を破壊してしまった成り行きを承知していた。だから彼らは、近代民主主義の指導者のまわりに権力のチェック制度を二重三重に張りめぐらしたのである。

なかでもいちばん重要な制度は、もちろん人民主権である。現代の政治家は自分を主君ではなく公僕の筆頭とみなしている。[1] 相手が卑しかろうと高貴だろうと、無知であろうと教養があろうと、彼らは大衆の情熱に訴えなければならないし、当選してその役職にとどまるためには品位をおとしめるような振る舞いも数多くこなす必要がある。その結果、現代の指導者は統治者とは名ばかりの存在になっている。彼らは反応し、管理し、舵取りをするが、さまざまな制度によって活動分野が限られているため、自分が治める人々に個人的な印象を刻み込むのはむずかしいのだ。

そのうえもっとも発達した民主主義国では、共同体の統治にかかわる大きな懸案事項はすでに解決されてしまっている。そうした事情は、アメリカでも他の諸国でも政党間に現状における政策的相違点があまりなく、しかもその相違がいっそう狭まりつつあることに反映されている。世が世であれば奴隷を支配する者や政治家になろうと望んだはずの野心家たちが、民主主義の政治にただちに強い魅力を感じるかどうかといえば、そこには疑問が残る。

民主主義国の政治家が他の職業ではほとんど手に入らないほどの承認をいまでも得られるのは、主として外交の分野である。外交は昔から重大な決断の下される舞台であり、また民主主義の勝利によっていまではスケールが限られてきたにせよ、伝統的に大きな理想同士がぶつかりあう場なのだ。

第二次世界大戦のあいだじゅう祖国の水先案内人をつとめたウィンストン・チャーチルは、民主主義以前の時代の政治家にひけをとらない統治手腕を示し、広く世界的に認められた。ジョージ・ブッシュは内政では首尾一貫せず手詰まり状態にあったが、そんな政治家でさえ、憲法で委譲された権限、国家の長であり軍の最高司令官であるという権限を行使すれば世界の舞台に新しい現実を作り上げることができるという事実を、一九九一年の湾岸戦争は示してくれた。

ここ数十年、大統領職から著しく栄光を奪い去るような失政に及んだ政治家は幾人もいたが、戦争での勝利という大統領ならではの成功は、いかに功なり名をとげた産業資本家や企業家でも手の届かないものである。だからこそ民主政治は、他人より偉いと認められたいと願う野心的な人物を今後も魅了しつづけるだろう。

大きな歴史世界が脱歴史世界と共存している現状を考えると、相変わらず闘争や戦争や不正や貧困が渦巻いている歴史世界は、ある種の人々をこれからもとらえて放さないはずだ。

オード・ウィンゲートは、二つの世界大戦のはざまの時期にイギリスで暮らす自分を不平家のアウトサイダーと感じていたが、のちにはみずからパレスチナでユダヤ人軍隊の組織化を支援し、エチオピア人がイタリアから独立を求めた闘争にも手を貸した。一九四三年、対日戦争中のビルマの密林の奥地で飛行機が墜落し命を落としたが、それは彼にふさわしい最期であった。レイジース・ドブレの場合は、繁栄をとげ中流階級化したフランスにおいては「気概」を発揮する場を何ひとつもてなかったが、ボリビアのジャングルでチェ・ゲバラとともに戦うなかで、そのはけ口を見出すことができたのである。

このような人々のエネルギーと野心を吸い取ってくれる第三世界の存在は、リベラルな民主主義国にとってはおそらく精神衛生上ありがたい話なのだろう。もっとも、それが第三世界にとってよいことかどうかは別問題であるが。

経済の分野や政治の世界はさておき、「優越願望」はスポーツや登山、カーレースなど純粋に形式的な活動にもますます多くのはけ口を見出している。スポーツ競技では、勝者と敗者を決定すること——言い換えれば卓越したスポーツマンとして認められたいという欲望を満たすことだけが「ポイント」であり目標なのだ。競技のレベルや様式は、あらゆるスポーツのルールと同じように、まったく恣意的なものである。

アルプス登山というスポーツを考えてみると、そこに参加するのはほとんどつねに繁栄した脱歴史諸国の人間である。肉体を鍛えぬくため、彼らはたえず訓練を積まねばならない。フリーのソロ・ロッククライマーは上半身があまりにも発達しすぎているため、注意を怠ると筋肉の力で腱が骨から剝離してしまいかねないのだ。

またヒマラヤ登山家は、ネパールの山の麓の小さなテントのなかで下痢や暴風雪(ブリザード)の期間を乗りきらなくてはいけない。標高四千メートル以上の山での遭難率は非常に高い。毎年十数名もの登山家が、モンブランやマッターホルンの峰で死んでいる。要するに登山家は、かつての歴史に起きたあらゆる戦いの状況――危険、病気、艱難辛苦、そして最後には暴力的な死への賭け――をみずから再現してきたのだ。

とはいえその「目標」は、いまや歴史上の戦いの目標とは似ても似つかないような完全に形式的なものになっている。たとえば彼らはK2やナンガ・パルバットに登るアメリカ人第一号やドイツ人第一号になろうとし、それが達成されると次は初の無酸素登頂をめざすという具合である。

脱歴史世界のほとんどのヨーロッパ諸国では、軍備競争に代わってサッカーのワールドカップがナンバーワンめざして奮闘する国家主義者たちのはけ口になっている。コジェーブの目標は、かつて本人が語ったようにローマ帝国の復活、ただし今度は多国籍サッカーチームとしてのローマ帝国の復活にあった。

アメリカでもっとも脱歴史的な地域であるカリフォルニアで、ブルジョア的存在の安楽を振り払う以外なんら意味もないきわめて危険なレジャー活動――ロッククライミング、ハンググライディング、スカイダイビング、マラソン、トライアスロン等々――を人々が憑かれたように追い求めているのは、おそらく偶然ではないだろう。戦争という伝統的な戦いが成立しなくなり、物質的繁栄の広がりによって経済競争が不要となった世界では、「気概」に満ちた人々は承認を手に入れるため永遠に満ち足りることのない代償行為を探しはじめているのだ。

日本のなかの「歴史の終わり」とその後

コジェーブはヘーゲルについての講義録の脚注で、人は人間であることをやめて動物性に戻るだろうとの見解を述べていた。だが、一九五九年に日本を訪れてこの国に魅せられてしまった結果、彼は同じ講義録にアイロニーに満ちたもう一つの脚注を加え、自分としては先の見解の訂正を強いられたと語っている。

コジェーブによれば、日本は「十六世紀における太閤秀吉の出現のあと数百年にわたって」国の内外ともに平和な状態を経験したが、それはヘーゲルが仮定した歴史の終末と酷似しているという。そこでは上流階級も下層階級も互いに争うことなく、過酷な労働の必要もなかった。だが日本人は、若い動物のごとく本能的に性愛や遊戯を追い求める代わりに――換言すれば「最後の人間」の社会に移行する代わりに――能楽や茶道、華道など永遠に満たされることのない形式的な芸術を考案し、それによって、人が人間のままでとどまっていられることを証明した、というわけだ。(2)

茶道は、何か明確な政治あるいは経済上の目的に奉仕しているわけではない。しかも時代とともに、その象徴的な意味さえ失われてきた。それでもなお茶道は、純粋な貴族崇拝（スノビズム）という形をとった「優越願望」の活躍の舞台である。茶道や華道ではさまざまな流派が互いに競い合い、それぞれが師匠と弟子と伝統、そして出来ばえのよしあしの規範をもっている。まさにこうした営みにおける形式主義――スポーツ同様、いかなる功利主義的な目的とも無縁の新しい規則と価値の創造——こそがコジェーブに、歴史が終末を迎えたあとでさえすぐれて人間的な活動が存在する可能性を示唆したのである。

コジェーブは、日本が西洋化する代わりに（ロシアもふくめた）西洋が日本化していくだろうと冗談めかした口調で述べている（そしてコジェーブのいわんとした意味ではないにせよ、いまでは西洋の日本化がかなり進行中だ）。言い換えると、大きな懸案事項をめぐる戦いにほとんど決着がついてしまった世界では、純粋に形式的なスノビズムが「優越願望」の、すなわち同僚よりも優秀だということを認めてもらいたいという人間の欲望の主要な表現形態になるというのである。(3)

アメリカでは功利主義の伝統のおかげで、芸術においてさえ純粋な形式主義を採用するのはむずかしくなっている。芸術家たちは、自分が美的価値の世界にかかわっているだけでなく、社会的にも責任を担っていると考えるのが好きなのだ。だが歴史の終わりとは、何にもまして、社会的に有用と見なされがちなあらゆる芸術が幕を閉じ、ひいては芸術的活動が伝統的日本芸術の空虚な形式主義に下降していくことを意味しているのである。

以上が、現代のリベラルな民主主義社会における「優越願望」のはけ口である。他人より優れていることを認められるための努力や奮闘は人間生活から消え去っていないが、そのあらわれ方や程度は変わってきた。いまや「優越願望」に満ちた人間は諸外国の国民や土地を征服して承認を求めるのではなく、むしろアンナプルナやエイズやX線リトグラフの征服を試みる。

実際のところ、今日の民主主義国でほとんど唯一禁じられているのは、政治的独裁をもたらすような「優越願望」である。このような民主主義社会とそれ以前の貴族制社会との相違は、「優越願望」が駆逐されたというところにではなく、それがいわば地下に追いやられたという点にある。

民主主義社会は、万人が平等につくられているという命題に身も心も捧げているし、平等の気風がこれらの社会を支配してもいる。他人より優れていることを認められたいと願うことを誰も法律で禁じられてはいないが、かといって誰もそうせよと奨励されているわけではない。したがって、現代の民主主義諸国に生き残っている「優越願望」のさまざまなあらわれは、おおやけに謳（うた）われている社会の理想とのあいだに一種の緊張状態をかもしているといえよう。

4 自由主義国家が生み出した「リバイアサン（大怪物）」

大統領選挙やエベレスト征服が人間の野心的な本性に訴える一方で、現代生活には、承認への欲望に対してもっとありきたりな満足を与えてくれる場所がある。それは共同体（コミュニティ）、つまり国家より一段下に位置する団体生活である。

トクビルやヘーゲルは、近代国家において公共心を育てる場の中心として団体生活を重要視していた。現代の民族国家では、大衆の市民権は一般に数年おきにおこなわれる議会代表の選挙で行使されるのが関の山だ。政治というのは個人とは距離のある非個人的システムであり、そのプロセスに直接参加できるのは、選挙への立候補者か選挙スタッフ、または政治をなりわいとしているコラムニストや論説記者に限られてしまう。このことは、古代の小規模な共和政体が政策決定から軍役にいたる共同体の生活にほぼすべての市民の積極的な参加を要求したのときわめて対照的である。

現代において市民権はいわゆる「仲介機関」――政党、民間会社、労働組合、市民団体、専門組織、教会、ＰＴＡ、学校の理事会、文芸団体など――を通じてもっとも有効に活用されている。このような市民団体を通して人々は自分の殻を脱ぎ捨て、自分だけの利己的関心事の世界から一歩外へ踏み出すのだ。

われわれの通例の理解によればトクビルは、よりハイレベルの民主政治のための学校として団体生活が役立つと論じたことになっている。だが彼は団体生活それ自体の価値も認めていた。なぜならそれは、民主主義的人間がたんなるブルジョアに堕するのを防ぐからである。民間団体は、それがどんなに小規模なものであれ一つの共同体を形成しており、人々がいっそう大きな計画のためにそれぞれの利己的な欲求を犠牲にして努力するという「理想」の役割を果たしている。アメリカの団体生活は、プルタルコスが賞賛した偉大な徳行や自己犠牲を要求しているわけではないが、もっと大勢の人々がおこない得る「毎日のささやかな自己犠牲行為」をもたらしてはいるのである。(1)

プライベートな団体生活は、大規模な現代民主主義社会のたんなる一市民であること以上に、人々にもっと直接的な満足を与えてくれる。国から認められるというのはどうもよそよそしい印象がつきまとうけれども、それとは逆に共同体の生活では、利害関係や往々にして価値観、宗教、人種などを共にする仲間から個人として認められる。共同体のメンバーは、たんにその当人の普遍的な人間性にもとづいてではなく、自分という存在を作り上げているさまざまな個人的特質のゆえに認められるのだ。戦闘的な労働組合や地域の教会、禁酒同盟、女権拡張組織、あるいは癌撲滅団体のメンバーは、自分がその一員であることに日々誇りを抱くが、このような団体ではその構成員を個人的な形で「承認」しているのである。(2)

だが、トクビルのいうように強固な共同体生活が民主主義にとっては市民を「最後の人間」にさせないための最良の保証だとしても、その生活は現代社会のなかではつねに脅威にさらされている。しかも、意義深い共同体建設の可能性を脅かしているのはその外からの圧力ではなく、共同体の土台であると同時にいまや世界のいたるところに広まりつつある自由と平等の原理そのものなのだ。

民主社会の極端な細分化を防ぐ「防波堤」

アメリカ合衆国建設の基盤となった自由の理論のアングロ－サクソン的解釈によれば、すべての人間は自分の共同体に対して完全な権利をもってはいるが、完全な義務はもたない。義務が不完全であるのは、それが権利から派生しているためだ。共同体は権利を守るためだけにある。それゆえ道徳的な義務は契約上のものでしかない。義務が生じるのは、神や永遠の生命への畏怖や宇宙の自然律のためではなく、他者との契約を果たそうとする契約者の利己的な願望からである。

共同体の可能性は、長い目で見れば、平等という民主主義的原理によっても弱められてしまう。仮にもっとも強固な共同体同士が互いに、その構成員にとっての善悪を決定するある種の道徳律によって結びつけられていれば、その同じ道徳律が共同体の内も外もひっくるめてすべてを決定づけていくようになるだろう。そしてこの道徳律になんらかの意味があるとすれば、それを進んで受け入れようとしなかったために共同体から締め出された人間は、その共同体の構成員たちとは違った価値観や道徳的立場を持ち合わせているにちがいない。

ところが民主主義社会は、生活上のあらゆる選択肢を単純に許容する段階から、その社会の本質である平等を擁護する方向へとたえず進んでいきがちだ。民主主義社会は、特定の選択肢の価値や有効性を認めないよう道徳主義に抵抗する。それだからこそ、強固で団結力のある共同体が引き起こす排他的行為と反目し合うようになるのである。

私欲一辺倒で結びついている共同体は、絶対的な義務で結びついている共同体にくらべて明らかに弱さをもっている。家庭はもっとも基本的なレベルの共同生活体でありながら、多くの面でもっとも重要なものである。

トクビルは家庭を民主社会の極端な細分化傾向を防ぐ防波堤とは考えていなかったようだ。それはおそらく彼が家庭を自我の延長ととらえ、あらゆる社会に当然あってしかるべきものと見なしていたためだろう。しかし多くのアメリカ人にとって家庭は、それがいまや大家族ではなく核家族化したにせよ、彼らが知っている唯一の共同生活あるいは共同体の形態である。大いに軽蔑の的とされた一九五〇年代の郊外のアメリカ家庭は、それなりにある種の道徳生活の場であった。というのもアメリカ人は、たとえ国家のため、あるいは大きな国際的大義のために戦ったり、犠牲を払ったり、試練に耐えたりはしなかったにせよ、往々にして自分の子供のためにはそういう行動をとったからである。

だが、家庭が自由主義的な原理にもとづいているとすれば、つまりその構成員たる家族の一人ひとりが家庭を義務や愛情の絆を土台としてではなく実利のために形作られる一種の株式会社と考えているとすれば、家庭はほんとうの意味では機能しない。育児や結婚生活の続く一生は、損得勘定の面から見れば不合理な自己犠牲を強いるものである。なぜなら家庭生活の真の恩恵は、もっとも苛酷な義務を背負った者にもたらされるのではなく、子から孫へと手渡されていく場合のほうが多いからだ。

現代のアメリカ家庭が抱えるさまざまな問題――高い離婚率、親の権威の失墜、子供の離反など――はまさに、その構成員が厳格な自由主義的原理に接近しているという事実から生じる。つまり、家族としての義務がそのメンバーの予期した以上の負担になると、人は家族の一員としての契約条項を破棄しようとするのである。

最大の団体、つまり国家そのもののレベルでいえば、自由主義の原理は、その共同体の生存自体に不可欠な最高度の愛国心を破壊しかねない。それは、広く認められているように、合理的な自己保存の原理だけで成り立っている国家のために死ぬ人間など一人もいないというアングロ－サクソン的な自由主義理論の欠陥のためである。

人間は財産や家族を守るためにみずからの生命を危険にさらすものだという議論は、究極のところでは間違っている。というのも、自由主義的な理論によれば、財産は自己保存のためだけに存在し、それ以外の目的のためにあるわけではないからだ。だから人は、その気持ちがあればいつでも家族や財産もろともに自分の国を捨てたり、徴兵を免れたりできる。自由主義諸国の市民の全員が兵役を逃れようとするわけでないのは、彼らが誇りや名誉といった要因に動かされている事実の反映なのだ。そして誇りという特質は、衆知のごとく、自由主義国家によってもたらされたリバイアサン（大怪物）に抑えつけられる宿命だったのである。

資本主義経済のダイナミズムと未来社会

強固な共同体生活は、資本主義市場からの圧力によってもその存続を脅かされている。自由経済の原理は、伝統的な共同体をなんら支えてはくれない。逆にその共同体を極端に細分化し解体させるおそれがある。労働の流動化や教育への需要の高まりにつれ、現代社会の人々は自分が育ち、あるいは代々住み慣れた共同体にしがみついて暮らす度合いが減っていく(3)。

資本主義経済のダイナミズムとは、生産の場所と形態のたえまない変動、そして労働のたえまない変化を意味し、そのために人々の生活や社会的つながりはますます不安定になってしまう。このような状況のもとでは、人々が一つの共同体に腰をすえ、仕事仲間や隣人と末長くつきあっていくのはますます困難になる。人はつねに新しい町で新しい生活設計を立てなければならない。地域性やローカリズムによってもたらされるアイデンティティは減少し、人々は家族という視野の狭い世界に引きこもりつつ芝生用の家具のごとくに転々と居場所を変えていくのだ。

自由主義社会とは対照的に、「善と悪とについての言葉」を共有する共同体は、私欲のみを分かち合う社会より強い絆で結びついているように思える。アジア諸国のさまざまな集団や共同体は、これらの国の精神的な自己修練と経済成長にとっても非常に大きな意味をもつように見えるが、これらの集団や共同体は私的な利害関係にある当事者同士の契約にもとづいているわけではない。むしろアジア文化の共同体志向は、宗教や、幾世紀にもわたって伝統的に受け継がれたおかげで宗教的な地位を占めるようになった儒教の教えに端を発している。同様に、合衆国にあるもっとも強固な共同体生活の形態も、合理的な私欲というより、むしろ共通の宗教的価値観に根ざしている。ピルグリム・ファーザーズなどニューイングランドに定住したピューリタン社会は、みずからの物質的福利のためではなく、神の栄光をたたえるという共通の関心のために一つに結びついていた。

アメリカ人は自由への希求心の起源を、十七世紀ヨーロッパの宗教的迫害から逃れた非国教徒派に求めがちである。しかしこのような宗教上の共同体は、気質においては自主独立心がきわめて旺盛だったにせよ、革命を自由主義の発現として理解した世代にくらべればまったくといってよいほど自由ではなかった。

彼らはみずからの宗教の実践のために自由を求めたのであって、宗教そのものの自由を求めたのではなかった。今日、われわれはピューリタンを不寛容で偏屈な狂信者と見なしがちだし、現にそうしている場合が多い[4]。トクビルが合衆国を訪れた一八三〇年代にはロック流の自由主義がすでにこの国の精神生活を支配していたが、彼の観察した市民団体の大多数はその根底に宗教を色濃く残し、あるいはさまざまな宗教上の目的をもっていたのである。

もっとも純粋な「自由主義」の持つ弱点

ジェファーソンやフランクリンなどアメリカ独立革命を起こしたロック流の自由主義者にせよ、リンカーンのような自由と平等の熱烈な信奉者にせよ、自由には神への信仰が欠かせないと説くのになんのためらいももたなかった。言い換えると、私益にもとづく個人間で交わされる社会契約はそれだけで独立してはおらず、それを補うものとして神からの報償や罰への信仰を必要としたのである。

今日、われわれはより純粋な形での自由主義と見なされるものに向かって進んできている。最高裁判所では、特定の宗派によらない「神への信仰」一般に対しても無神論者の感情を害しかねないとの理由から、公立の学校では許されないとの判決を下した。宗教的寛容を配慮することによって道徳主義や宗教的狂信主義が下火になっている状況のもとでは、そしてまた、世界じゅうのあらゆる信仰と「価値体系」に門戸を開こうとする圧倒的な熱意のおかげで逆に特定の教義を信仰する余地すら狭められてしまうような風潮のもとでは、アメリカの共同体生活の力が衰えてしまったのも不思議ではない。

このような力の衰えは、自由主義の原理があるにもかかわらず起こるのではなく、まさに自由主義原理があるからこそ生じるのだ。それは、個々人が自分の権利の一部を共同体に返上し、その代わりに過去にあった一定の宗教的不寛容を受け入れないかぎり、共同体生活の抜本的な強化はあり得ないということを示している。[5]

言い換えれば、リベラルな民主主義国家はそれだけでは完全なものとはいえないのである。そのような国家の土台となる共同体生活は、究極のところでは、自由主義そのものとは異なったルーツをもっている。[6] 合衆国建国当時、アメリカ社会を作り上げた男たちや女たちは、孤立して私益ばかりを計算する合理主義的な個人ではなかった。むしろ彼らのほとんどは、道徳観念や信仰をともにする宗教的共同体の一員だった。彼らが最後にはようやく受け入れた自由主義は、それ以前からあった文化の投影ではなく、そうした既存文化とのある種の緊張関係をもって存在していたのである。

「正しく理解された自己利益」は、アメリカの公共の美徳の単純ではあるがゆるぎない土台をなす原則として、そしてまた多くの場合には、宗教や前近代的な価値観に訴えただけでは築き得ない確固とした土台をなす原則として、広く受け入れられるようになってきた。とはいえ、長い目で見るとこのような自由主義的な原理は、強固な共同体を維持するのに欠かせない自由主義以前の諸価値を侵食し、ひいては自由主義社会の自己を維持する能力をも蝕んでいくことになったのである。

5 「歴史の終点」には何があるのか

共同体生活が衰退するにつれ、将来のわれわれはプライベートな慰安を求めるだけで、より高い目標への「気概」あふれる努力を忘れ、心配事もなく自分のことだけに夢中な「最後の人間」となってしまう恐れがある。しかし、それとは逆の危険性も存在する。つまり、人々がまた「最初の人間」に戻って、今回は近代的な武器を用いるというだけの違いがあるにせよ威信を求める戦いにむだな血を流すのではないかという危険性である。そして実際のところ、この二つの問題は互いに関連し合っている。なぜかといえば「優越願望」は、定期的で建設的なはけ口をなくしてしまうと、しだいに過激で病的な形をとって再燃していくためだ。

はたして人々は誰もが、自己充足的で繁栄を誇るリベラルな民主主義国において許される苦闘や自己犠牲は人間のなかの最高のものを呼び起こすのに十分である、と信じていけるのだろうか？　それは大いに疑問である。仮に人がドナルド・トランプのような土地開発業者やラインホルト・メスナーのような登山家やジョージ・ブッシュのような政治家になってしまえば、まだ汲みつくし得ない理想主義——いやそれどころか手も触れられていないような理想主義——はもう残されていないものなのだろうか？

もちろんこういう人物になるのは多くの面でむずかしいことではあるし、彼らはその名声を広く認められてもいる。にもかかわらず、彼らは最高に困難な人生を送っているわけではなく、彼らが身を捧げている大義は、もっとも重要なものでも、もっとも正当なものでもない。そしてそのかぎりにおいて、彼らが指し示す人間の可能性は、「気概」に満ちた人間を最終的には満足させないだろう。

なかでも、戦争によって呼び覚まされる美徳や野心は、リベラルな民主主義社会のなかではうまく表現されにくい。たしかに比喩的な意味での戦争は今後もたくさんあるだろう――会社乗っ取りを専門に扱う企業弁護士たちは自分をサメか殺し屋と思い込み、トム・ウルフの小説『虚栄の篝火(かがりび)』に登場するような株の投機屋は自分を「宇宙の支配者」と見なしている（もっとも彼らがそう感じるのは、上げ相場のときだけだ）。だが彼らはＢＭＷの柔らかな革張りシートに身を沈めながらも、心のどこかで、世界には本物の殺し屋や支配者がいること、そしてそういう連中は現代アメリカで富や名声を得るには欠かせないちっぽけな美徳をあざ笑っていることを悟るにちがいない。

「優越願望」がいつまで比喩的な戦争や象徴としての勝利に満足していられるのか――それはいまだ解決されていない問題である。歴史の始まりの時点で人間を成り立たせていた行為そのものによってみずからを証明しないかぎり満足しないという人間もなかにはいるのかもしれない。そういう人々は暴力的な戦いに生命を賭け、自分と仲間に対してみずからが自由であることを一点の曇りもなく証明したがるだろう。自分で自分を尊重できること、そして自分が人間らしい存在であることをはっきり証明するための唯一の手段が苦痛であるという理由で、彼らは故意に不快や犠牲を追い求めるのだ。

平和と繁栄にあえて反旗をひるがえす人間の存在

ヘーゲルは――この点では彼の理解者コジェーブとは反対に――人間としての自分に誇りを感じたいという欲求は歴史の終点における「平和と繁栄」によっては必ずしも満たされない、と考えていた。(1) 人は市民からただのブルジョアに身を落とす危険にたえずつきまとわれ、そのうち自分自身に軽蔑の念を抱くだろう。市民としての究極の試練は祖国のために進んで死ぬことであったし、それはこれからも変わらない。だからこそ国家は兵役を必要とするし延々と戦いつづけていかねばならない、というのである。

ヘーゲルのこのような考え方が、彼は軍国主義者であるとの批判をもたらした。だがヘーゲルは、戦争のための戦争を決して讃えはしなかったし、戦争が人間の主要な目標だとも思っていなかった。戦争は人格や共同体に二次的な影響を与える意味で重要なものとされたのだ。ヘーゲルは、戦争の危険性や戦争につきものの犠牲がなくなれば人間は軟弱になり自分のことにばかりふけるようになってしまう、と考えた。そして社会は利己的な快楽主義の泥沼と化し、共同体は最後には解体してしまう。

人間の「主君であり支配者、すなわち死」への恐怖は特別な力をもっており、人々を自分の殻から外へと引きずり出しながら、彼らが孤立した原子のような存在ではなく理想を分かち合った共同体の一員であることを思い出させてくれる。同じリベラルな民主主義でも、みずからの自由と独立を守るためにほぼ毎世代ごとに短期間の断固たる戦争をおこなえる社会は、平和だけがだらだらと続く社会よりはるかに健全で、満ち足りたものになるだろう。

こうしたヘーゲルの戦争観は、よくありがちな戦闘体験を反映している。というのも戦いにおいて人はたしかにひどい苦しみを味わうが、恐怖や悲惨はほとんど感じず、もし生き残ったとすれば、この経験のおかげで戦争以外の物事をすべてある視点から眺めるようになるからだ。こういう人間にすれば、民間人の生活のなかでは一般に英雄主義とか犠牲とか呼ばれるものがまったく瑣末事に思え、友情や勇気といった言葉が新たな、より鮮明な意味を帯びてくる。そして、自分の存在よりはるかに大きな何かに参加したという記憶が、彼らの生活を変えてしまうのだ。ある作家は近代におけるもっとも血なまぐさい悲惨な戦いの一つ——アメリカ南北戦争——の終結についてこう記している。

「北軍の古参兵の一人は同僚の兵士たちとともに帰郷したが、軍隊というものが人々の心のなかに溶け込んでいくにつれ、周囲にどことなくなじみがたい自分に気がついた。兵士たちはあらゆる場所に行き、あらゆるものを見てしまったのだ。生涯最大の体験は終わりを告げたが、これからもなお、自分は人生の大半を生きていかねばならない。波乱のない平和な日々に共通の目的を見出すのは至難の業だろう……[2]」

もしも世界がリベラルな民主主義によって、いわば「飽和状態」になってしまったとすれば、戦いを挑むにふさわしい専制や抑圧はもはや存在しないのではあるまいか？　経験の指し示すところによれば、正義がそれ以前の世代にすでに勝利を収めたおかげでその正義のために戦うことができないとすれば、人々は今度は正義に対して戦いを挑むだろう。彼らは戦いのために戦う。言い換えれば、退屈から抜け出すために戦うのだ。なぜなら人間は、戦いのない世界での生活など想像もできないからだ。人々の住む世界の大半が平和で繁栄したリベラルな民主主義になったならば、彼らは平和と繁栄に対して、そして民主主義に対して、反旗をひるがえすようになるだろう。

このような心理は、一九六八年のフランス五月革命（エベンモン）のような暴動の背後にも働いていることが見てとれるだろう。一時パリを占拠しドゴールを窮地に追い込んだ学生たちは、反乱の合理的な根拠などひとかけらも持ち合わせていなかった。彼らのほとんどは、世界でもっとも自由な、そして繁栄した社会のなかで甘やかされて育ってきたのだ。だが、まさにその中産階級生活における戦いや犠牲の欠如こそが、学生たちを街頭に連れ出し、警官隊と衝突させたのである。

彼らの多くは、毛沢東主義のような役にも立たない生齧り（かじり）の理念に毒されながらも、よりよい社会についてのとくに一貫したビジョンは抱いていなかった。しかしながら、学生たちにとって抗議の本質などさして問題ではなかった。彼らは、理想をもつことさえどうにもかなわなくなってしまった社会生活を拒絶したのである。

過去には、平和と繁栄のもたらす退屈がはるかに深刻きわまる事態を招いてきた。第一次世界大戦を例に挙げてみよう。今日でも、この戦争については複雑な要因がからみ合っているとされ、多くの研究や論争が重ねられている。大戦勃発の理由としては、ドイツでの軍国主義や国家主義の隆盛、ヨーロッパの力の均衡の段階的な崩壊、同盟体制のいっそうの強化、外交理念や科学技術の進歩をふまえた占領・侵略政策の推進、そして各国指導者の愚劣さと無謀などの解釈があり、どの説も正しい要素をふくんではいる。ただしそれに加えて、戦争をもたらしたもう一つの、漠然としてはいるが決定的な要因があったのだ。ヨーロッパ人の多くは、単調な毎日と市民生活における共同体の欠如にすっかり飽きており、ただそれだけの理由で戦争を求めたのだ。

戦争へいたる決断についての説明のほとんどは、もっぱら理性的な権謀術数の面に向けられ、あらゆる諸国を国家総動員体制へと押しやった大衆の途方もない熱狂ぶりを見逃している。サラエボで起きたフランツ・フェルディナンド皇太子暗殺事件を受けてオーストリア＝ハンガリー政府がセルビアに過酷な最後通牒を突きつけたとき、ドイツはその抗争になんら直接的な関係がなかったにもかかわらず、ベルリンではオーストリア＝ハンガリー帝国を支持する市民が狂喜して歓迎の意をあらわした。一九一四年の七月下旬から八月初旬までの危機的な七日間には、外務省と皇帝（カイゼル）の私邸の前で国粋主義者の大規模なデモが行われた。七月三十一日にポツダムからベルリンに戻った皇帝は、戦争を求める群衆に車の行列ごと巻き込まれてしまった。こういう雰囲気のなかで宣戦布告の決断は下されたのである。[3]

同じような光景はその翌週のパリやペトログラード、ロンドン、ウィーンでも見られた。群衆の熱狂ぶりには、戦争によってついに国民的結束や市民としての生き甲斐が得られたという感情、そして市民社会の特徴である資本家とプロレタリアート、プロテスタントとカトリック、農民と労働者のあいだの壁が取り払われたという感情が色濃く反映していた。ベルリンの群衆のなかに漂うその感情を、目撃者の一人はこう評している。

「顔見知りの人間は誰もいなかった。それでも全員が一つの熱い感情をともにしていた。戦争だ、戦争だ、そして誰もが一つに結ばれたのだ。[4]」

「弱肉強食」を正当化する原理

一九一四年のヨーロッパは、大陸を席捲した最後の大戦争がウィーン会議によって終結して以来百年間の平和を体験していた。その一世紀に、ヨーロッパの工業化にともなって近代科学技術文明が花開き、たぐいまれな物質的繁栄がもたらされ、中流階級社会が出現した。一九一四年にヨーロッパ各国の首都で起きた戦争支持のデモンストレーションは、ある意味で、中流階級文明とその安定や繁栄、そして安穏とした日常に対する反乱とも受け取れる。日々の生活のなかにはびこる「対等願望」だけではもはや十分とは思えなかった。そして「優越願望」が大規模なスケールで再び姿をあらわしてきたのだ。それは君主個人の「優越願望」ではなく、みずからの価値と尊厳の承認を求める国家全体の「優越願望」であった。

とりわけドイツでは多くの国民が、戦争というものを、フランスとそのブルジョア社会の原型であるイギリスが作り上げた商業世界の物質主義に対する反逆と見なしていた。もちろんドイツにも、植民地政策や海軍政策からロシアの経済拡張の脅威にいたるまで、ヨーロッパの既存の秩序への不平の種は数多くあった。しかし、戦争に対するドイツのさまざまな弁明を読むと、植民地や公海の自由の獲得とはまったく無縁な一種の目的のない戦い、つまり精神純化の効果をもつような戦いの必要性を一貫して強調していることに驚かされる。

一九一四年九月、前線におもむく途上にあったある若きドイツ人法学生のコメントはその典型だ。彼は戦争を「恐ろしく、人間にとって一片の価値もなく、愚かで、時代遅れで、あらゆる意味において破壊的だ」と非難しながらも、最後には「大切なのはつねにおのれの身を捧げる覚悟であって、何に対して身を捧げるかではない」というニーチェ的な結論に達している[5]。この学生にとって義務とは、私益追求や契約上の拘束の問題として理解されてはいない。それは絶対的な道徳的価値観であり、物質主義や自然の決定論に対する精神の強さや優位性を示すものだった。義務とは自由と創造性の始まりだったのである。

リベラルな民主主義の懐に抱かれて成長した者が、将来その育ての親を相手に起こす虚無的な戦争に対して、現代思想はなんの歯止めにもなっていない。相対主義——あらゆる価値は相対的なものにすぎないと説き、いっさいの「特権的な見解」を攻撃する教義——は結局のところ、民主主義的で寛容な価値をも損ねるはめになる。相対主義という武器は、選んだ敵にだけ狙いをつけるというわけにはいかない。その銃は相手の見境もなく火を噴き、各種の「絶対主義」やドグマや揺るぎなき西欧的伝統の足元に弾丸を撃ち込むだけでなく、寛容や多様性や思想の自由に重きをおく伝統にも銃口を向ける。そしてもしも絶対的な真実が何ひとつあり得ないとしたら、もしもすべての価値がそれぞれの文化に応じて決定されるとしたら、人間的平等のようにこれまで育まれてきた原理もまた棚上げにせざるを得なくなってしまうにちがいない。

この点は、ニーチェ自身の考えにもっともよく示されている。真実など何ひとつないという人間の意識は脅威であると同時に一つの機会でもある、とニーチェは主張した。前に述べたとおりこのような意識は、一つの枠にはめられた生活の可能性を損なうという点で脅威である。しかしそれはまた、人間をそれ以前の道徳的束縛から完全に解放するという意味でチャンスともいえるのだ。

ニーチェにとって人間の創造性の究極の形態は、芸術ではなく、もっとも高貴なもの、つまり新しい価値の創造にあった。絶対的な真理や権利の可能性を信じる旧来の哲学のしがらみから自分を解き放った彼は、すぐさまキリスト教の価値をはじめとする「あらゆる価値の再評価」をみずからの目標にすえたのである。

ニーチェは故意に人間的平等の信念を覆そうと試み、そんな信念はキリスト教が植えつけた偏見にすぎないと論じた。そして、平等の原理がいつか弱肉強食を正当化する道徳にとって代わられることを望み、最後には、煎じつめると残忍性の原理とでもいえるものへの賛美に行き着いた。彼は多様性のある寛容な社会を憎み、逆に不寛容で本能的で無慈悲な社会——人間を血筋によって明確に区別しようとしたインドのカースト制、あるいは「なんの躊躇もなく庶民に恐ろしい爪を立てる」ような「金髪の猛獣」[6]——を好んだのである。

ニーチェとドイツのファシズムとのつながりについてはあれこれ議論が続いている。彼が国家社会主義の単細胞的教義の生みの親だなどという狭量な批判はさておくとしても、彼の思想とナチズムとの関係は偶然のものではない。ニーチェの相対主義は、その後継者マルティン・ハイデッガーの場合と同様、西欧のリベラルな民主主義を支えるあらゆる哲学的支柱をなぎ倒し、その代わりに力と支配の教義をおいた。[7]ニーチェは、自分もその開始に一役買ったヨーロッパにおけるニヒリズムの時代が、精神の「広漠たる戦い」すなわち戦争そのものの肯定のみをもくろむ無目的な戦いをもたらすだろう、と確信していたのである。

歴史を再出発させる最後の「エネルギー」

近代の自由主義は、「気概」からもっと確固とした欲望へ人間社会の基盤を移そうと企ててきた。リベラルな民主主義は一連の複雑な制度的取り決め――人民主権の原理、諸権利の確立、法の支配、権力の分散など――を通じて「優越願望」を抑制・昇華し、この問題を解決してきた。自由主義はまた、富の取得にまつわるあらゆる抑制から欲望を解放し、近代自然科学の形をとった理性とその欲望とを結合させることによって、近代経済世界の存立をも可能にした。ダイナミックで、無限に豊かな、新しい努力の領域が、突然、人間の目の前に開けたのである。アングロ‐サクソン流の自由主義理論によれば、怠惰な主君たちは虚飾の世界を捨て、経済界に新しい住処(すみか)を定めるべきだとされた。そして「気概」は、欲望と理性に、言い換えれば理性に導かれた欲望に従属することになっていた。

主君たるべき人が飼い慣らされ、経済的人間へ変身したことが近代世界に生じた抜本的な変化であるという点は、ヘーゲルも理解していた。とはいえ彼の認識によれば、それによって「気概」が消え去ったわけではなく、むしろ新たな、そして彼の信ずるところではより高い形へ姿を変えたのであった。少数者の「優越願望」は多数者の「対等願望」に道を譲らねばならないだろう。人は胸郭をもつのをやめはしないが、彼らの胸郭はもはやそのような圧倒的な誇りによって膨らみはしないのだ。

かつては、古い民主主義以前の世界に満足できなかった者が人類の大半であった。現代の普遍的な承認の世界のなかで、いまだ満ち足りずに残された者はそれよりはるかに数少ない。それが現代世界の民主主義のめざましい安定性と強さのゆえんである。

ニーチェのライフワークは、ある意味で、「優越願望」の方向への急激な揺り戻しをはかる努力と見ることもできよう。プラトンのいう守護者たちの怒りは、公共の善という概念によってなんら抑制されるべきものではなかった。公共の善などというものは存在せず、一つの善を定義しようとする試みはその定義をおこなう者の強さをあらわすにすぎなかった。そして公共の善は、「最後の人間」の自己満足を守る力すら失ってしまったのだ。もはや、善きにつけ悪しきにつけ訓練を受けた守護者たちはいなくなり、多かれ少なかれ怒れる者たちだけが残った。彼らは今後、主として怒りの強さ――つまり、自分の「価値観」を他人に押しつける能力――によって互いに区別されていくだろう。プラトンにとって「気概」は魂の三つの部分のうちの一つだったが、ニーチェにとってそれは、むしろ人間の全体となったのである。

振り返ってみると、人類の旧時代に生きるわれわれは次のような結論にたどりついているのかもしれない。いかなる政権も――いかなる「社会経済学的なシステム」も――あらゆる場所のあらゆる人間を満足させることはできない。そこにはリベラルな民主主義もふくまれる。それは、民主主義革命の不完全さ、つまり自由と平等の恩恵がまだすべての人々に行き渡っていないという理由のためではない。むしろ、民主主義がほぼ完璧な勝利を収めたところにこそ不満の声が生じてくる。それは自由と平等に対する不満の声だ。したがって、満たされぬままに残された人々はつねに歴史を再出発させる力を秘めているのである。

さらにいえば、合理的な承認という形態はまだ独り立ちしておらず、それが正しく機能するには前近代的な、普遍性のない承認の形態に頼らざるを得ないというのが実情のようである。民主主義の安定には、ときとして不合理な民主主義的文化や、自由主義以前の伝統から自然発生的に成長した市民社会が欠かせない。資本主義的な繁栄をもっとも促進するのは強固な労働倫理であり、そしてその倫理は宗教上の信仰やすでに死に絶えた信仰の亡霊に依存し、さもなくば国家や民族への不合理な情熱に頼っている。経済行為にとっても共同体での生活にとっても、普遍的な承認よりは集団内での承認のほうが役に立ち、しかも集団内の承認が結局は不合理なものだとしても、その不合理性によって当の社会が損なわれるまでには非常に長い時間がかかる。

だからここで問題になるのは、普遍的な承認が普遍的な満足をもたらさないという点ばかりではない。リベラルな民主主義の自己建設の能力、そして合理的な土台のうえにみずからを長期にわたって存続させていく能力が、なにがしかの疑念にさらされているのである。

歴史の「循環・横揺れ」ははてしなく繰り返される

アリストテレスによれば、歴史は永続的に進むのではなく、むしろ循環するものだとされた。なぜなら、いかなる政権もどこか不完全であり、そのために人々はいつも自分の暮らしている政府を何か違った形に変えたいと願うようになるからだ。そのあたりを考え合わせると、現代の民主主義にも同じことがあてはまるとはいえないだろうか？

アリストテレスにならって、われわれはこう仮定してもよいかもしれない。欲望と理性だけでできている「最後の人間」の社会はやがて、承認のみを追い求める獣のような「最初の人間」の社会に道を譲り、ついでその逆が繰り返され、そしてこの歴史の横揺れがはてしなく続いていく、と。

しかし、この二種類の人間の関係は対等とはいえない。ニーチェのたどった道を選択すれば、魂のなかの欲望の部分との絶縁を強いられる。放逸な「優越願望」をよみがえらせようとする試みがいかに恐ろしい結果を招くか、二十世紀はわれわれに教えてくれている。というのもわれわれはこの世紀のなかで、ある意味ではニーチェの予示した「広漠たる戦い」をすでに経験してしまったからだ。

戦争を待ち望む群衆は一九一四年八月、求めていた犠牲や危険やその他もろもろのものを手に入れた。だがそれに引き続く大戦の成り行きは、人格や共同体の形成という面でどんな副次的恩恵をもたらそうとも、それらが戦争の最大の帰結である破壊によって完全に台無しにされてしまうことを示した。血なまぐさい戦いにおける生命の危険は、二十世紀には一般市民にまで及ぶようになっていた。この危険は、もはやひときわすぐれた人間の称号ばかりではなく、大多数の男たち、ひいては女子供にまで押しつけられる体験となった。命を危険にさらしたからといって承認への欲望は満たされず、名も知られぬままの無目的な死があるばかりだった。

現代の戦争は、美徳や創造性を高めるどころか、勇気や英雄主義といった概念が意味するものへの大衆の信仰を損ね、戦争経験者に深い疎外感と没価値状態(アノミー)を植えつけた。もしも未来の人間が平和と繁栄に飽き飽きし、「気概」に満ちた新たな闘争や挑戦を求めていけば、いっそう恐ろしい事態を招くおそれがある。なぜなら現在、われわれは核兵器など、数百万の人間を名も知られぬまま瞬時に殺してしまう大量殺戮兵器を所有しているからだ。

歴史の復活と「最初の人間」への回帰を防ぐ防波堤の役目を果たしているのが、本書の第二部で述べた近代自然科学の堂々たるメカニズム、つまり制限のない欲望に駆り立てられ理性に導かれたメカニズムである。現代世界で「優越願望」が復活すれば、この強力かつダイナミックな経済世界との関係が断たれ、テクノロジー発展の論理が破綻してしまうことになるだろう。そのような破綻は、特定の時代の特定の場所で――ちょうどドイツや日本が国家的承認のためにみずからを犠牲にしたときのように――起こり得ることが証明されている。

とはいえ世界全体が、ある一定期間にわたってこうした破綻状態を保てるかどうかは疑問である。二十世紀前半の戦争でドイツと日本は、自国の優越性を認めさせたいという欲望に駆られながら、同時に、独自の新重商主義的な「生活圏」や「共栄圏」の支配によって自国経済の未来を安定させていけると信じていた。ところがその後の経験によって両国は、経済の安定は戦争よりも自由主義的な自由貿易を通したほうがはるかにたやすく手に入ること、そして、武力支配の道が経済的価値の完膚なきまでの破壊に通じていることを思い知らされたのである。

今日のアメリカを見回してみると、アメリカ人が「優越願望」の暴走という問題に直面しているような印象は受けない。大挙してロースクールやビジネススクールに通い、自分にふさわしいと信ずるライフスタイルを維持するためにせっせと履歴書の空欄を埋めているまじめな若者たちは、「最初の人間」の情熱を復活させるというより、むしろ「最後の人間」になってしまう危険のほうがはるかに高いように思える。人間の一生を物質的な獲得や、安全で周囲にも是認された野心によって満たしていくという自由主義のもくろみが、これらの若者にとっては十分すぎるほど功を奏しているようだ。平均的な新人弁護士をひと皮むけば、そこに満たされぬ大きな憧憬や不合理な情熱が秘められているなどとは、なかなか認めがたいのである。

脱歴史世界の他の地域でも事情は変わらない。一九八〇年代を通じて西欧諸国の指導者の大半は、冷戦や第三世界の飢饉の一掃、あるいはテロリズムに対する武力行使などの問題に直面しても、大きな努力や犠牲を払おうというそぶりさえ見せなかった。もちろん若い世代のなかには、ドイツ赤軍派やイタリアの赤い旅団に身を投じる狂信者もいたが、彼らは共産圏からの支援を頼りの少数過激派集団にすぎなかった。一九八九年秋の東欧での大激動後、かなり多くのドイツ人は、失うべきものがあまりに大きすぎるとの理由で、東西統一に疑念を表明した。以上の例はみな、がんじがらめに縛られ、予期せぬ新たな狂信主義の業火にまさに焼かれんとする文明の証ではなく、むしろ現状と未来に満足している文明の証だといえよう。

リベラルな民主主義にとっての「最大の脅威」

プラトンは「気概」を美徳の土台だとしながらも、「気概」そのものは善でも悪でもなく、それを公共の善に奉仕させるためには訓練が必要だと論じた。換言すれば、「気概」は理性によって支配されるべきであり、欲望の同盟者となるべきだというのである。公正な都市では、魂の三つの部分がことごとく満たされ、理性の導きのもとで均衡を保っている[8]。

最良の政体を実現するのはきわめてむずかしい。なぜならそのような政体は、人間の全体、つまり理性、欲望、そして「気概」を同時に満足させねばならないからだ。しかし、たとえ現実の政体が人間を完全には満足させられないとしても、最良の政体を考えておけば、現実に存在する政体を人が判断する際のものさしが与えられる。そして魂の三つの部分を同時に、しかも最高に満たしているのが最良の政体なのである。

このようなものさしにもとづいて、歴史上のさまざまな政体のうちで現代にも通用するものを比較すると、リベラルな民主主義が魂の三つの部分すべてにいちばん幅広い余地を提供しているように思われる。たとえリベラルな民主主義が理論上はもっとも公正な政体にあてはまらなくても、現実上はその資格がある。というのも、ヘーゲルがわれわれに教えてくれたように、近代の自由主義は承認への欲望を捨て去ったところに立脚しているのではなく、むしろその欲望がより合理的な形態へと変化したところに成り立っているからだ。

仮に「気概」が、それ以前にあらわれた形で完全に保存されてはいないとしても、それで「気概」が完全に否定されるわけではない。さらにいえば、「対等願望」だけを土台にした自由主義社会などは存在しない。自由主義社会はすべて、たとえおおっぴらに信じている原理とは相反することであっても、安全で飼い慣らされた「優越願望」をある程度までは容認せざるを得ないのである。

歴史的なプロセスが合理的な欲望および合理的な承認という二本の柱に支えられていること、そして現代のリベラルな民主主義がこの二本の柱のある種のバランスを保つのに最適な政治システムだということが正しいとすれば、民主主義に対する最大の脅威とは、ほんとうの意味で存続の危機にさらされているものは何かという点についてわれわれ自身の頭のなかが混乱していることにあるのだ。というのも、現代社会が民主主義に向けて進化してきた一方で、現代思想は袋小路に突きあたり、人間とその独自の尊厳を形作っているものは何かについて合意に達することも、ひいては人間の諸権利を定義することも不可能になってしまったからだ。

このことは一方で、平等な権利を認めさせたいという極度に肥大化した欲求にはけ口を与え、他方で「優越願望」の再解放へ道を開いていく。[9] 歴史が合理的な欲望と合理的な承認によって一貫した方向へ動かされているという事実にもかかわらず、そしてリベラルな民主主義が実際には人間のかかえる問題の最善の解決策であるにもかかわらず、このような思考の混乱は起こり得るものなのだ。

人類の乗った「幌馬車」の終着駅

今後も過去数十年の歴史と同じように事態が推移していくとすれば、リベラルな民主主義へといたる普遍的で方向性をもった歴史の理念は、人々にとって、さらにいっそうもっともらしく思えるようになり、現代思想の相対主義的な袋小路も、ある意味では自然に解消されてしまうかもしれない。つまり、文化的な相対主義（ヨーロッパ的産物の一つ）が今のわれわれに一見納得し得るものと映ったのは、ヨーロッパが植民地政策と植民地独立の体験を通して、非ヨーロッパ文化との対峙を強いられていることにはじめて気づいたからだった。

いまでは過去となった世紀のさまざまな歴史の展開――ヨーロッパ文明の道徳的自信の喪失、第三世界の台頭、新たなイデオロギーの出現――は相対主義への信仰を強める方向に働いてきた。だが、もしも時代の経過とともに、多様な文化や歴史をもつ社会がますます多く長期にわたって同じような発展パターンを示すようになったらどうだろう。もしも最先進社会を統治する諸制度の形が一つに収斂しつづけていったらどうだろう。そしてもし経済成長の結果として、人類の均一化がこれからも進んでいったらどうだろう。そうなれば相対主義の理念は、いまよりはるかに奇妙なものに思えてくるかもしれない。なぜなら民族の「善と悪についての言葉」の相互の見かけ上の差異は、歴史的発展の特定の段階における文明の遺物であることがはっきりしていくにちがいないからである。

人類は、さまざまな美しい花を咲かせる無数の芽というより、むしろ一本の道をひと続きになって走る幌馬車の長い隊列に似てくるだろう。きびきびと敏速な足どりで町に立ち寄る馬車もあれば、砂漠に戻って野宿したり、山越えの最後の峠で溝にはまったりする馬車もある。馬車の何台かはインディアンに襲われ、火をかけられて道端に置き去りにされてしまうだろう。戦いで気が動転し、右も左もわからなくなって一時とんでもない方角に向かう御者もいれば、旅に飽き、道のどこかまで引き返して定住地を探そうとする人々もいるはずだ。主街道とは別のルートへ入り込んでしまったあとで、最後の山々を越えるにはみんなと同じ道を通るべきだったと気づく一行もある。だが、幌馬車隊の大半は町をめざしてのんびりと旅を続け、大部分は最後にはそこに到着するだろう。

幌馬車はどれもよく似た形をしている。ペンキの色や材料は違っていても、どの幌馬車も車輪は四つで馬に曳かれ、幌のなかには旅の無事を祈る家族が乗っている。それぞれの幌馬車のおかれた状況の違いは、必ずしもそれに乗っている人たちの違いにいつまでも左右されるとは思えない。むしろそれは、旅の途上で遭遇した局面の違いにすぎないのである。

コジェーブによれば、歴史はみずからの合理性を究極的にはみずからの手で立証するという。要するに、ずいぶん多くの幌馬車が町に立ち寄ると、道理をわきまえた人なら誰でもその光景を見て、旅の道もその目的地も一つしかないと思い込まされてしまうのだ。

もちろん、いまわれわれがそのような地点にいるかどうかは疑わしい。というのも、近年の世界各地での自由主義革命にもかかわらず、幌馬車隊の行き先についてわれわれはいまのところまだ曖昧な証拠しか握っていないはずだからである。しかも、幌馬車隊の大半が結局のところ同じ町にたどりついたにせよ、もしかすると乗客たちはあたりをちょっと見まわしただけでその新天地に不満を感じ、新たな、そしてさらに遠い旅路へと目を向けるかもしれない。

われわれは最後の最後までその成り行きを知ることはできないのである。

あとがき

「歴史の終わり」が直面する四つの問題

「歴史の終わり」（"*The End of History?*"）という題の論文を最初に発表してから十七年になるが、このあいだ、私の仮説は考え得るかぎりのあらゆる観点からの批判を受けてきた。本書『歴史の終わり』のペーパーバック版第二版（二〇〇六年）を出版するこの機会に、当初の理論をいま一度主張し、それに対する批判のなかで私がきわめて深刻だと考えるものに答え、さらに、一九八九年の夏以降に世界の政治がどのように発展したのか振り返ってみたい。

まず、この問いからはじめよう。「歴史の終わり」とはなんだったか。

このフレーズはもちろん私が考えたものではなく、ヘーゲルから、そしてより有名なマルクスからの引用だ。ヘーゲルは最初の歴史主義の哲学者で、人類の歴史を一貫した進化のプロセスとして解釈した。ヘーゲルはこの進化というものを、人類の理性が徐々に発展していくことであり、進化によりやがて世界に自由が普及していくと考えた。マルクスの理論は、より経済的な見方にもとづいている。人類の社会が類人猿から狩猟採集するヒトへ、そして農耕社会へ、産業社会へと進化する過程で、生産の方法も変化することに着目した。つまり「歴史の終わり」とは、近代化のプロセスは結局のところどこへ向かっていくのか、という疑問を呈する近代化論だった。

一八四八年のマルクスの『共産党宣言』の出版から二十世紀の終わりまで、多くの革新派知識人が、歴史はいずれ終わりを迎えると考え、そして歴史の終わりには共産主義のユートピアがあると信じていた。私の主張ではなく、マルクスの主張だ。

私の最初のシンプルな洞察からは、一九八九年の時点ではそんなことが起こるような気配もないと思われた。人類の歴史プロセスがどこかに向かって進んでいるとは考えても、行く先は共産主義ではなく、マルクス主義者たちがブルジョア民主主義と呼んだ、そちらの方向へと向かっていた。自由と平等の「双子の原理」にもとづいた社会を超越するような、より高度な社会形態が存在するとは思えなかった。ロシア出身のフランス人哲学者でヘーゲル研究家である、偉大なるアレクサンドル・コジェーブは、おどけて次のように述べている。一八〇六年にイエナ・アウエルシュタットの戦いでナポレオンがプロイセン王国に勝利し、フランス革命の理念がヘーゲルの住むドイツにも届いたときに「歴史の終わり」が訪れたのだと。「歴史の終わり」の後に起こった事件はすべて、民主主義の理念が世界に普及していくなかで体制を整えようとしているだけにすぎない、というのだった。

私は、以前師事していたサミュエル・ハンティントンを研究する多くの学者たちから反論を受けてきた。ハンティントンが著書『文明の衝突』のなかで提唱した世界の発展に対するビジョンは、私のものとはかなり違っていたからだ。ある点では、世界に対するわれわれの解釈の違いの程度が大げさにとらえられたのかもしれない。たとえば、文化は人類の社会において欠かせない要素であり、社会の発展や政治は文化的価値観も踏まえて考えなければ決して理解できないという点では、ハンティントンの見方に私も同意見だ。

リベラルな民主主義は文化に拘束されない普遍性をもつか

しかし、われわれの見解を隔てる根本的な問題がある。

西洋の啓蒙時代に発達した価値観や制度は、普遍的なものとなり得るのか（ヘーゲルやマルクスの思想）、もしくは一つの文化の範囲内にかぎられたものであるのか（ニーチェやハイデッガーなど後世の哲学者の見解と同じ）という問題だ。ハンティントンは明確に、普遍性はないと信じている。西洋のわれわれになじみ深い政治制度は、西ヨーロッパのキリスト教のある種の文化から生まれたものであり、その文化の境界を越えて根づくことはないと彼は主張する。したがって、答えを求めるべき核となる問題は、西洋の価値観や制度は広く普遍的な意義をもっているのか、それとも現代において覇権を誇る文化の一時的な成功のあらわれにすぎないのかということだ。

現代の世俗主義的な自由民主主義の歴史的起源はキリスト教にあるとするハンティントンの理論はまったく正しく、そしてその見解はハンティントン独自のものではない。ヘーゲル、トクビル、ニーチェをはじめとする多くの思想家たちは、近代民主主義は、キリスト教の教義にある普遍的な人間の尊厳を世俗的に表現したものであり、それが現在において宗教とは切り離され、一つの政治的な人権の原理として理解されているのだと主張する。これが歴史的観点から正論であることには、疑問の余地もないというのが私の意見だ。

しかし、現代のリベラルな民主主義がこの特定の文化の土壌にルーツをもつ一方で、問題は、その思想がそうした特定の起源から切り離されたとき、非キリスト教文化にある人々にとって意義のあるものなのかということだ。私たちの近代技術文明の基礎となっている、そして近世ヨーロッパの歴史のある瞬間に、歴史の偶然の流れであらわれた科学技術は、フランシス・ベーコンやルネ・デカルトのような哲学者の思想が土台になっている。しかし、科学技術はいったん生み出されると全人類共有のものとなり、アジア人、アフリカ人、インド人など、どこの人間であっても関係なく利用できるようになった。

したがって、問題は、われわれがリベラルな民主主義の基盤とする自由と平等の原理が、いかなる場所でも同様の意味をもつのかということだ。私はその答えがイエスだと信じているし、社会が進化するにしたがって世界じゅうで民主主義が進んでいくはずであるという、その理由を説明し得るだけの、歴史的進化に対する包括的な論理が存在すると考えている。その論理はマルクス主義のような歴史的決定論といった厳格な形ではなく、人類の社会的進化を推し進める根底にある一連の力であり、この進化プロセスの終わりには、はじまったときよりも多くの民主主義が存在しているはずであると教えてくれる。

経済発展と民主主義体制の進展の末に生まれる文化の問題

マルクス主義やヘーゲル主義の意味での「歴史」の起源は、結局のところ科学やテクノロジーにある。科学は積み上げていくものであり、われわれはさまざまな科学的発見を時間の経過により忘れたりはしない。こうしたものが経済世界を創り出しているのだ。というのも、テクノロジーは経済活動における生産の可能性を広げ、蒸気エンジンの時代が鋤を手に耕作する時代とは同じではないことを約束し、トランジスタやコンピューターの時代が石炭や鉄鋼の時代とは異なることを保証するからだ。科学の発展は、大幅な生産性の向上を可能にし、それが現代資本主義や、現代市場経済におけるテクノロジーやアイデアの自由化を推し進めてきた。

経済の発展は、誰もが望む生活水準の向上をもたらした。私の意見では、その証拠は単純に人々の行動にあらわれている。毎年、貧しい発展途上国に暮らす何百万人もの人々が、西ヨーロッパやアメリカ、日本をはじめとする先進国への移住をめざす。人間としての幸福を得られる可能性は、貧しい社会よりも豊かな社会のほうがはるかに大きいと考えているためだ。狩猟採集社会や農耕社会での暮らしが、たとえば現代のロサンゼルスでの生活よりも幸せかもしれないと想像するルソー主義の夢想家たちは一定数存在するが、その生活を実行する人はごくまれである。

リベラルな民主主義の社会で暮らしたいという願望は当初、社会発展に対する願望ほど普及していなかった。事実、今日の中国やシンガポール、ピノチェト将軍統治下のチリなど、社会が発展して近代化が進んだ権威主義体制は数多く存在する。しかし、経済発展の成功と民主主義体制の成長のあいだには強い相関関係がある。これを最初に認識したのは、偉大な社会学者であるシーモア・マーティン・リプセットだ。この相関関係の強さには多くの理由がある。国民一人当たりの所得が約六千ドルのレベルを超えると、国はもはや農耕社会を脱却したといえる。そこでは財産を所有する中流階級、複雑な市民社会、より高いレベルのエリート教育や大衆向けの教育が生まれるだろう。こうした要素がそろえば、人々は民主的な社会に参加したいという願望をもちやすくなり、したがって、社会の底辺から上層までが民主的な政治体制を求めるようになるのだ。

近代化プロセスが最後に踏み込むのは、文化の領域だ。誰もが経済発展を望み、経済が発展すると、それにより民主的な政治体制が推進する傾向がある。しかし、近代化プロセスが終わりを迎えたときに、文化も統一されていることなど誰も望まない。事実、近代化プロセスが終わると、文化的アイデンティティの問題が猛烈に巻き返してくるのだ。ハンティントンは文化が統一された世界、つまり彼が名づけた「ダボス人」たちのグローバルな文化が訪れることは決してないだろうと述べたが、まったくそのとおりだ。実際、グローバル化されたアメリカ主義のようなものを基盤にした画一的な文化の価値観を万人がもったと想像すれば、誰もそんな世界に暮らしたくはならないだろう。われわれは、自分たちの共通の生活文化をつくりあげた共通の歴史的伝統や共通の宗教的価値観、そのほかさまざまな共通の過去の出来事を、懸命に守ろうとするものなのだ。

アメリカをはじめ現代のリベラルな民主主義の社会生活では、文化的または集団的アイデンティティが絶えず繰り返し主張され、ときにはゼロから生み出されることもある。この分野では、近代自由主義を最初に唱えた理論家たちも役に立つアドバイスを遺してくれてはいない。ホッブズやロック、モンテスキュー、ルソーなどはみな、リベラルな多元主義ではどのような問題が中心になってくるのかを想定してはいたものの、それは国家に対して個人が自立的な選択権を主張するだろうという問題にとどまった。

しかし、現代の自由主義社会では、複数の個人が文化的集団を組織し、国家に対して集団の権利を主張して、集団内の個人の選択を制限している。緩やかな例としては、フランス系カナダ人の集団がケベック州の学生たちにフランス語で学ぶことを義務づける事例や、より深刻な例としては、ヨーロッパのイスラム教の説教師たちが、シャリーア法はフランス法やオランダ法よりも優先されるべきだと主張する事例がある。

国家は選択を迫られる。そうしたリベラルな多元主義には個人を保護する責任があると解釈するのか、集団を保護する責任があると解釈するのか、そしてもし後者の場合、集団が制限する個人の権利はどのようなものなら容認できるとするのか。

この問題を掘り下げるのは、この「あとがき」の範囲外になる。集団の権利よりも個人の権利の保護を厳格に遂行するリベラルな社会などは、ほぼ存在しない。多文化主義や多言語主義をはじめさまざまな集団の承認は、いまやアメリカや西洋の民主主義では公のポリシーに組み込まれている。一方、リベラルな社会の大半は、集団を承認することにより、基本となるリベラルな寛容の原理と個人の権利が損われる可能性があるということを理解している。

チャールズ・テイラーが解説するように、自由主義は多様な文化のそれぞれを完全に公平に扱うことはできない。自由主義そのものがなんらかの文化的価値観を反映しているため、それ以外の著しく非リベラルな文化集団を否定しなければならないためだ[1]。

世俗主義政治の基本原理が近代化プロセスに取り込まれたのは、本質的に実利上の理由からである。キリスト教の歴史において、教会と国家はそれぞれ別々の存在としてはじまり、その点ではイスラム教の歴史とは異なる。しかし、政教分離は必然的に起こったものでも完全なものでもなかった。中世の終わりにはヨーロッパ諸国の君主たちがこぞって臣民の信仰を掌握し、宗教改革後の宗派間の対立は、一世紀以上にもわたって血なまぐさい戦争をもたらした。

このように、現代の世俗主義政治はキリスト教文化から自動的に生まれたのではなく、むしろ痛みをともなう歴史的経験を通して学ばざるを得なかったものなのだ。初期の近代自由主義の成果の一つには、宗教が説く終末をめぐる議論を政治の領域から排除すべきであることを人々に理解させたことが挙げられる。西洋諸国はこの闘いを乗り越えたが、イスラム世界は現在もその渦中にあると私は考える。

「歴史の終わり」をめぐるアメリカの覇権についての誤解

この「あとがき」の冒頭で述べたように、「歴史の終わり」は、最初に発表して以来、じつにさまざまな観点からの批判にさらされてきた。そうした批判の多くは、たとえば私はものごとが単純になにも起こらなくなると主張していると勝手に解釈するなど、私の主張に対する単なる誤解によるものだ。私はここでこの種の批判に反論したいとは思わない。誤解した本人が私の著書を読みさえすれば、大部分は回避できただろうからだ。

しかし、ぜひ解いておきたい誤解がある。とくにアメリカ版の「歴史の終わり」について私が主張した内容だが、広く誤解されて伝わってしまった。ある評者などはそれを「主戦論的勝利主義[2]」と呼んでいた。多くの人が、主義や価値観の領域はもとより、国益のために世界を秩序づけるアメリカン・パワーの実際の行使力を見ても、ほかの国々に対するアメリカの覇権主義を語るには、その「歴史の終わり」は簡潔すぎるととらえたのだ。

それは真実とはまったく異なる。コジェーブと、「歴史の終わり」に対する彼の見解がそこにいたった根拠に精通している人なら誰でも、その概念を具現化したものとしては、欧州連合が現代のアメリカ合衆国よりもはるかに充実したものであることは理解できるだろう。私はコジェーブに同調し、ヨーロッパのプロジェクトはじつのところ、「歴史の終わり」にあらわれる「最後の人間」にとっての終の住処として建てられた家であると主張したのだ。ドイツがもっとも強く抱いたヨーロッパの夢は、国家主権、権力政治、および軍事力を必要とするような紛争をすべて超越することだ（これについては後述する）。対照的に、アメリカ人は主権国家に対してやや伝統的な理解を示し、軍隊を称賛して、毎年七月四日には愛国主義的な独立記念日パレードを好んでおこなう。

現代のリベラルな民主主義は、自由と平等の「双子の原理」にもとづいている。双方は永続的な緊張状態にある。平等の原理は、個人の自由を制限する強力な国家の介入なしには最大限に実現できない。自由の原理が無制限に広がれば、必ずやさまざまな有害な社会的不平等を招く。したがって、リベラルな民主主義は、自由と平等のあいだのトレードオフが不可欠になる。現代のヨーロッパ人は自由を犠牲にしても平等を好む傾向があり、アメリカ人は個々人の歴史に根ざした理由でその逆を好む傾向がある。これらは程度の違いであり、主義ではない。私自身はヨーロッパ流よりもアメリカ流を好む部分があるが、これは主義の問題というよりも実利的な見解と好みによるものだ。

イスラム教は民主化にとって障害となるか

『歴史の終わり』で提示した楽観的な進化のシナリオに対する多くの課題のうち、正しく理解できていれば、私がもっとも深刻だと考える問題は四つ存在する。一つ目は、民主主義の障害としてのイスラム教に関する問題だ。二つ目は、国際レベルでの民主主義の問題に関係する。三つ目は、政治の自治に関する問題だ。そして最後は、テクノロジーの予期せぬ結果に関する問題である。これらについて順に説明したい。

とくにアメリカ同時多発テロ事件以来、多くの人が、宗教としてのイスラム教と近代民主主義の発展の可能性とのあいだには根本的な緊張があると主張する。世界を見渡せば、ラテンアメリカ、ヨーロッパ、アジア、さらにはサハラ砂漠以南のアフリカでさえも全体的な民主的発展のパターンが見られるのに、広範なイスラム教の地域はそうしたパターンの例外であることは事実である。そのため人々は、イスラムの教義には、宗教と国家の一体化などといった、民主主義普及への克服できない文化的障壁があるのではないかと主張する。

イスラム教という宗教そのものに問題が起因するという見方は、私にはきわめて考え難い。世界の主要な宗教は、どれも制度がかなり複雑だ。キリスト教はかつて（しかも、そう遠い話ではない）奴隷制や階級社会を正当化するために利用されていた。ところがいまでは、近代民主主義を支えるものとして認識されている。宗教の教義はその時代ごとに、政治に都合のよい解釈がなされる。イスラム教でもキリスト教でも、それは同じだ。

今日、イスラム文化の国々での施政はかなり多様化している。イスラム教国のなかでも、民主化が成功したといえる例がいくつか見られる。一九九七年の通貨危機を経て権威主義からの脱却を成功させたインドネシア、第二次世界大戦の終結以来、二つの民主主義の政党が断続的に存在するトルコ、そしてマリ、セネガル、そのほかマイノリティだがイスラム教徒が多いインドなどの国々がそうだ。さらに、マレーシアとインドネシアは急速な経済成長を維持しており、イスラム教は必ずしも発展の障害になっているとはいえない。

アルフレッド・ステパンは、サミュエル・ハンティントンが「第三の波」と名づけた一九七〇年代から一九九〇年代にかけての民主主義への移行期間には、広範な民主化のパターンが見られたが、そこから外れたのは実際にはイスラム教徒ではなく、むしろアラブ諸国であると指摘する。アラブ諸国の政治文化には、民主化に譲ることができないなにかがあると考えたのだ。それがなんであるのかは議論の必要があるが、部族主義の存続など、宗教とは関係のないものが文化的障害になる可能性はある。そして、過激なイスラム主義やジハード主義など、世界が目の当たりにする現代の課題は、宗教的、文化的、文明的というよりも、はるかに政治的なものなのである。

オリビエ・ロイや、ロヤ・ボロマンド、ラダン・ボロマンド姉妹が主張するように、(3)過激なイスラム主義は政治的イデオロギーであると考えると納得できる。

エジプトのムスリム同胞団の創設者であるサイド・クトゥブの著作や、ウサマ・ビン・ラーディンとアル・カイダの彼の信奉者たちの声明文は、国家に関する政治的思想、革命、暴力の理想化を題材にしているが、これらは本来のイスラム教の伝統から派生したものではなく、二十世紀のヨーロッパの極左と極右の過激なイデオロギー、つまりファシズムと共産主義から生まれたものなのである。これらのきわめて危険な教義はイスラム教の中心的な教えを反映するものではなく、イスラム教を政治目的に利用するためのものだ。それが、多くのアラブ諸国やヨーロッパの地域社会のなかで深い疎外感を抱くイスラム教徒たちの心をつかんだ。したがって、イスラム過激主義は、イスラム教の伝統文化の再興ではなく、現代のアイデンティティ政治の流れのなかでとらえるべきものなのだ。それは、伝統的な文化的アイデンティティが、近代化と多元的な民主的秩序により、内なる自己と社会の慣行が乖離することで阻害された、まさにそのときに台頭する。

これが、アメリカ同時多発テロ事件の主犯格モハメド・アタや、オランダの映画監督テオ・ファン・ゴッホを殺害したモハンマド・ボウイェリのような多くの過激なジハード主義者たちが西ヨーロッパで急進したゆえんなのだ。近代化ははじめから疎外感を生み、それゆえにそれ自体に対する反発を生んだ。この点では、現代のジハード主義者たちは前世代のアナキストやボルシェビキ、ファシスト、ドイツ赤軍のメンバーたちと同じ道を歩んでいる。

問題は、極端に過激化し疎外されたイスラム教徒たちが、リベラルな民主主義そのものを脅かすほど強力であり得るのかということだ。現代のテクノロジーが前世代のテロリストには入手不可能だった大量破壊兵器を手に入れやすくしたのは明らかだ。しかし、政治的イスラム教集団はこれまで強力な領土的基盤をもったことはないし、イラン、サウジアラビア、アフガニスタン、スーダンなど、彼らが勢力をふるうようになった国は、経済や社会の状態が魅力的だったことはない。さらに、イスラム教がイスラム世界のプライバシーを求めて闘うにはほかの理由があり、ある意味では彼らの戦いの多くはイスラム世界の内部で完結することが保証されているといえる。そのため、イスラム教は外部からの脅威としては深刻ではなく、かつて世界じゅうでもてはやされ、強力な近代国家と結びついていた共産主義がもたらす脅威ほど恐れるものでもない。

リベラルな民主主義の未来にとって、より大きな問題となるのは、民主主義諸国に内在する問題だろう。とくにフランスやオランダなど、イスラム教のマイノリティ社会が大きい国々だ。概してヨーロッパは、文化の異なるマイノリティの社会統合にはアメリカほど成功しておらず、ヨーロッパ生まれの二世、三世の一部のイスラム教徒たちの暴力の増加は、たとえばケベックのスコットランド民族主義者たちが求めるものよりも、アイデンティティ政治のはるかに暗い側面に由来するものだ。社会に同化できない、怒りに満ちた文化的マイノリティは多数派コミュニティの反発を誘引し、やがて独自の文化的、宗教的アイデンティティに退いていく。これが「文明の衝突」のような負のスパイラルに陥っていくのを阻止するためには、政治指導者たちの節度と正しい判断力が求められる。なぜなら近代化のプロセスが自動的に防いでくれるものではないからだ。

国民国家レベルを超越した民主主義体制は構築できるか

私の「歴史の終わり」の仮説に対する重大な批判の二つ目は、国際レベルでの民主主義の問題に関わるものだ。私が執筆した、政府の最終形態を形づくるリベラルな民主主義は、一つの国民国家レベルでの民主主義の想定にとどまっていた。国際法によって、主権国家をなんらかの形で超越するようなグローバルな民主主義体制を構築できる可能性などは視野になかった。

しかし、これはまさに二〇〇三年のイラク戦争以来、とくに激しく提起された領域の懸念であり、それ以来アメリカとヨーロッパのあいだで生じた亀裂の根底に一定程度存在するものだ。この問題は、過去十年間にグローバル化の批評家たちからも提起されており、国家管轄権の区域外の人同士が交わす関係の程度と、国ごとに構築されたアカウンタビリティの仕組みとのあいだに、民主的な負債が生じているといわれている。現代のグローバルな体制におけるアメリカの規模と優位性が、この問題をとくに悪化させている。アメリカは、互恵的に影響する材料をもたなくても、多様な面から世界じゅうの人々に手を伸ばし影響を与えることができるのだ。

ヨーロッパが試みたのは、一つには国民国家レベルを超越することだった。一方、アメリカ人は、合法的な行動の正当性の根拠は独立した憲法をもつ民主主義にあると信じる傾向があった。ヨーロッパとアメリカのこうした異なる見解は、それぞれの歴史背景の流れからくるものだ。ヨーロッパ人は独立した国民国家を、集団的利己主義と、二十世紀に起こった二度の世界大戦の根底にあるナショナリズムの根源としてとらえてきており、ヨーロッパのプロジェクトは権力政治を、規範、法律、組織をもつ体制に置き換えることをめざしてきた。それとは対照的にアメリカ人は、その国民国家が合法的暴力を用いることで順調に進んできた。それはイギリスの君主制から独立する革命戦争にはじまり、六十万人のアメリカ人が死亡したものの奴隷制度の廃止と連邦の統一を成し遂げたきわめて血なまぐさい南北戦争を経て、第二次世界大戦、そして最後には冷戦まで続いていった。最後の二つの戦争は、ヨーロッパを異なる形の専制政治から二度にわたって解放した道徳的十字軍であると見なされた。

国民国家レベルを超越する規範が必要だとするヨーロッパの見解は、理論レベルでは紛れもなく正しい。主権をもつリベラルな民主主義国家が、他の国々との取引において、ましてや自国民に対して非道な振る舞いをするはずがないという考えには、なんの根拠もない。アメリカ合衆国は奴隷制という欠陥をともなって誕生し、それは民主的多数派によって承認され、憲法にも明記された。リンカーンは、スティーブン・ダグラスとの討論のなかで、奴隷制度に異議を唱えるために合衆国憲法の領域を超えた平等の原則に言及せざるを得なかった。

しかし、国民国家レベルを超越するなんらかの形の民主主義体制について、理論的主張を展開することとは可能である一方、私の見方では、このプロジェクトの実現には乗り越えられない現実的な障害がよこたわる。民主主義の成功は、なんらかの共通の価値観や制度に賛同する真の政治共同体の有無に大きく依存する。共通の文化的価値観は、信頼を構築し、市民同士の交流のいわば潤滑油として働く。しかし当該の人々と文化の多様性について現実的に考えるとき、国際レベルでの民主主義体制を想像することはむずかしい。アメリカ人の多くは国連のような国際機関に対して慎重な見方をするが、政治的コンセンサスにもとづいた集団行動を求める多様な社会が存在するなかで、国際レベルでの集団行動は時間を要するうえ、非効率であることが部分的に影響しているのだ。

効率性の問題を解決するには、より決断力のある実行者に権限と執行力を委任する必要がある。世界はそのような権限を誰に与えることに賛同するだろうか。そして、国民国家レベルで権力を分割し制限するバランスを保つ機関がまったく存在しない状況において、どのようにその権限が安全に行使され得るだろうか。文化や歴史的経験を共有するヨーロッパでさえ、単一の国民国家としての「欧州国」を機能させる体制は加盟各国の主権を深刻に弱体化するという理由によって、プロジェクトの実現を真剣に再検討しているのだ。

したがって、合法的な民主的権力を基盤とするものが国民国家レベルを超越して登場することは、当面はなさそうだ。グローバルな政府体制の代わりに、グローバルなガバナンス、つまり、国家間の集団行動を促し、一定の信頼性のある部分的な国際機関の設置で満足しなければならないだろう。公正かつ有効な、リベラルな世界秩序は、包括的な単一の世界的機関に頼るのではなく、実用的な諸問題や地域、特定の課題を中心に結成された多様な国際諸機関を基盤とする必要があるだろう。このような世界秩序は構築されつつあるが、この分野ではまだまだ生産性のある多くの取り組みがなされる余地がある。

強力な国家体制をもつことができない貧困国の存在

残る三つ目の問題は、「歴史の終わり」に内在する問題であり、これを私は政治的自律と呼ぶ。

前述のとおり、一人当たりGDPが比較的高いレベルでは民主的な統合がはるかに容易になるとすれば、経済発展とリベラルな民主主義にはつながりがある。しかし、問題はそもそも経済発展を起動させることであり、サハラ砂漠以南のアフリカ、南アジア、中東、ラテンアメリカの多くの発展途上国ではこれが起こらなかった。経済発展は、たんに優れた経済政策によって推進されるものではない。投資、成長、商業、国際貿易などの前に、法と秩序、財産権、法の支配、政治的安定性が保証される環境の整った国家が必要になる。近年のインドや中国のようにグローバル化を活用するには、とりわけ、グローバル経済への参入環境を慎重に整備する力を備えた国家が必要なのだ。

有能な国家というものは、開発途上地域ではあたりまえに存在するものではない。二十一世紀の政治の世界で起こる問題の多くは、強すぎる国家が台頭した二十世紀から引きずる課題ではなく、むしろ貧困国に強力な国家体制が存在しないことが関係する。二十世紀はナチスドイツ、大日本帝国、旧ソ連のような列強が世界を支配した。しかし二十一世紀になると、典型的ともいえる課題はソマリア、アフガニスタン、ハイチなどから生じている。社会発展や民主制度の確立に不可欠な、基本的な法治体制を保証できる政府機関をもたない国々だ。

つまり、われわれがかかえる課題は二重にあるのだ。先進国の世界に目を向ければ、ヨーロッパでは、次世代以降の人口減少と、支出不可能な給付金制度や規制により、福祉制度に大きな危機が迫っている。(4) しかし発展途上の世界では、国家として体をなさない状態が経済発展を妨げ、難民、病気、テロなど多くの問題の繁殖地となっている。その結果、二つの世界にはまったく異なる課題がある。先進国では国家の規模を縮小することが課題である一方、発展途上の大半の国々では国家の強化が求められるのだ。

とくに差し迫った課題は、貧困に苦しむ国々で強力な政治体制を構築する方法について、われわれはほぼ無知に等しいということだ。この課題が難問である理由の一つを挙げると、経済的であろうと政治的であろうと、国の発展は部外者による「完遂」はあり得ないということだ。それは当該国の習慣と伝統的な知識を持ち合わせ、社会発展プロセスに長期的な責任を負うことができる当該社会の市民が進めるべきプロセスなのだ。部外者はたんにこの取り組みを支援するだけにすぎない。政治体制の発展は、多くの点で経済発展から独立したプロセスであり、双方は、前述のとおり、なんらかの状況で相互に作用する。

私たちが必要とするもの、そして本書『歴史の終わり』が挙げなかったものは、経済論から独立した政治的発展の理論だ。

国家形成と国家建設、これが歴史的にどのように起こったか、暴力や軍事競争、宗教、より広い意味での思想の役割、地理的条件や資源の影響、そして世界のどこかで発生した事象は他の地域ではなく、なぜその地域で最初に起こったのか。これらはすべて今後の研究課題であるが、より大きな理論の構成要素である。サミュエル・ハンティントンは、著書『変革期社会の政治秩序』で、政治的崩壊の理論を主張し、崩壊は発展と同様に起こり得ると主張することにより、近代化論の源流を否定した。過去の時代には政治的腐敗がじつに多く、その原因を体系的に調査する必要がある。

テクノロジーと環境によって閉ざされる未来

「歴史の終わり」の仮説に対する最後の異議には多様なものがあるが、テクノロジーに関するものでいうと、技術の進歩が導く歴史のプロセスは最終的に技術の進歩によって蝕まれる可能性があるという仮説だ。起こり得るシナリオは無限にある。広島の原爆投下以来、核兵器廃絶の未来がまことしやかに語られてきたのに、二〇〇一年九月十一日以降は核兵器や生物テロのシナリオが多くのアメリカ人の脳裏をよぎる。しかし以前と違うのは、暴力の手段が民主化したことだ。少人数の無国籍集団が壮絶な破壊力をもつ武器を入手できるようになったのだ。

起こり得るシナリオの二つ目は、環境によるものだ。地球温暖化が深刻化するという予測がいくつかでも正しければ、炭化水素の利用を調整して大規模な気候変動を防ぐことはすでに手遅れかもしれないし、そうでなくてもその調整のプロセスそのものに破壊的なコストがかかるため、テクノロジーという黄金の卵を産んでくれる経済というガチョウを殺してしまうだろう。

最後にテクノロジーの可能性について、私の著書『人間の終わり』のなかで記したが、ゲノム制御、向精神薬、または未来の認知神経科学、またはなんらかの延命技術などを利用して人類が自身を生物学的に操作する能力は、ソーシャル・エンジニアリングに対する新しいアプローチをもたらし、新しい形の政治体制を生み出す可能性を高めることになるだろう。このテクノロジーの未来についてもふれることにしたのは、その脅威は核兵器や気候変動によってもたらされる脅威よりもはるかに気づきにくいからだ。こうした技術の進歩は、病苦からの解放や長寿など人類の普遍的な欲求を満たしてくれることに直結しているため、ネガティブな結果や人間性を損なうような結果が生じる可能性を阻止するのは、はるかに困難になるだろう。

これらのテクノロジーの未来の可能性について、私は役立つ意見はとくに持ち合わせていない。私は預言者でも「未来学者」でもない。過去にはテクノロジーの進歩が、それ自体が生み出したネガティブな結果を緩和する新たな可能性を生み出したが、これからもそうなるという根拠はない。

もっと広くいえば、人類の発展に対する私の歴史主義的な見方は、マルクス・レーニン主義の断定的な決定論とは異なり、つねに弱い決定論でしかない。私は、リベラルな民主主義へと向かう広大な歴史の流れがあると信じているし、多くの課題が予測できると考えている。私が前述した四つの問題は、今後数年間でもっとも緊急性が高いと思われるものだ。

弱い決定論とは、広範な歴史の傾向のなかで、政治の手腕や政策、リーダーシップ、個人の選択が、歴史の発展の実際の流れに対してつねに絶対的に重要な要素であるということだ。たとえば、現代のテクノロジーがもたらす機会とリスクは、社会が課題として取り上げ、政策と体制をもって対処すべきものである。したがって未来は、経済的、技術的、または社会的な前提条件から予測できるものよりもはるかに開かれている。

投票権をもつ国民と、多様な民主主義のリーダーたちがおこなう政治的選択は、未来のリベラルな民主主義の強さと質に大きく影響するだろう。

訳者解説

これからの日本人にきわめて貴重な「指導原理」を与えてくれる歴史的名著

渡部昇一

哲学者として著名な田中美知太郎先生から、亡くなられる数年前にうかがった印象深い話がある。日本人の一般通念によると、ドイツは哲学の国、フランスは文学の国ということがなんとなく受け入れられているが、二十世紀について考えてみると、むしろ偉大なる文学者、たとえばヘルマン・ヘッセとかトーマス・マンのようなスケールが大きく、影響力のある作家はむしろフランスにはなく、逆にエラン・ビタール（élan vital, 生の飛躍）の概念を打ち出したベルクソンのような大哲学者は、かえってドイツ人にはいなかったように思う。むしろドイツの哲学者というと、大学の先生が多く、講壇哲学者になったような気がする、ということであった。たしかに、そういわれてみると、二十世紀は哲学のドイツではなく文学のドイツであり、文学のフランスではなく哲学のフランスだという面があるといえる。

これと並べて思い出されるのがアメリカである。

かの自動車王ヘンリー・フォードが"History is bunk"（歴史というのはくだらないたわごとだ）といったのは有名な話である。アメリカでは歴史そのものが新しいせいもあって、歴史と大歴史学者とは相容れない観念であると思われている。実際アメリカの教育関係者の発言のなかには、アメリカの青少年の歴史への無関心と無知を嘆くものが少なくない。ところが、たとえばアメリカで出版されて話題になった、ポール・ケネディ——彼はイギリス生まれであるがアメリカの大学教授である——の『大国の興亡』という歴史書は、世界じゅうの読書家・知識階級に歴史観の訂正を迫るような感じのものであった。

そして、ここに私が訳出したフランシス・フクヤマ氏の『歴史の終わり』もこの系列に考えることができると思う。たしかに、いま世界じゅうで歴史の本は数多く出版されているが、これほど話題になった歴史関係の本はない。意外にも二十世紀末は、歴史書の国アメリカという、いままでとは相容れない通念さえできかねないのである。

さて、本書の著者フクヤマ氏であるが、彼は一九五二年十月にシカゴで生まれている。彼の学歴で注目すべきことは、まず第一にコーネル大学で西洋古典で学士号を取り、その後エール大学で比較文学で学位を、最後にハーバード大学でソ連の外交と中近東問題で学位を取っていることである。したがって彼の教養の裾野はきわめて広い。

経歴では、まず最初にアメリカ政府の軍縮関係の部局に携わったのち、国務省の政策立案のスタッフになり、エジプト、イスラエル問題などに携わり、ワシントン・D・Cにあるランド研究所で政策立案にかかわるスタッフとしてコンサルタントを務めたという略歴である。したがって彼は、西洋の基礎である古典から始まり、比較文学、そしてホットな問題である旧ソ連の外交、中近東とはいり、大学のほうではハーバード大学の国際問題研究所などと関係をもっている。

その経歴はたんに大学のみならず、実力がもろに試されるシンクタンクで活躍しているのである。論文の数もきわめて多いが、なんといっても彼を有名にしたのは、一九八九年の『ナショナル・インタレスト』誌の夏期号に載せた「歴史の終わり」(“*The End of History?*”)という論文によってである。

東欧に雪崩のような崩壊現象が起こったのとほぼ時期を一にしてこのような論文を発表したことはきわめて時宜を得たことであり、それだけに反響も絶大であった。ただちにアラン・ブルームや、サミュエル・ハンティントンなどの著名人が、ぞくぞくとこれに論評を加えた。おそらく一九九〇年代、もっとも引用され、批評の対象になった論文といってもいいかもしれない。ざっと数えただけでも書評の数は百五十点ぐらいにもなる。フクヤマ氏はこれだけの賛否両論の批評を受けたあとに、その論文の提示した基本テーマについて、さらに思考を深め、考察の範囲を広げて、約二年の沈潜ののち今回の大著にまとめたわけである。

著者フクヤマ氏はきわめて頭脳明晰にして、論じているところにいささかの曖昧さや不明な点がない。そして最近の歴史書には珍しく、カントから始まり、ヘーゲル、マルクス、エンゲルス、ニーチェなどを十分にふまえて重厚な歴史論を展開している。だから当然その本質上、本書の内容はやさしいというわけにはいかないのである。

しかし、このアメリカの若い筆者によって、しかも現実問題に深く携わっている著者によって、カントの「世界公民的見地における一般史の構想」(『ベルリン月刊』一七八四年十一月号)といったような古い論文が再び掘り起こされ、さらにヘーゲルの『精神現象学』やマルクスやエンゲルス、そしてニーチェにおよぶドイツ観念論をふまえた史論が現代的な視点から明快に再考察された本書は、日本の読者にもきわめて新鮮な知的刺激と興奮を与えてくれることは間違いない。

本書の組み立ては、一般に学術論文の形式を思わせるように、「はじめに」のなかで一応詳しく述べているので、それを繰り返すことはしないで、思いつくまま二、三の点を取り上げて、本書の理解に資したいと思う。

その第一は、まず「歴史の終わり」という意味である。これはこの本全巻を通じて述べられていることであるが、ふつう、本の題名からしばしば誤解されてきたように、旧ソ連と東欧圏の共産主義が崩壊したためにイデオロギーの対立がなくなり、両極構造が消えて大きな歴史的事件がなくなるという意味ではない。「歴史の終わり」という言葉は厳密にはカントやヘーゲルの、あるいはそれをラディカルにしたニーチェの思想の意味で使われている。

それはどういう意味か。簡単にいえば、世界にはいろいろな政治体制があったわけであるが、それがお互いに競合しているうちに、より不適当なものが消えて、最終的にはもっともいいものが残るであろうという、カント以来の予感が基本にあるわけである。

これは、まったく別の分野でハイエク教授（ノーベル経済学賞受賞者）が自由市場経済理論の優越性を説くときに使った主張でもある。社会ダーウィニズムは、現在では忌避すべき考えのように思われている。これは一つの社会のなかにおける弱肉強食的な考えだからである。しかし世界における種々の政治体制のあいだの競争・競合という意味での適者生存ということを考えると、それはきわめて人間的なものと見えてくるわけである。昔からいろいろある社会制度や習慣のなかで、人間の本性に反したり、長い目で見て人間のためにならないような制度は、より人間的でよりすぐれた他の制度と接触しているうちにだんだん排除されてきて、最終的には最適な体制になるであろうという希望を示す考えだからである。そしてカント以来、ヘーゲルも人類の歴史で最後まで生き残る制度はリベラルな民主主義社会であろうといっている。

注目すべき第二の点として、アメリカ人であるフクヤマ氏がドイツ観念論の系譜に属する思想家を非常に高く買っていて、アングロ－サクソンの系統に属するロックやホッブズの伝統をむしろ低く見ていることが挙げられよう。

一七七六年のアメリカの独立宣言が、ロックの哲学のそのままの実践版であったということは、よく知られていることである。要するにロックやホッブズに始まるアングロ－サクソン系のリベラルな民主主義社会の根本となる目的は、生命を維持し、財産を獲得保持するということである。この生存本能というのは人間のなかでもっとも重要なものであるから、この本能に相反せず、しかも経済的にも財産が守られるような人間の欲望を認めた制度を良き制度としたわけである。こういう思想がアメリカ独立によって、「幸福を追求する権利」等のなかに盛り込まれているのである。

フクヤマ氏はこれを否定するわけではないが、これは人間の魂のすべての分野を満足させるものではないとしている。生命と財産を安全にし、かつ増やしていける権利という理想は、人間の魂のなかの理性と、欲望に関する分野だとするのである。ところがドイツ観念論においては、人間らしさということを考えた場合、決して理性と欲望の二つだけではなく、もう一つのもの、すなわち人間の尊厳、自由ということをふくめて考えたわけである。これはある意味で、アングロ－サクソン系のリベラルな民主主義の体制よりは、さらに高級な考えということができる。

アングロ－サクソン系のホッブズやロック、合衆国憲法や独立宣言が考えていたリベラルな社会とは、生命の権利――すなわち自己保存の権利――とか、財産獲得の権利として一般には理解されている幸福追求の権利なのである。しかしドイツ観念論の系統にあっては、それだけでは十分ではなく、リベラルな社会とはさらに人間的な要素、すなわち市民がお互いに認め合うという、承認の要素がなければならないとしたわけである。

人間の歴史は、決して生命の保持や財産追求だけという面から理解されるのではなくて、人間の歴史を理解するためには人間の人間らしさを示す願望、すなわち他者に認められたいという願望の要素を考慮に入れなければならないというのがヘーゲル（フクヤマ氏の場合、とくにコジェーブの祖述したヘーゲル）などの考えである。これは、どう考えてもアングロ－サクソン系の考え方より、もう一段階高い次元をつけ加えたものである。そしてフクヤマ氏が指摘するように、アメリカの独立といえども、たんに幸福の追求や人命の保存という観念だけでは説明できない要素がある歴史的事件なのである。たとえば、わずかの税金をイギリスに払うのがいやだといって、命を賭けて独立戦争をするなどということは、決して生命保存の原理にも合わないし、財産を増やすという理念とも合わないわけである。そこで第三の要因、すなわち人間の尊厳とか他者と対等なものとして認められたいという欲求があるわけである。フクヤマ氏はヘーゲルに賛同して、もしこの欲求を見落とすならば、歴史の動き方は見えなくなるといっている。

　人類の歴史の進展が、たんに人命の保全と財産追求だけの視点から解釈されるなら、あまり問題はないが、ここに人間の尊厳あるいは他者に承認されたい欲求という次元が加わると、歴史の動因としてはさらに深い洞察を必要としてくるわけである。

　リンカーンが奴隷の解放のために戦うということは、決してロックやホッブズや独立宣言だけの思想からではなかった。それだけなら六十万人もの白人が生命を失うようなことをするはずがない。これは別の次元の話である。これは、ドイツ観念論よりも古く、プラトンまでも遡る。プラトンはそれを*thymos*（テューモス）という言葉であらわしている。*thymos*という言葉は、元来はサンスクリット語の*dhūmā-*（ドゥーマ）、ラテン語の*fūmus*（フームス）と観念的に同じ語源であり、古高地ドイツ語の*toum*（トゥム）など、いずれも「気」をあらわす言葉であり、元来は「匂い」とか「香気」といったようなものである。この言葉のもつ感じをつかむためには形容詞*thymikos*（情熱的な、激しい）動詞*thymiao*（薫らす）、*thymoomai*（怒る）*thymaino*（立腹する）名詞*thymie*（香）*thymoma*（怒り）など、*thym-*を語根とする単語を並べてみるとよい。香味料に使うタイム（*thyme*）もその香気からとった名前で同じ語源である。

　これは、さらに語源的にさかのぼると*thymo*すなわち「荒れ狂う」とか「怒る」という意味になっている。日本でも「怒る」とは「息が上がる」とか「憤る」とは「息とどこおる」が語源だとされている。人間の心的状況と「呼吸」とのかかわりは、日本語でも明らかに示されているのであるが、ギリシア語でもそのように受け取っていたのである。

　この*thymos*は、強いて訳せば「気骨」とか「気概」とかに訳せる。本書では一応藤沢令夫氏訳のプラトン『国家』（岩波文庫）に従い、「気概」と訳した。たしかに歴史の解釈には、この*thymos*（気概）がきわめて重要なことに気づく。そこで思い出されるのが、幸田露伴が漢の高祖・劉邦と韓信についていった言葉である。韓信は不良少年におどされて取り囲まれたとき、その股をくぐった。いわゆる「韓信の股くぐり」で有名である。大人物というのは、ときには膝を屈して無用な危険を避けるということを示した例である。

　ところが、ここで露伴はこういう疑問を呈する。もしもこれが韓信ではなく、高祖だったらどうしたであろう。おそらく高祖はいくらなんでも股はくぐらなかったであろう。漢という大帝国をつくったような人は、何がなんでも膝を屈して不良少年の股はくぐれないものであるという露伴の洞察がある。これは、生命保存や財産保持とは別の次元で人間は判断を下すのである、それがまた歴史を動かす大きな動因になるという、優れた洞察として私の記憶に残っているのである。韓信は結局高祖の家来にしかなれなかった。人間のなかには、高祖ほどの器量はないのに、高祖みたいな「気概」だけはあって、それで殺されたり、潰されたりしている者がたくさんいるわけであるが、この見地から、そういう一見愚行のようなこともそれほど責めるべきではないということも露伴は言っているのである。二十年近く前に『ドイツ参謀本部』(中公新書・同文庫)を書いたとき、私は参謀本部形成期のドイツの将校たちはヘーゲルを必読の書としていたという事実を指摘することを忘れなかった。ヘーゲルは生命保存以上の目的・義務のために命を捧げることを自由なる人間だけができる特質として重視した。プロシアの急激な勃興にはヘーゲル哲学が一つの動因となっていたことになる。「気概」と歴史の関係を示す一例として挙げておいてもよいであろう。

この「気概」という概念は、武士の伝統をもち、日露戦争を経験したわれわれにとってもよく理解できる概念である。しかしこの「気概」の概念は、合理化された欲望と生命保存の重視がますます力を得てきた近代にあって、だんだん押し潰されていくプロセスにあると考えられた。そこで、ヘーゲルをラディカルにしたような形のニーチェが登場したのである。

ニーチェの考えは、「気概」のなくなった人間が「最後の人間」なのであって、世界のリベラルな民主主義は、結局はそこに向かっているということを示している。これは歴史哲学的な見方として、われわれがいま正面から対決しなければならないことだ、とフクヤマ氏が気づいていることが重要である。

というのは、たしかに共産主義をはじめとするいろいろな体制はリベラルな民主主義体制に劣っていることを証明したので、これで歴史は終わったように見えるのであるが、歴史を動かす動因はもう一つの人間的要素である「気概」という面から見ると、そう簡単でもなかろうということである。リベラルな民主社会というものは、お互いがお互いを尊重し合い承認し合うという形態になると同時に、気概は

「自分は他人より優れているんだ」という気がなければ成り立たない。命の危険を冒しても何かをするというのが「気概」である。ヘーゲルも、歴史の始まりを、二人の戦士が戦って降参したほうが奴隷になり、そうでないほうが主君になったという形でとらえてさえいる。

ところで、人間の「気概」には二種類あるのではないか、というのがフクヤマ氏の考えである。それは、他人よりは優れているということを示すためには命も惜しくないという「気概」と、他人と同等に認められたいというリベラルな民主主義の基本をなす「気概」とである。これをフクヤマ氏は彼自身がつくったと思われる二つの言葉で巧みに言い表わしている。それは、*megalothymia*（メガロサミア）と、*isothymia*（アイソサミア）という二語である（これは、オクスフォード英語辞典の補遺にもまだはいっていないので、彼の新語だと考えていいと思う）。直訳すれば「誇大気概」と「平等気概」というものである。ただこれらの言葉の使われている前後の関係からその意味をとって、本書のなかでは、*megalothymia*を「優越願望」、*isothymia*を「対等願望」と一応訳した。

リベラルな民主主義社会というのは「対等願望」の社会である。お互いにお互いの権利を認め合う。そして、その権利が認められている国家では、個人の生命が守られているかぎり、自由に財産を増やすようなその分野に国権がなるべく立ち入ってはならないということで成り立つ。これが「対等願望」の世界である。

ところが、ここに哲学的かつ理論的な矛盾があるわけである。すなわち、みんな平等でいいというのならば、そこには偉大なる芸術も偉大なる学問もないことになってしまう。みんなと同じでいいというのならば、他に優越しようという気がなくなった社会である。ニーチェの言葉を使えば、奴隷の社会と同じなのである（奴隷というのは、「気概」を失ったために降参した人たちの社会なのである）。すなわちリベラルな民主主義社会というのは、お互いの権利を認めているようでありながら、究極的には奴隷の社会を志向するという危険を本質的に備えているわけである。

いっぽう「優越願望」とは、これがなければ社会の向上がないといってもよいものだ。リベラルな民主主義社会がまだ実現していない旧ソ連においても、サハロフ博士とか、ソルジェニーツィンなどは、その体制に押し潰されないという「気概」を示した。そういう「気概」があればこそ、リベラルな民主主義社会の方向に歴史をもっていく力も生じるわけであるが、この「優越願望」はまた、逆に本質的にリベラルな民主主義社会にはそっくり入りきれないという危険がある。この二つをいかに両立させていくか、これが歴史哲学上の大きな問題となるわけである。あらゆるほかの体制に打ち勝って最後に残ったと思われるこのリベラルな民主主義社会という体制のなかでさえ、これだけの危険があるのだということを明確に把握し、みずからの造語でそれを解き明かそうとした点に、フクヤマ氏の大きな功績がある。

リベラルな民主主義社会においては、「優越願望」というものは、大きな会社の経営者になるとか、あるいは大統領選挙に出るなどというような、きわめて抑えられた形しかない。しかし、フクヤマ氏も指摘するように、そういうことは結局のところ本物でないというのは周知のとおりである。本物の「優越願望」というのは、威信や尊敬を得るためには命を賭けてもいいというところまでいくのであって、それは戦争においてもっともよくあらわれるわけであるが、平時においてはその贋物、あるいはその代用品しかないというのが問題だとするのである。

さて、リベラルな民主主義社会はこれで終わるのだろうか、次に出てくるのがこの問題であるという指摘と、そして今までのところこれ以上の社会はなかったというところでフクヤマ氏はその考察を終えている。しかし、フクヤマ氏が取り上げた矛盾は、決して理論的には解けていないのであって、これからの歴史問題はここがきっかけになって噴出しますよ、というフクヤマ氏の予言とも受け取れるのである。

フクヤマ氏も端的に指摘しているように、「優越願望」というのは元来は非合理的なものだが（命を捨ててもなんとかというのは、そもそも非合理に決まっている）、しかし、この非合理な「気概」がないと人は結局奴隷的になってしまうという矛盾なのである。アメリカのように、個人の生命保存と財産の獲得は合理的で人間の欲望にも一致していることを独立宣言に掲げた国であっても、ちょっとそのなかを見れば、ピューリタンが中心になっていたわけであり、彼らは決して合理的だけではない人たちであった。この合理的でない人たちの集団が合理的なことを認めたのであって、そのバランスがいいときにアメリカが栄えるという状況があるわけである。合理的でないものがどれくらい混じっていればリベラルな民主主義社会が活力があって伸びていくのか、その混合の割合についてはフクヤマ氏は述べていない。

そこで思い出すのは、いまから二十年以上前、アンドリュー・ハッカーが"*The End of the American Era*"（アメリカ時代の終わり）という本を書いたときに、彼はまさにそのなかで、アメリカにおける小さな社会の非合理的な仕組みが崩れはじめたのが「アメリカ時代の終わり」だとしている。これはある意味では、フクヤマ氏が未来に残した問題を過去において指摘したともいえるものである。

ではフクヤマ氏は、これからの未来をどのように予感しているのか。それは詳しくは述べられていないけれども、必然的な結論としては日本が重要であるということは、この本のなかでも触れている。

私の見るところ、フクヤマ氏は年も若く、学問の経歴からいって、その知識は日本やアジアの歴史に十分に及んでいない。したがって、まだ深く立ち入ることができないでいるという印象を受けるのである。たとえば一九〇四―五年（明治三七―八年）における日露戦争のごときは、当時の世界の誰もが予測しなかった日本人の「気概」の発動であったと思う。

その後の日本の政治は、明らかにリベラルな民主主義社会に向かっていた。とくに第一次世界大戦ののちは、普通選挙法の議会のもとで、軍艦の削減や師団の削減さえもできていたのであった。それが突如として、権威主義的な軍国主義的統制経済に進むのは、きわめて現実的な問題だったからである。

一九二四年におけるアメリカの絶対的排日法という人種差別法――つづいて一九二九―三〇年にかけ、ホーリイ・スムート法が生んだアメリカの千品目に対する万里の長城のような関税のために突如起こった世界的大不況――それに対応するためにイギリスがとったオタワ会議（一九三二年）によるアングロ－サクソンブロック経済の結成などの結果、当時の産業国家として、アウタルキー、すなわち自己完結的経済圏を作り得る先進産業国は、英米仏という植民地をもった国に限られてしまった。そうすると、第一次世界大戦で植民地を失ったドイツ、貿易圏がほとんど大陸だけにしか残されなかった日本などは、どうしても別のコースを取らざるを得なかったと解釈すべきである。そして、オタワ会議の二年後には、すべての植民地を奪われて経済の自立ができなくなったドイツにはヒトラーが出現し、日本でも一九三一年には満州事変をはじめとする断固たる大陸進出の方針がとられたのである。

これは善し悪しの問題ではなく歴史上の事実の問題であるが、フクヤマ氏はこれを日本やドイツには元来、リベラルな民主主義が欠如し、第二次世界大戦後にその段階に入ったと考えているらしいのである。しかし、これにはやはり、別の説明がどうしても必要であろうと思われる。ドイツでは第一次世界大戦後ワイマール憲法時代、日本では大正デモクラシーがあったわけであるが、そのようなリベラルなデモクラシーに向かっている歴史のコースですらも、別の歴史的な要因が働けば逆戻りもし得るということは、われわれが、とくに日本人としては考えさせられるところである。しかし第二次世界大戦後の日独の動き自体は、フクヤマ氏の歴史の構想と矛盾するものではない。

フクヤマ氏は今後のことを考えるとき、世界の歴史は日本が鍵をにぎっているというヒントを呈している。リベラルな民主主義は、そこに住んでいる人たちにもっとも大きい相互平等願望の機会を与え、しかもそこではいちばん生命が安全であり、いちばん財産獲得に便利がいいという制度であるから、ついに共産主義社会にも打ち勝ったということなのである。

ところで現実の問題として、日本を中心とする東アジアの諸国は、明らかに財産獲得という重要な面において南北アメリカよりも優れてきている。これは数字でも明らかであって争う余地はない。

そこでフクヤマ氏は、日本をはじめとする東南アジアの経済圏を、権威主義的な経済としており、これはリベラルな民主主義経済よりもほんとうは歴史の前の段階であると考えているように見える。もしこの傾向が続くならば、歴史は終わらずに始まるわけである。

フクヤマ氏は日本などの経済の繁栄の原因は、会社などの団体のなかで承認されるということが、きわめて人間的な「気概」を満足させてくれるからだということに注目している。つまり会社等における承認がきわめて重要な役割を果たして経済活動をも活発にしているが、アメリカでは、その種の承認が崩れてきているのが問題だといってもいいわけである。

もしもこのまま、いま東南アジアにも及んでいるような日本式の経済の繁栄が続くならば、歴史はまた別の展開をなすということになるのではなかろうか。フクヤマ氏はまた、日本におけるこの重要性に気づいていながら、これを扱うことはまだ十分にはできていないように思われる。

フクヤマ氏がそこでヒントのように述べていることは、彼がヘーゲル理解の鍵としているコジェーブが一九五九年に日本に来たときの挿話を加えていることである。コジェーブによると、日本では十七世紀に鎖国してから数百年にわたって、国は内外ともに平和な状態を経験した。そしてそこでは、一見ヘーゲルのいう歴史の終末状況の世界があったにもかかわらず、決して「最後の人間」の社会のような奴隷の世界ではなかった。そこでは、能楽や茶道や華道など、永遠に満たされない形式的な芸術を考案して、そこで一生懸命お互いの「優越願望」を満足させ合っていたと指摘している。さりげない指摘のようでありながら、今後の世界を考えるうえできわめて重要な指摘である。

かつて私は余暇開発問題について書いたときに、余暇には三種類あることを指摘した。第一の余暇は開放感としての余暇。それは労働に疲れた人が一杯の冷たいビールを飲むことからはじまって、現実の疲れをいやすために競馬や博打を打つというのも開放の余暇である。第二の余暇は、リクリエーションとしての余暇である。それは近代的な経済社会においては、しばしば人間は自分の一部の能力しか使わないで職業生活を営むために、たまには人間の全体（人間の機能の使われなかったところすべて）を使うということである。そして、このリクリエーションのなかにおける競い合いは「優越願望」の満足のし合いということもある。

しかし第三の余暇の使い方として、日本独特のものとして指摘したものがある。それはdisciplineつまり「規律としての余暇」ということである。これがコジェーブが江戸時代の日本について考え、彼のヘーゲル観を訂正する必要があるといわしめたものである。自己規律として余暇を追求することは、人間が奴隷のごとく安価な満足をすることではなく、得にもならないことに一生懸命努力するということ――それによって、たしかにそれを実行した人が傍目にも立派になるという世界があり得るということ

——を指摘したものである。これは歴史が、奴隷の民主主義に向かうというヘーゲルやニーチェの恐れに対する抜け道というヒントともなろうかと思われる。

いずれにせよ、ソ連が突如消えるという歴史的重大時点において、プラトンから始まって、カント、ヘーゲル、マルクス、ニーチェなどの思想家をふまえ、それらの歴史哲学的な思考とロック、ホッブズのようなアングロ－サクソン的な伝統との対比を考え、そして、われわれが今おかれている立場が歴史哲学的にどのようなところにあるのか、またそこに生ずるこれからの問題点はどこにあるのかを明快に解き明かしたフクヤマ氏の労を多としたいものである。

そこに示された「優越願望（メガロサミア）」と「対等願望（アイソサミア）」という二大概念は、今後もわれわれが社会や歴史を考える場合のキー・ワードとなり得るであろうし、またその時点において、日本の地位は「歴史の終わりの後の新しい始まり」になりそうだという予感をわれわれに与えてくれるのである。願わくはフクヤマ氏が、この『歴史の終わり』という大著の次に、「歴史の終わりのあとに始まる」段階としての日本と東南アジアの問題を正面から取り上げてくれることを期待したいと思う。

注 釈

〈第三部　歴史を前進させるエネルギー〉

4 「赤い頬」をした野獣——「革命的情勢」はいかにして生まれたのか

(1) 引用は、*The Life and Writings of Abraham Lincoln* (New York：Modern Library, 1940), p. 842.

(2) 厳密にいえば承認への欲望は、飢えや渇きのような欲望の一形態とも考えられるが、その対象となるのは物質ではなく理念なのだ。「気概 (*thymos*)」と欲望の深いかかわりは、欲望をあらわすギリシア語が epithymia であることから明らかだ。

(3) Adam Smith, *The Theory of Moral Sentiments* (Indianapolis：Liberty Classics, 1982), pp. 50-51. 傍点は筆者。ここでの記述をふくめ、アダム・スミスについてさまざまな洞察を与えてくれた Abram Shulsky と Charles Griswold, Jr. に謝意を表したい。また、Albert O. Hirschman, *The Passions and the Interests* (Princeton, N. J.：Princeton University Press, 1977), pp. 107-108. を参照。

(4) ルソーは、自然の要求が比較的少ない点、また個人の財産欲求が人間の自尊心もしくは虚栄心、つまり自分と他人とを比較する性向から生じるものだという点でスミスに同意するだろう。もちろん、「自己の状態の改善」を道徳的に容認できるかどうかという評価において二人は異なっている。

(5) Alexis de Tocqueville, *The Old Regime and the French Revolution* (Garden City, N. Y.：Doubleday Anchor Books, 1955). とくに、同書の第3部 第4—6章を参照。

(6) この現象についての経験にもとづいた記録としては、Huntington, *Political Order in Changing Societies*, pp. 40-47.

(7) しかしながら、リンカーンの神への信仰についての言及は、気概に満ちた自己克服の偉大な行為が神への信仰によって支えられることを必要とするのか否かという問題をもたらす。

(8) 妊娠中絶の問題に対してその支持者と反対者が教育や収入、居住しているのが都市か田舎かに応じてグループを結成するという点ではたしかに経済的、社会学的な背景がある。しかし、この議論の本質は経済学ではなく権利にかかわるものなのである。

(9) ルーマニアの場合は事情が複雑だ。なぜならチミシワラのデモは完全に自発的なものではなく、またその暴動は軍部によってあらかじめ計画されていたからである。

(10) たとえば、“East German VIPs Now under Attack for Living High Off Party Privileges,” *Wall Street Journal* (November 22, 1989), p. A6. を参照。

5　人間の「優越願望」が歴史に与える影響

(1) Nietzshe, *Twilight of the Idols and the Antichrist* (London：Penguin Books, 1968), p. 23.

(2) この点に関しては、Joan Didion, *Slouching Towards Bethlehem* (New York：Dell, 1968), pp. 142-148. 所収の短いながらも見事なエッセイ *"On Self-Respect"* を参照されたい。

(3) アリストテレスは「魂の偉大さ (*megalopsychia*)」あるいは雅量という言葉で気概について論じ、それを人間の美徳の中心と考えた。偉大な魂をもつ人間は名誉やあらゆる偉大な社会的善といった美徳について「その多くが自分のものであると主張し、またその多くに値する」のであり、そのことによって虚栄（多くを要求する一方、少しの美徳にしか値しない）と小心（少しの美徳しか要求しない一方、多くの美徳に値する）のあいだの中庸の道を堅持するのである。魂の偉大さは勇気、正義感、節度、正直などといった他のすべての美徳をふくみ、*kalokagathia*（「礼儀正しさ」あるいは「道徳的高貴さ」）を必要とする。言い換えれば偉大な魂をもつ人間は、最高の美徳を有していることを最大限に承認してもらおうとするのである。アリストテレスが、偉大な魂をもつ人間は自立していることが望ましい (autarkous gar mallon) ので「美しいが役に立たないもの」を欲しがると指摘している点は、特筆に値する。気概に満ちた魂がもつ役立たないものへの欲望は、生命を危険にさらす衝動と根を同じくしている。Aristotle, *Nichomachean Ethics*, II 7-9; IV 3. 承認や名誉への欲望に対する許容度は、ギリシアの倫理とキリスト教倫理とでは大きく異なるのである。

(4) ソクラテスの考えでは、正義の都市を建設するには気概だけでは不十分であり、哲人王という形で、魂における第三の部分、つまり理性や英知を補う必要があった。

(5)『国家』、375b-376b を参照されたい。実際、ソクラテスは気概が非常にしばしば理性の敵ではなく味方になると指摘して、アディマントスを混乱させている。

(6) 優越願望がかつて有していたまったく異なった倫理的含意を思い出すために、クラウゼビッツによる次の一節を考察されたい。

　闘争で人間の心を鼓舞するすべての情熱のうち、率直に言って、名声と栄誉への憧れほど強力でゆるぎないものはない。不当にもドイツ語は、「功名心 (Ehrgeiz)」や「栄誉欲 (Ruhmsucht)」という卑しい用語でこの憧れの品位を落としてしまった。この気高い野心が乱用されたために、人類がいままで度重なる極悪非道な行為に害されてきたのは確かである。だが、この感情の起源は人間のもっとも高尚な部分に属するものであり、戦争においてはものぐさな大衆を活気づける生命の息吹となる。その他の感情――祖国愛、理想主義、復讐心、あらゆる種類の熱狂――はより一般的かつ尊いかもしれないが、名声や栄誉への渇望には及ばない。

Carl von Clausewitz, *On War*, edited and translated by Michael Howard and Peter Paret (Princeton：N. J.：Princeton University Press, 1976), p. 105. ここでの論述については Alvin Bernstein に感謝の念を述べたい。

(7) もちろん名誉欲はキリスト教の謙遜の美徳とは共存し得ない。Hirschman, *The Passions and the Interests*, pp. 9-11.

(8) とくに『君主論』の第15章に注目されたい。「より偉大なコロンブス」であるマキャベリの一般的解釈については、Leo Strauss, *Natural Right and History*, pp. 177-179. および Leo Strauss and Joseph Cropsey, eds., *History of Political Philosophy*, second edition (Chicago：Rand McNally, 1972), pp. 271-292. のなかのマキャベリについて書かれた章を参照されたい。

(9)「みずからの名誉のために戦う者だけが優秀で忠実な兵士である」と題された『政略論』第1巻43章を参照。Michael Doyle, "Liberalism and World Politics," *American Political Science Review* 80 no.4 (December 1986)：1151-1169. また、Harvey C. Mansfield, *Taming the Prince*, pp. 137, 239 も合わせて参照されたい。

(10) *Ibid.*, pp. 129, 146.

(11) Harvey C. Mansfield, Jr., "Machiavelli and the Modern Executive," in Zuckert, *Understanding the Political Spirit*, p. 107.

(12) これは近代初期の思想に気概を意図的に過小評価する傾向があることを説得的に論じた Hirschman, *The Passions and the Interests* のテーマである。

(13) 承認への欲望は、ホッブズやロックの自由主義をはじめて本格的に攻撃したジャン・ジャック・ルソーの思想においても中核をなしている。ホッブズやロックの提示した市民社会論に鋭く反論しながらもルソーは、承認への欲望が人間の社会生活における悪の根源であるという点で両者と意見を同じくした。ルソーは承認への欲望を amour-propre すなわち虚栄（うぬぼれ）と呼んで、文明に毒されていない自然な人間を特徴づける amour de soi（すなわち自己愛）と対照をなすとした。自己愛は人間の食欲、性欲、睡眠欲の充足に関連しているが、本質的に害にはならない。なぜならルソーの考えでは、自然状態の人間は孤独で非攻撃的な生活を送っているからである。それに対して虚栄は、はじめて人間が社会に身をおき自分を他人と比較しはじめる歴史の発展段階で生じてくる。このように人間がみずからの値打ちを他人と比較するプロセスが、人間の不平等と文明人の邪悪さや不幸の根源である、とルソーは考えた。この結果、私有財産とあらゆる社会的不平等が生まれたのである。

これに対するルソーの解決策は、ホッブズやロックのように人間の身勝手な自尊心をいっさい消し去ろうというものではなかった。ルソーはプラトンに従い、気概をある意味で民主的かつ平等な共和国における公共心の基礎としようと考えた。『社会契約論』に示された正統な政府の目的は、私有財産や個人の経済的利権の保護ではな

く、自然的な自由の類似物、すなわち一般意志を社会のなかで実現することであった。人間はみずからの自然的自由を、ロックが主張したように国家から放任され勝手に財産を獲得することによってではなく、小さく結合力のある民主主義政体のなかで公的な生活への積極的参加を通して再び獲得するのである。共和制国家の市民たちの個人的な意志で構成されている一般意志は、自己決定と自己主張の自由に満足を見出す単一かつ巨大な気概に満ちた個体と考えることができよう。Jean-Jacques Rousseau, *Oeuvres Complètes*, vol. 3, pp. 364-365. を参照。また人間が社会に身をおき他人に依存するようになると生じる魂の不調和を論じた Arthur Melzer, *The Natural Goodness of Man : On the System of Rousseau's Thought* (Chicago : University of Chicago Press, 1990), pp. 70-71 も合わせて参照。

(14) もちろん日本における倫理的取り引きがまったくスムーズにおこなわれたというわけではなく、貴族的な気風は軍隊に温存された。日本における帝国主義の急成長はつまるところアメリカとの太平洋戦争をもたらしたが、これは気概に満ちた伝統的階級の最後のあがきとして理解できる。

(15) *The Federalist Papers* (New York : New American Library, 1961), p. 78.

(16) *Ibid.*, pp. 78-79.

(17) フェデラリスト（連邦主義者）の見解のこのような解釈については David Epstein, *The Political Theory of the Federalist* (Chicago : University of Chicago Press, 1984), pp. 6, 68-81, 136-141, 183-184, 193-197. を参照。フェデラリストのみならず、他のさまざまな政治思想家における気概の重要性を指摘してくれた David Epstein にここで感謝の念を述べたい。

(18) *The Federalist Papers*, p. 437.

(19) C. S. Lewis, *The Abolition of Man, or, Reflections on education with special reference to the teaching of English in the upper forms of schools* (London : Collins, 1978). の第1章7～20ページを参照されたい。

(20) ニーチェ『ツァラトストラはかく語りき』第1部「千と一つの目標」より。Nietzsche, *The Portable Nietzsche*, pp. 170-171.

(21) Nietzsche, *On the Genealogy of Morals* 2 : 8 (New York : Vintage Books, 1967), p. 70.

6　歴史を前進させる「原動力」

(1) Kojève, *Introduction à la lecture de Hegel*, p. 26.

(2) ここでいう「長い日」とは、社会における主従関係の最初の出現からほぼフランス革命までの幾千年にもおよぶきわめて長い期間である。コジェーブ（ないしはヘーゲル）が言及する奴隷とは、法的に他者の所有物となった人間に限定されるのではな

く、尊厳を「承認」されていないすべての人々を指し、たとえば革命前のフランスにおいて法的には自由を保証されていた農民も含まれる。

(3) ここでのヘーゲル『精神現象学』における歴史発展論の概略はコジェーブの解釈を踏襲するものであり、総合哲学者ヘーゲル=コジェーブの議論として考えてほしい。この点については、Roth, *Knowing and History*, pp. 110-115 及び、Smith, *Hegel's Critique of Liberalism*, pp. 119-121. を参照。

(4) 主君ももちろん他の主君からの承認を求めるが、そのプロセスのなかで彼は、一連の避けがたい威信を賭けた戦いを通じて他の主君を奴隷に変えていく。合理的な相互承認に先立つ時期には、人は奴隷から承認してもらうほかなかったのである。

(5) コジェーブは、奴隷が進歩していくためには形而上学的にいって死の恐怖が必要であると論じている。それは奴隷が死の恐怖を避けるからではない。死の恐怖は彼に、自分が無一物であること、自分がなんら永遠のアイデンティティをもたず、あるいは自分のアイデンティティなど歴史と共に否定される（つまり変化する）ものであることを教えるからである。Kojève, *Introduction à la lecture de Hegel*, p. 175.

(6) コジェーブは、みずからのために働くブルジョアと奴隷とを区別している。

(7) ここでは、労働という問題についてのヘーゲルとロックの接点に気づくだろう。ヘーゲルと同じくロックにとっても労働は価値の根源であった。富の最大の源は人間の勤労であって、自然界に存在する「ほとんど無価値な物質」ではないというわけだ。またロックはヘーゲル同様、労働本来の目的などないと考えていた。人間の必然的欲求の数は割合少なく容易に満たされる。そして金銀を無限に追求するロック流の資産家的人間はこうした要求を満たすためではなく、不断に変化する新たな欲求を満たすために働くのである。この意味でいえば、人間の労働は創造的営為である。なぜならそこには、いっそう新しく野心的な無限の仕事がふくまれるからだ。また、人間がみずからのために新たな要求を作り出すにつれ、人間の創造力は自分自身にも波及してくる。結局、自然を意のままに操り自分自身の目的へ向けていく能力に人間は満足を見出すということを確信していた点で、ロックはヘーゲルと共通した反自然的傾向をもっているのである。両者の見解は近代自然科学の発展に伴って登場した経済世界、すなわち資本主義を正当化するものであったといえよう。

しかしながらロックとヘーゲルは、一見些細なことのように見えながらじつは重要な点で異なった見解をもっている。ロックにとって労働の目的は欲望の充足であった。欲望は固定されずつねに拡大変貌をとげるが、その欲望を満たしたいという欲求は一定不変の特徴である。ロックにとって労働は労働価値のためにおこなう本質的に不快な行為であった。自然原理を基準としていては労働目的を前もって特定できない——たとえばロックの自然法は、ある人が靴屋になるか半導体素子の設計者になるかという問題については黙して語らない——が、それでも労働にとっての自然的基準は存在する。労働や財産の無限の蓄積は、死の恐怖から逃れるための手段とされるのだ。死

の恐怖はすべての人間が労働によって回避すべき陰極でありつづける。自分の自然的欲求よりはるかに多くのものを所有する金持ちでも強迫観念に駆られたように財の蓄積を続けるのは、究極のところ、逆境を回避し、自分の自然状態である貧困への逆行を防ごうとする欲望のためなのである。

(8) この点に関しては、Smith, *Hegel's Critique of Liberalism*, p. 120; and Avineri, *Hegel's Theory of the Modern State*, pp. 88-89. また Kojève in Strauss, *On Tyranny*, p. 183 もあわせて参照。

(9) Strauss, *On Tyranny*, p. 183 のコジェーブの見解を参照。

7 「日の当たる場所」を求めて戦う人間と国家

(1) この言葉はこのほかにも「国家こそ世界における神の足跡である」とか「国家のあり方こそが世界における神の道である」などとさまざまに訳される。addition to paragraph 258 of *The Philosophy of Right* から引用。

(2) これを次に示す Ernest Gellner の民族主義の定義と比較されたい。「心情としての、あるいは運動としての民族主義は、この原則(政治的単位と民族的単位は一致すべきであるという原則)によってもっともうまく定義され得る。民族主義的な心情とは、この原則が破られたときに沸き起こる憤りの念、もしくはこの原則が達成されたときに享受する満足感である。そして民族主義的な運動とは、この種の心情に駆り立てられて発生したものなのである。」Ernest Gellner, *Nations and Nationalism* (Ithaca, N.Y.: Cornell University Press, 1983), p. 1.

(3) この点も Gellner の指摘による。*ibid.*, p. 7.

〈第四部　脱歴史世界と歴史世界〉

1　冷たい「怪物」——リベラルな民主主義に立ちはだかる「厚い壁」

(1) Nietzsche, *The Portable Nietzsche*, pp. 160-161.

(2) むろんコジェーブも指摘しているように、永遠の生命に対するキリスト教徒の信念にはある種の欲望の要素がある。神の恩寵に対するキリスト教徒の欲望は、自己保存に対する自然的な本能以上の動機はないのかもしれない。永遠の生命は、暴力による死の恐怖に駆り立てられた人間の究極的な希望の実現なのである。

(3) むろん先に述べたように、ある地方やある国家的財産といった物質的なものをめぐる対立の背後には多くの場合、実際には征服者の側における承認のための闘争が隠されている。

(4) こうした用語はすべて、近代のリベラルな民主主義を可能にする「価値観」を定義しようとした近代の社会科学に由来している。Daniel Lerner はいう。「この研究にお

ける主要な仮定は、高度な共感能力がきわめて工業的、都市的、教育的、そして誰でも参加できる近代社会においてのみ支配的な個人の生活様式だという点にある」。Lerner, *The Passing of Traditional Society*, p. 50.「市民文化」という用語はEdward Shilsによってはじめて使用され、それは「伝統的なものでも近代的なものでもなく、その両方をあわせもっている第三の文化である。すなわち、コミュニケーションと説得にもとづいた多元的な文化であり、合意と多様性の文化、変化を許容する一方でその変化をやわらげる文化なのである」。Gabriel A. Almond and Sidney Verba, *The Civic Culture* (Boston：Little, Brown, 1963), p. 8.

(5) 寛容という美徳が現代アメリカの中心にあることはAllan Bloom, *The Closing of the American Mind* (New York：Simon and Schuster, 1988)の、とりわけ第一部の1のなかで見事に説明されている。これと対になった悪徳である不寛容は今日では、野心、情欲、貪欲など伝統的な悪徳の大部分よりはるかに受け入れがたいものと考えられている。

(6) 民主主義の前提条件に関する一般的な議論については、Diamond, Linz, and Lipset, *Democracy in Developing Countries* の各巻にある序文を参照。とくに、ラテンアメリカに関する第4巻pp. 2-52. を参照。またHuntingtonの民主主義の前提条件に関する議論は、Huntington, "Will More Countries Become Democratic?" pp. 198-209. を参照。

(7) 国民としての一体感は民主主義にとって唯一の正しい前提条件である、と次の文献は指摘している。Dankwart Rustow, "Transitions to Democracy," *Comparative Politics* 2 (April 1970)：337-363.

(8) ハンティントンは、現在発生している世界的民主化の「第三の波」に非常に多くのカトリック諸国が加わった結果、この「第三の波」がある意味でカトリック的な現象になり、それが1960年代により民主的かつ平等主義的な方向を求めてカトリックの意識が変化したこととも関連しているという。この議論にはたしかに一理あるが、もしそうであれば、なぜカトリックの意識が変化したのかという点が当然問題となる。カトリックの教義に、その意識を民主政治へ向かわせるべき何ものもなく、またカトリック教会の権威主義的・階層的な構造が権威主義的な政治を支持させているという伝統的な議論を反駁できないことは明らかだ。カトリックの意識変化の主要な原因は、①カトリック思想から生まれたというよりむしろカトリック思想に影響を与えてきた民主的理念の一般的正統性、②1960年代までにほとんどのカトリック諸国で生じた社会経済的な発展水準の向上、そして③マルチン・ルター以降400年間という長期にわたって進展したカトリック教会の「世俗化」、にあるように思われる。この点に関しては、Samuel Huntington, "Religion and the Third Wave," *The National Interest* no.24 (Summer 1991)：29-42. を参照。

(9) だがそのトルコでさえ、政教分離をおこなって以降は民主主義の保持に困難をかか

えている。アメリカの人権団体フリーダム・ハウスは1984年、イスラム教徒が大多数を占める36カ国のうち21カ国を「自由ではない」とし、15カ国を「部分的に自由」であるとしたが、その査定ではまったく「自由」な国は一つもないのである。Huntington, "Will More Countries Become Democratic?" p. 208.

(10) コスタリカに関する議論については、Harrison, *Underdevelopment is a State of Mind*, pp. 48-54. を参照。

(11) こうした論調でもっとも有名なのは、Barrington Moore, *Social Origins of Dictatorship and Democracy* (Boston：Beacon Press, 1966). である。

(12) この主張には説得力を弱めてしまうような問題が数多くある。たとえばスウェーデンをはじめ数多くの中央集権化された専制君主国家が、のちにきわめて安定したリベラルな民主主義国家へと発展していった。一部論者の指摘によれば、封建制はその後の民主的発展の障害となりもすればその逆の働きをする場合もあり、南北アメリカの経験の主要な差異はここにある。Huntington, "Will More Countries Become Democratic?" p. 203. を参照。

(13) 長いあいだフランス人は中央集権主義の習慣をみずから打破しようとして、教育のような分野での地方自治体への権限委譲の試みなどに多大な努力を払ってきた。こうした試みは近年、保守政権でも社会党政権でもおこなわれたが、非中央集権化へのこうした努力の最終的な成果はいまのところまだもたらされていない。

(14) 国民的アイデンティティの形成にはじまり、効果的な民主的制度の設立、さらに国民の直接的政治参加の拡大へといたる経緯に関しては、Robert A. Dahl, *Polyarchy : Participation and Opposition* (New Haven：Yale University Press, 1971), p. 36. のなかでも同様の主張がなされている。また、Eric Nordlinger, "Political Development：Time Sequences and Rates of Change," *World Politics* 20 (1968)：494-530; and Leonard Binder, et al. *Crises and Sequences in Political Development* (Princeton：Princeton University Press, 1971). を参照。

(15) たとえば、もしチリが大統領制度ではなくむしろ国家全体の制度的構造を破壊せずに政府の辞職や政治的連立を許すような議会制度をもっていたなら、1970年代におけるチリの民主主義の崩壊は妨げたかもしれない。大統領制民主主義と議会制民主主義の対比に関しては、Juan Linz, "The Perils of Presidentialism," *Journal of Democracy* 1,no.1 (Winter 1990)：51-69. を参照。

(16) これは、Juan Linz, *The Breakdown of Democratic Regimes : Crisis, Breakdown, and Reequilibriation* (Baltimore：Johns Hopkins University Press, 1978). における主題である。

(17) これに関する一般的な問題については、やはりDiamond et al., *Democracy in Developing Countries*, vol. 4, pp. 19-27. を参照。第二次世界大戦が終わるまで比較政治学の理論的な研究は、憲法や法原理に焦点があてられていた。ヨーロッパの社会学

の影響をうけて、戦後の「近代化理論」はこうした法や政治の問題を度外視し、もっぱら基本的な経済的・文化的・社会的要因だけに焦点をあてて民主主義の起源とその成功を説明した。ここ数十年のあいだに、エール大学の Juan Linz の研究にともない、かつての視点に戻ろうとする動きもいくらか起きている。彼のグループは、自治と政治の尊厳に正しく光をあて、それを政治下の領域といっそう均衡のとれたものにしたのである。

(18) ウェーバーの説明によれば、西欧に自由が存在するのは、西欧の都市が自立した戦士たちの自己防衛組織にもとづいており、西欧の宗教（ユダヤ教とキリスト教）が呪術や迷信との関係を絶ち切ったからであった。ギルドのようなとりわけ中世的な新制度は、中世都市における自由で割合平等主義的な社会関係の出現を説明するために必要とされる。Weber, *General Economic History* (New Brunswick, N. J.: Transaction Books, 1981), pp. 315-337. を参照。

(19) 当初のゴルバチョフ流の改革の結果として、旧ソビエト連邦に永続的な民主的諸制度が確立されるかどうかは皆目見当もつかないが、それが次の世代に定着することを阻害する決定的な文化的要因は何もない。教育水準や都市化、経済発展などの要素から見ても、旧ソ連は現実に、民主化に成功しているインドやコスタリカのような第三世界の国々よりも数多くの有利な点をもっている。ある民族は深い文化的理由のために民主化ができないという考え自体が、じつのところ、民主化にとっては障害となる。ロシアのエリート自身のなかに存在するある種のロシア恐怖症や、旧ソビエト市民が自分たちの生活を支配していく能力に対する深いペシミズム、さらに強大な国家権力が不可避であるという宿命論は、思っているだけならいいが、度が過ぎると正夢になってしまうのである。

2　歴史から見た日本人の「労働倫理」

(1) Kojève, *Introduction à la lecture de Hegel*, p. 9.

(2) 第二部の5「自由市場経済の圧倒的勝利」を参照。

(3) Thomas Sowell, *The Economics and Politics of Race: An International Perspective* (New York: Quill, 1983); and Sowell, "Three Black Histories," *Wilson Quarterly* (Winter 1979): 96-106. を参照。

(4) R. V. Jones, *The Wizard War: British Scientific Intelligence, 1939-1945* (New York: Coward, McCann, and Geoghan, 1978), pp. 199, 229-230.

(5) 働くことが本質的に不快であるという考え方は、ユダヤ・キリスト教の伝統に深く根ざしている。旧約聖書における天地創造の物語のなかで労働は、世界を創造するために苦心した神のイメージのなかにあらわされているが、同時に、神の恩寵からの堕落の所産である人間に課せられた一つの呪いともされている。「永久の生命」とは労

働ではなく「永遠の安息」という意味なのである。Jaroslav Pelikan, “Commandment or Curse：The Paradox of Work in the Judeo-Christian Tradition,” in Pelikan et al., *Comparative Work Ethics : Judeo-Christian Isramic, and Eastern* (Washington, D.C.：Library of Congress, 1985), p. 9, 19.

(6) この考えは、労働を消費のために有益なものを作り出していく手段とのみ考えているロックによっても支持されるだろう。

(7) 現代の経済学者なら、このような個人の行動を「効用」という純粋に形式的な定義を用いて説明しようとするだろう。「効用」とは実際に人間によって追求されるいかなる目的をも包含するのである。つまり現代の仕事中毒者（ワーカホリック）は、自己の労働から「精神的効用」を得ているといえるだろう。この点ではウェーバーのいう禁欲的なプロテスタントの企業家が、永遠の救済を求める自己の願いから「精神的効用」を得ているのと同じだ。金銭や余暇、承認、あるいは永遠の救済への欲望が効用という紋切り型の表現でひとまとめに把握できるという事実は、人間行動のなかで真に興味深い何かを説明しようとする際にこうした経済学の形式的定義では役に立たないことを示すものである。効用理論は別としても、こうした効用に関する包括的な定義の理論的な説得力は失われている。

従来の経済的な「効用」の定義からは離れ、この言葉の使用法をもっと常識的な意味に制限していくほうがずっと賢明だろう。効用とは、主として資産や他の物質的所有によって人間の欲望を満たし、あるいは人間の苦痛を和らげるものなのである。したがって、純粋に気概に満ちた満足のために自己の情欲を日々抑制する禁欲的な人間は「効用を最大限に追求する者」とはいえないはずだ。

(8) 資本主義とプロテスタンティズムとの関係を指摘した著述家としてウェーバー自身が言及している人物には、1880年代に広く読まれた経済学テキストを書いたベルギー人 Émile de Laveleye やイギリスの批評家 Matthew Arnold がいる。そのほか、ロシアの作家 Nikolay Mel'gunov, John Keats, そして H. T. Buckle もふくまれている。ウェーバーが取り上げたテーマの先駆者については、Reinhold Bendix, “The Protestant Ethic—Revisited,” *Comparative Studies in Society and History* 9, no. 3 (April 1967)：266-273. を参照。

(9) ウェーバー批評家の多くは、たとえばユダヤ人やイタリア人のカトリック共同体において、宗教改革に先立って資本主義が出現していたことを指摘した。ウェーバーが論じたピューリタニズムは資本主義が広まったあとにあらわれただけの衰退したピューリタニズムにすぎず、それゆえそのピューリタニズムは資本主義の創始者としてではなく伝達者として役に立ったのだと指摘する者もいる。さらに、プロテスタントやカトリック共同体の相対的な業績は、プロテスタンティズムのなんらかの積極的な貢献によってではなく、むしろ反宗教改革が生み出した経済的合理主義への障害によっていっそううまく説明できる、との議論もなされてきた。

ウェーバーのテーマへの批判文献としては次のようなものがある。R. H. Tawney, *Religion and the Rise of Capitalism* (New York：Harcourt, Brace and World, 1962); Kemper Fullerton, "Calvinism and Capitalism," *Harvard Theological Review* 21 (1929)：163-191; Ernst Troeltsch, *The Social Teaching of the Christian Churches* (New York：Macmillan, 1950); Werner Sombart, *The Quintessence of Capitalism* (New York：Dutton, 1915); さらに、H. H. Robertson, *Aspects of the Rise of Economic Individualism* (Cambridge：Cambridge University Press, 1933). また Strauss, *Natural Right and History*, footnote 22, pp. 60-61. におけるウェーバーに関する議論を参照。Strauss は、宗教改革に先立って合理的哲学思想の革命があり、それが、資本主義の正統性の普及に一定の責任を有する際限のない物質的富の蓄積をも正当化した、と述べている。

(10) Emilio Willems, "Culture Change and the Rise of Protestantism in Brazil and Chile," in S. N. Eisenstadt, ed., *The Protestant Ethic and Modernization：A Comparative View* (New York：Basic Books, 1968), pp. 184-208 を参照。また、進歩に対する文化の影響に関しては1992年に Basic Books から出版予定の Lawrence E. Harrison の著書を参照のこと。さらに David Martin, *Tongues of Fire：The Explosion of Protestantism in Latin America* (Oxford：Basil Blackwell, 1990). を参照。ラテンアメリカにおける解放の神学は、それが合理的で際限のない資本主義的蓄積の非正統化に一役買っているかぎり、反宗教改革の立派な後継者である。

(11) ウェーバー自身、中国やインドの宗教に関する本を著わし、これらの文化のなかに資本主義の精神が生まれなかった理由を説明しようとした。だがそれは、なぜこれらの文化が外国から輸入した資本主義を促進したり、あるいは逆に妨げたりしたのかという問題とは視点が微妙に異なっている。後者の視点に関しては、David Gellner, "Max Weber, Capitalism and the Religion of India," *Sociology* 16, no. 4 (November 1982)：526-543. を参照。

(12) Robert Bellah, *Tokugawa Religion* (Boston：Beacon Press, 1957), pp. 117-126.

(13) *Ibid.*, pp. 133-161.

(14) *India：A Wounded Civilization* (New York：Vintage Books, 1978), pp. 187-188.

(15) ヒンズー教によって引き起こされる精神的な無気力状態のほかにも、ミュルダールは、生産活動に役立たない牛の数が人口の半数近くにものぼる国においては、牛殺しを禁じるヒンズーの教え自体が経済成長にとっての重大な障害物になっていると記している。Gunnar Myrdal, *Asian Drama：An Inquiry into the Poverty of Nations* (New York：Twentieth Century Fund, 1968), vol. 1, pp. 89-91, 95-96, 103.

(16) この議論は、Daniel Bell, *The Cultural Contradictions of Capitalism* (New York：Basic Books, 1976), p. 21. のなかでおこなわれている。また Michael Rose, *Re-working the Worth Ethic：Economic Values and Socio-Cultural Politics* (New York：

Schocken Books, 1985), pp. 53-68. を参照。

(17) *Ibid*., p. 66. さらに、David Cherrington, *The Work Ethic : Working Values and Values that Work* (New York : Amacom, 1980), pp. 12-15, 73. を参照。

(18) アメリカ労働統計局によれば1989年には、フルタイム雇用のアメリカの労働者のなかで週49時間以上働く者は24パーセントであるが、その数は十年前にはわずかに18パーセントであった。Louis Harris の調査によれば、アメリカ成人の週あたり余暇時間の平均値は1973年の26.2時間から1987年には16.6時間に落ち込んだ。統計は、Peter T. Kilborn, "Tales from the Digital Treadmill," *New York Times* (June 3, 1990), Section 4, pp. 1, 3. より引用。また、Leslie Berkman, "40-hour Week is Part Time for Those on the Fast Track," *Los Angeles Times* (March 22, 1990). part T, p. 8. を参照。これらの参考文献に関しては Doyle McManus に感謝している。

(19) 英国と日本の労働者の違いに関しては、Rose, *Re-working the Work Ethic*, pp. 84-85. を参照。

3 新しいアジアを生み出す「新権威主義の帝国」

(1) この問題のより詳細な議論については、Roderick McFarquhar, "The Post-Confucian Challenge," *Economist* (February 9, 1980) : 67-72 ; Lucian Pye, "The New Asian Capitalism : A Political Portrait," in Peter Berger and Hsin-Huang Michael Hsiao, eds., *In Search of an East Asian Development Model* (New Brunswick, N. J. : Transaction Books, 1988), pp. 81-98; and Pye, *Asian Power and Politics*, pp. 25-27, 33-34, 325-326. を参照。

(2) 日本では、基本的な社会的関係は同輩同士ではなく先輩と後輩、目上の者と目下の者との垂直的関係である。このことは家族にも大学や会社にも当てはまり、そこでは、人がまずもって愛慕の念を抱くのは年長の庇護者に対してなのである。Chie Nakane, *Japanese Society* (Berkeley : University of California Press, 1970), pp. 26ff. を参照。

(3) たとえば統治に関するロックの第一論文は、家族をモデルにした家父長的な政治的権威を正当化しようとした Robert Filmer への攻撃から始まっている。この点については、Tarcov, *Locke's Education for Liberty*, pp. 9-22. を参照。

(4) これは偶然ではない。ロックは『市民政府二論』のなかで、ある種の両親の権威に対して子供の権利を擁護している。

(5) Pye, *Asian Power and Politic*, p. 72. では、日本の家族が中国の家族と異なっているのは家族の忠誠心と個人の体面に同程度の重きをおく点であり、それゆえに日本人はより現世的かつ順応性に富んでいるのだと指摘されている。

(6) 家族それ自体は、経済的合理性にとって特別役立つものとは思われない。パキスタンや中東の諸地域では、家族の絆はどこから見ても東アジアと同じくらい強いが、それ

は経済的合理性にとってしばしば障害となっている。というのは、こうした絆が縁者びいきや部族を土台にした情実を助長しているからである。東アジアで家族を構成するのは現在生きている血縁者だけではなく、代々の先祖もその一員であり、彼らが子孫の個々人にある種の行動規範を期待するのである。かくして、強い絆で結ばれた家族は縁者びいきを求めるよりもむしろ内面的な規律や廉直さを助長する傾向がある。

(7) 1989年のリクルート事件その他のスキャンダルは一年のうちに自民党の二人の首相の首を飛ばし、自民党は参議院における多数議席を失うことになった。これは、日本の政治体制にも西欧スタイルの責任のとり方が存在することを示したものだった。にもかかわらず自民党はそのダメージをなんとかうまく食い止め、党自身はもとより日本の政治的・官僚的流儀をなんら構造的に改革せずに、政治システムにおけるヘゲモニーをかろうじて保持したのである。

(8) たとえば韓国は、みずからの政権党を編成するにあたってアメリカの民主党や共和党ではなく自民党を模倣しようとした。

(9) 近年では直接投資とあわせて集団の忠誠心や結束を強調する日本型マネージメントのやり方がアメリカやイギリスへ輸出され、ある程度の成功を収めている。けれども、家族とか国家意識のようなより大きな道徳的内容をふくんだ他のアジア的社会制度が同様に輸出され得るものかどうかは、それがアジア諸国の特定の文化的経験に深く根ざしていることを考えれば疑問である。

(10) 歴史の終わりには文字どおり普遍的で均質な国家を創造することが必要であるとコジェーブが信じていたかどうかは、はっきりしない。彼が歴史は終わったとしている1806年にも国家体制は明らかに手つかずで残されていた。他面、あらゆる民族的な道徳的特性の違いをなくしてしまう以前に、完全に合理的な国家というものを考えることはむずかしい。コジェーブがヨーロッパ共同体のために働いたという事実は、彼が現存する国境の廃止を歴史的に意義深い事業なのだと考えていたことを示している。

4　もはや万能ではなくなった「現実主義」

(1) 同書、III 105.2 を参照。これと同書の I 37, 40-41. とを対照せよ。

(2) たとえば Kenneth Waltz, *Theory of International Politics* (New York：Random House, 1979), pp. 65-66. には、以下の一節がある。

　変化はいたるところにあるが、継続性は変化と同程度に、いやそれ以上に印象的であり、さまざまなやり方で例示できる命題なのだ。第一次世界大戦の最中や戦後の事件を心にとめながら聖書外典のマカベア第一書を読む者は、国際政治を特徴づけている継続性の感覚を得るだろう。紀元前2世紀であろうと紀元20世紀であろうと、ア

ラブ人とユダヤ人は互いに北方の帝国の残りの部分をめぐって戦い、一方でその戦場の外側にいる国々は抜け目なくそれを見守り、あるいは活発に干渉したのである。この点をもっと一般的に示すためにある者は、ホッブズがツキディデスとの同時代性を体験したという有名な事例を引用するかもしれない。それほど有名ではないが、同じように印象深いのは、核兵器と超大国の時代において Louis J. Halle がツキディデスの今日性を認識していることである。

(3) Reinhold Niebuhr の国際関係に関する見解についてのもっとも簡潔で系統的論述は、おそらく *Moral Man in Immoral Society : A Study in Ethics and Politics* (New York：Scribner's, 1932), のなかにある。Morgenthau の教科書とは、*Politics among Nations : The Struggle for Power and Peace* (New York：Knopf, 1985). である。同書は Morgenthau の死後 Kenneth Thompson によって最終的に編集され第 6 版が出ている。

(4) 国家レベルにおけるさまざまな原因と国際レベルにおけるさまざまな原因とを最初に区別したのは Waltz である。*Man, the State, and War* (New York：Columbia University Press, 1959).

(5) 戦争の原因として共通主権と国際法の欠如を強調する点で、現実主義者たちは、リベラルな国際主義者たちと共通している。実際、のちに見ていくように、共通主権の欠如は戦争防止の決定的な要因とは思われない。

(6) この議論の一種として、プラトン『国家』第 1 巻、338c-347a にある「強い者の利益」が正義だとする Thrasymachus の定義を参照。

(7) 戦後初期の他の現実主義者の多くとは対照的に George Kennan は、領土拡張が必ずしもロシアに固有のものではなく、それは武装したマルキシズムと結合したソビエト・ロシアの民族主義の産物だと考えていた。Kennan のそもそもの封じ込め戦略は、ソビエト共産主義が最終的にはソビエト内部から崩壊していくことを前提としていたのである。

(8) このような議論の一種として、Samuel Huntington, "No Exit：The Errors of Endism," *The National Interest* 17 (Fall 1989)：3-11. を参照。

(9) Kenneth Waltz は、Morgenthau, Kissinger, Raymond Aron, Stanley Hoffmann などの現実主義者たちを、たとえば「革命的国家」と「現状維持国家」とを区別することによって国際紛争理論のなかに国内政治という不純物を混合してしまったと批判した。彼はこうしたやり方とは対照的に国際政治を、それを構成している諸国家のいかなる国内的な特質をも考慮することなく純粋に国際政治体制の構造にもとづいて説明しようとしている。日常使われている語法の驚くべき転倒によって彼は、国内政治を考慮にいれる諸理論を「還元主義」と呼ぶ。それに対して、彼自身は世界政治の複雑さをひとまとめに「体制」というものに還元している。そこからわかるのは一つの基

本的な事実、つまり、それが二極体制なのか多極体制なのかという点である。Waltz, *Theory of International Politics*, pp. 18-78. を参照。

(10) この点に関しては、*ibid.*, pp. 70-71, 161-193. を参照。理論的には、ヨーロッパ諸国の古典的協調体制のような多極体制のほうが二極体制よりもいくぶん有利なはずである。なぜならそのような体制への挑戦者はすばやく同盟国を変更することによって均衡を保てるからである。さらに、権力がより広く分散されるので、周辺領域での均衡の変化もあまり重大な問題とはならない。しかしながらそれは、諸国家がまったく自由に同盟を結んだり破棄したりし、また領土のやりとりによって力の均衡を物理的に適正化していける王朝的な世界においてもっともよく機能するのである。民族主義とイデオロギーが国家の同盟締結の自由を抑圧する世界では、多極性は不利になる。第一次世界大戦が、しだいに二極性に似通ってきた腐朽した多極性の結果であったのかどうかはまったくわからない。ドイツとオーストリア - ハンガリー帝国は民族主義的な理由とイデオロギー的な理由とがあいまって多少なりとも恒久的な同盟関係に結びつけられ、ヨーロッパの他の国々をこの両国に対して同じように硬直した同盟へと押しやることになった。そしてセルビア人の民族主義に代表されるようなオーストリア統合への脅威が、かすかに揺らいでいた二極体制を戦争へと駆り立てていったのである。

(11) Niebuhr, *Moral Man and Immoral Society*, p. 110.

(12) Henry A. Kissinger, *A World Restored : Metternich, Castlereagh and the Problems of Peace 1812-1822* (Boston : Houghton Mifflin, 1973). のとくに 312 ～ 332 ページを参照。

(13) Morgenthau, *Politics among Nations*, p. 13.

(14) *Ibid.*, pp. 1-3.

(15) Niebuhr, *Moral Man and Immoral Society*, p. 233.

(16) その唯一の例外はもちろん 1950 年の朝鮮戦争への国連の対応だが、それもソ連が国連をボイコットしたからこそ可能だったのである。

(17) Kissinger の学位論文に関しては、Peter Dickson, *Kissinger and the Meaning of History* (Cambridge : Cambridge University Press, 1978). を参照。

(18) John Gaddis, "One Germany—In Both Alliances," *New York Times* (March 21, 1990), p. A27.

(19) John J. Mearsheimer, "Back to the Future : Instability in Europe after the Cold War," *International Security* 15, no. 1 (Summer 1990) : 5-56.

5 「権力」と「正統性」との力関係

(1) Mearsheimer, "Back to the Future," p. 12.

(2) 自己の国際関係理論から国内政治に関する考察を一掃しようという Waltz の試みは、その理論を厳密かつ科学的なものにしようという欲求――彼の言葉でいえば分析の「単位」と「構造的」レベルを区別しておこうという欲求からきている。国際政治における人間行動の規則的かつ普遍的な法則を発見しようという努力のなかで組み立てられた彼の広大な知的体系は、結局のところ、「力の均衡こそものをいう」との言葉に要約されるような国家行動についての一連の陳腐な観察に落ち着いている。

(3) Thucydides, *History of the Peloponnesian War*, I, 76. におけるコリント人のラケダイモン人への訴えに対するアテネ人の反応を参照。そこでアテネ人は、スパルタが現状維持を支持しているにもかかわらず各国の抱いているアテネとスパルタへの危惧は同じであることを論じている。また、同書の III, 105. のメロス人との対話における議論（本書第四部４の巻頭句）も参照。

(4) もちろん、近隣諸国が飛び抜けて急速に成長し、しばしば憤激をもたらすような状況を生み出したときには問題が起きる。しかしながら、そうした状況に直面したとき現代の資本主義諸国は、その近隣諸国の成功を邪魔しようと努力するのではなく、その真似をしようとするのが常である。

(5) 権力と正統性の相互関係に関する論述、また「武力外交（パワー・ポリティクス）」の単純化された概念への批判としては、Weber, "Politics as a Vocation," in *From Max Weber*, pp. 78-79. および "The Prestige and Power of the 'Great Powers,' " pp. 159-160. を参照。

(6) Kenneth Waltz の現実主義理論の非歴史的視野に対すると同様の、しかしマルクス主義的立場からの反対論は、Robert W. Cox, "Social Forces, States, and World Orders," in Robert O. Keohane, ed., *Neorealism and Its Critics* (New York : Columbia University Press, 1986), pp. 213-216. でおこなわれている。また、George Modelski, "Is World Politics Evolutionary Learning," *International Organization* 44, no. 1 (Winter 1990) : 1-24. を参照。

(7) Joseph A. Schumpeter, *Imperialism and Social Classes*, (New York : Meridian Books, 1955). p. 69.

(8) *Ibid.*, p. 5.

(9) シュムペーターは気概の概念を使わず、その代わりに、征服のための際限のない闘争は生存のための技術として必要とされていた時代から今日まで引き継がれたものだという機能的・経済的な説明をおこなっている。

(10) この点は旧ソ連でさえあてはまる。ソ連ではアフガン戦争での戦死者数が、ブレジネフ体制下であっても、国外の観察者たちが予想した以上に政治的に突出した問題となったのである。

(11) こうした傾向は、現代のアメリカ都市において暴力事件が頻発していることや、大衆文化においてますます暴力描写が日常茶飯事になっていることとまったく矛盾しない。北アメリカやヨーロッパ、そしてアジアの主流をなす中産階級社会では、たとえ

幼児死亡率の減少や平均寿命の伸びがもっぱら健康管理の改善のためだとしても、暴力や死の個人的体験は過去2、3世紀とくらべて格段に少なくなっている。映画に見られる生々しい暴力描写はおそらく、暴力がそうした映画を見に行く人々の生活にとっていかに非日常的なものであるかを反映しているのである。

(12) Tocqueville, *Democracy in America*, vol. 2, pp. 174-175.

(13) こうした点のいくつかは、John Mueller, *Retreat from Doomsday*. のなかで説明されている。Mueller は、近代世界ではすたれてしまった長いあいだの社会的慣習の事例として奴隷制や決闘の廃止を取り上げ、先進諸国間の戦争も同じ方向に向かっているかもしれないと指摘した。Mueller がこうした変化を指摘したのは正しいが、Carl Kaysen が記したように、Mueller はそれを過去数百年間にわたる人類の社会的進化の一般的な文脈の外で起きた孤立した現象として説明している。奴隷制や決闘の廃止は、フランス革命によってもたらされた主従関係の廃止と共通の根をもっており、主君の承認への欲望が普遍的かつ均質な国家の合理的な承認へ転換したことから生じているのである。近代世界における決闘は主君の道徳性の産物であり、血なまぐさい戦いに進んでみずからの生命を賭けようとする姿勢を示している。奴隷制や決闘や戦争が長年にわたって衰退してきた原因はどれも同じである。すなわち、合理的承認が出現したためなのである。

(14) この点についての一般論は、Carl Kaysen の John Mueller に関する優れた論評記事のなかに示されている。Carl Kaysen, "Is War Obsolete?" *International Security* 10, no. 4 (Spring 1990) : 42-64.

(15) たとえば、John Gaddis, "The Long Peace : Elements of Stability in the Postwar International System," *International Security* 10, no. 4 (Spring 1986) : 99-142. を参照。

(16) もちろん核兵器それ自体は冷戦やキューバのミサイル危機におけるきわめて深刻な米ソ対立に責任があるけれども、その場合でさえ、核戦争への危機感によってその対立が現実の武力衝突へ移行する事態は避けられたのである。

(17) たとえば、Dean V. Babst, "A Force for Peace," *Industrial Research* 14 (April 1972) : 55-58; Ze'ev Maoz and Nasrin Abdolali, "Regime Types and International Conflict, 1816-1976," *Journal of Conflict Resolution* 33 (March 1989) : 3-35; and R. J. Rummel, "Libertarianism and International Violence," *Journal of Conflict Resolution* 27 (March 1983) : 27-71.

(18) この結論はある程度 Doyle のリベラルな民主主義についての定義に依拠している。イギリスとアメリカは1812年に戦争に突入したが、そのときすでに英国憲法は幾多の自由主義的な特徴を獲得していた。Doyle は、イギリスのリベラルな民主主義への転換を1832年の選挙法改正案可決の年に求めることによってこの問題を避けている。この区分は、いくぶん独断的なものである。イギリスでは選挙権は20世紀に入って

もしばらくは依然として制限されているし、また同国は1832年時点では植民地にまで自由主義的な諸権利を拡大してはいなかった。にもかかわらずDoyleの結論は、正しくもあり、かつ印象深い。Doyle, "Kant, Liberal Legacies, and Foreign Affairs I," pp. 205-235; and Doyle, "Kant, Liberal Legacies, and Foreign Affairs II," pp. 323-353. また、同じくDoyleの"Liberalism and World Politics"を参照。

(19) 旧ソビエトにおける「国益」の定義の変化に関する説明としては、Stephen Sestanovich, "Inventing the Soviet National Interest," *The National Interest* no. 20 (Summer 1990)：3-16. を参照。

(20) V. Khurkin, S. Karaganov, and A. Kortunov, "The Challenge of Security：Old and New," *Kommunist* (January 1, 1988), p. 45.

(21) Waltzは、旧ソ連の国内改革は国際環境の変化によってもたらされたものであり、ペレストロイカは現実主義理論の正しさの証明として考えるべきであると指摘している。先に述べたように、外圧と競争がソ連における改革を大いにうながしたことはたしかに事実であり、もしも、のちの時代に二歩前進するためにいまソビエトが一歩後退しているのだとしたら、現実主義理論の正しさが立証されるかもしれない。しかしながらこれは、1985年以来のソ連とソビエト権力の基盤のなかで発生した国家目標のまったく抜本的な変化を見逃すものである。*The United States Institute of Peace Journal* 3, no. 2 (June 1990)：6-7. のWaltzの解説を参照。

(22) Mearsheimer, "Back to the Future," p. 47. 驚くべき還元主義の手法によって、Mearsheimerは、200年におよぶリベラルな民主主義国間の平和の記録を、イギリスとアメリカ、イギリスとフランス、そして1945年以降の西欧民主主義諸国という三つの事例に圧縮している。いうまでもなく実際には、合衆国とカナダの例をはじめとして、こうした三つのケース以上に数多くの事例があったのであった。同じく、Huntington, "No Exit," pp. 6-7を参照。

(23) 現在のドイツには、現在ポーランドや旧ソ連などにあるかつてのドイツ領土の回復を唱える少数派が存在している。このグループはおおむね第二次世界大戦後にそれらの地域から追い払われた人々、あるいはその子孫たちからなっている。旧東西ドイツの議会も新たな統一ドイツの議会も、こうした要求をすべてはねつけてきた。民主化したドイツが民主化したポーランドに対して政治的にかなり強い失地回復主義の立場を再び示したとすれば、それは、リベラルな民主主義国同士は互いに戦わないというテーゼにとって重要な試金石となるであろう。Mueller, *Retreat from Doomsday*, p. 240. も参照。

(24) Schumpeter, *Imperialism and Social Classes*, p. 65.

6 国家主義(ナショナリズム)と国益の経済学

(1) William L. Langer, "A Critique of Imperialism," in Harrison M. Wright, ed., *The New Imperialism : Analysis of Late Nineteenth-Century Expansion*, second edition (Lexington, Mass.: D.C. Heath, 1976), p. 98.

(2) この点に関しては、Kaysen, "Is War Obsolete?" *International Security* 14, no. 4 (Spring 1990), p. 52. を参照。

(3) 19世紀ヨーロッパの協調体制の崩壊とその結果としての第一次世界大戦の勃発を説明するのは、多極体制に固有の欠陥ではなく、この厳格さである。諸国家がもし19世紀の王朝的な正統性の原理によって組織されつづけていたなら、ヨーロッパ協調体制にとっては、一連の同盟関係の変更を通じてドイツの増大する勢力に対応することもはるかに容易であっただろう。実際、国家原理がなければドイツそのものも統一してはいなかったのである。

(4) これらの点の多くは、Ernest Gellner, *Nations and Nationalism*. で論じられている。

(5) たとえば、John Gray, "The End of History—or of Liberalism?" *The National Review* (October 27, 1989): 33-35. を参照。

(6) Gellner, *Nations and Nationalism*, p. 34.

(7) ロシア貴族のフランスびいきはおそらくは極端な例だとしても、ほとんどすべての国々で貴族と農民の話す言葉にははっきりとした言語的差異があった。

(8) 国家主義に対してこの種の経済的な説明をあまりにも機械的に適用しないように注意すべきである。国家主義は広く工業化の産物として把握できるが、その一方で国家主義的イデオロギーは、一国の経済発展段階にかかわりなく、それ自身固有の生命をもつことができる。そうでもなければ、第二次世界大戦後のラオスやカンボジアなどそもそも前近代的な国々における国家主義の運動をどうやって説明できるのだろうか？

(9) したがって、たとえばアタチュルクはその晩年、歴史的・言語的「調査」に多大の時間を費やし、彼が望んだトルコの近代的国家意識の土台を現実に作り上げたのである。

(10) Gellner, *Nations and Nationalism*, pp. 44-45.

(11) もちろん私は、ヨーロッパのいたるところに強力なキリスト教民主党が存在していることを知っているが、それらがキリスト教的である前に民主主義的であるという事実、そしてキリスト教解釈において世俗的な性質をもっているという事実は、自由主義の宗教に対する勝利を示すものにすぎない。不寛容で反民主主義的な宗教は、フランコの死とともにヨーロッパの政治から消滅したのである。

(12) 国家主義のこのような今後の趨勢については、Gellner, *Nations and Nationalism*, p. 113. でも支持されている。

(13) むろん、依然として狂信的排外性をもった帝国主義的なロシアの国家主義運動の一派

が旧ソ連の最高首脳部には多数存在している。旧弊な帝国主義的国家主義の主要な要素が、ユーラシア大陸のあまり発展していない地域で見出せることは予想にかたくない。その一つの例は Slobodan Milosevic の狂信的排外主義に彩られたセルビア国家主義である。

(14) Mearsheimer は国家主義を戦争勃発の可能性にかかわる唯一の国内政治要因としている。彼は、「過度の国家主義」を対立の源泉と見なしており、「過度の国家主義」それ自身は外部の環境から引き起こされるか、あるいは学校における誤った国史教育によって引き起こされると示唆している。国家主義や「過度の国家主義」は無秩序にあらわれるのではなく、特定の歴史的・社会的・経済的文脈から生じるものであり、また他のすべての歴史現象と同じように国家主義も進化というものの内在的法則に従うということを、Mearsheimer は認識していないように思われる。Mearsheimer, "Back to the Future," pp. 20-21, 25, 55-56.

(15) 1991 年のグルジアでの選挙に勝利した Zviad Gamsakhurdia 率いる独立支持の円卓会議は、まず最初にグルジア内の少数民族オセット人との戦いの道を選び、オセット人が別個の少数民族として認められる権利を一切否定した。このことは、ロシア共和国大統領ボリス・エリツィンのとった行動と鮮やかな対照をなしている。1990 年にエリツィンはロシア共和国を構成するさまざまな民族を視察し、ロシアとの提携はまったく各民族の自発的意志にもとづくと保証したのであった。

(16) 少なくとも現実主義的な前提からいえば、多くの新たな民族集団が、その規模や地理的制約のために独立した国家としての軍事的発展が望めないにもかかわらずそれぞれの主権を求めていることは興味深い。これは、国家組織がかつてほどの脅威として考えられてはいないこと、そして大国にとっての伝統的議論——つまり国防問題——がそれほど重要なものと見なされていないことを示唆している。

(17) もちろんそこにはいくつかの例外もある。たとえばそれは中国のチベット占領、イスラエルによるヨルダン川西岸およびガザ地区の占領、インドのゴア併合などである。

(18) アフリカの国境線が部族的・民族的分布を無視して引かれた不合理なものであるにもかかわらず、アフリカ諸国の独立以来いかなる国境もうまく変更されてこなかったことはしばしば言及されているところである。Yehoshafat Harkabi, "Directions of Change in the World Strategic Order：Comments on the Address by Professor Kaiser," in *The Changing Strategic Landscape : IISS Conference Papers, 1988*, Part II, Adelphi Paper No. 237 (London：International Institute for Strategic Studies, 1989), pp. 21-25. を参照。

7 脱歴史世界と歴史世界——二極に大きく分かれいく世界

(1) この区別は大枠では、北と南、先進国と発展途上国といった古い区分に対応する。し

かしながらこの対応は完全なものではない。なぜなら、コスタリカやインドのような発展途上国でもリベラルな民主主義を機能させているところがあるし、一方でナチス・ドイツのような先進国が独裁国家だった例もあるからだ。

(2) 現実主義理論に立脚しない外交政策論については、Stanley Kober, "Idealpolitik", *Foreign Policy* no. 79 (Summer, 1990) : 3-24. を参照。

(3) イデオロギー上の闘争をおこなううえで重要な武器の一つは、ラジオ自由ヨーロッパ、ラジオ・リバティ、そしてボイス・オブ・アメリカといった放送組織であり、これらは冷戦のあいだずっとソビエト圏に電波を流しつづけていたのである。冷戦とはもっぱら戦車師団と核弾頭の問題だと信じていた現実主義者たちはしばしば軽視し、あるいは無視してきたが、アメリカがスポンサーとなったこれらのラジオ放送は東ヨーロッパやソビエトの民主主義思想を生かしつづけていくうえで大きな役割を果たしたことが明らかになった。

(4)「世界公民的見地における一般史の構想」の第七命題より。Kant, *On History*, p. 20. を参照。カントはとくに、人類の道徳的改善は国際関係の諸問題が解決される時点まではありえないだろうと考えていた。というのも、その改善のためには「その市民の教化に向けたそれぞれの政体内部での長期的事業」が展開されねばならないからである。*Ibid.*, p. 21.

(5) カント自身が永久平和を現実的な目標とは考えていなかったという見解に関しては、Kenneth Waltz, "Kant, Liberalism, and War," *American Political Science Review* 56 (June 1962) : 331-340. を参照。

(6) カントは共和政体を、「第一に社会の構成員が（人間として）保有する自由の諸原理、第二にすべての人間が（臣民として）唯一かつ共通の立法に依存する諸原理、第三に彼らの（市民としての）平等の法」にもとづいて樹立されるものであると定義した。*Perpetual Peace*, in Kant, *On History*, p. 94. より。

(7) *Ibid.*, p. 98.

(8) Carl J. Friedrich, *Inevitable Peace* (Cambridge, Mass. : Harvard University Press, 1948), p. 45. を参照。

(9) ＧＡＴＴはもちろんその参加国が民主主義国であることを求めてはいないが、経済政策に関する自由主義という点については厳しい基準を設けている。

〈第五部　「歴史の終わり」の後の新しい歴史の始まり〉

1　自由と平等の「王国」のなかで

(1) Kojève, *Introduction à la lecture de Hegel*, p. 435 (footnote).

(2) この点については Gellner, *Nations and Nationalism*, pp. 32-34, 36. を参照。

(3) 戦後のアメリカを説明するためコジェーブが使った「階級なき社会」という言葉の用

法は、ある面では気のきいたものであるにせよ、決してマルクス主義的な用法ではない。

(4) Tocqueville, *Democracy in America*, vol. 2, pp. 99-103.

(5) Milovan Djilas, *The New Class : An Analysis of the Communist System* (New York : Praeger, 1957).

(6) 私が最初に雑誌に発表した論文「歴史の終わり」("*The End of History?*")を批判した左翼の人々はほとんどすべて、現代の自由主義社会のかかえる多くの経済的・社会的問題を指摘したが、こうした批判をおこなった者の誰ひとりとして、かつてマルクスやレーニンがおこなったようにその問題を解決する手段として自由主義原理を廃棄すべきだとはあえて公然と主張してはいない。たとえば Marion Dönhoff, "Am Ende aller Geschichte?," *Die Zeit* (September 22, 1989), p. 1. あるいは André Fontaine, "Après l'histoire, l'ennui?," *Le Monde* (September 27, 1989), p. 1, を参照。

(7) そんなことがありそうもないと考えているなら、スミス大学が作成した「抑圧感一覧表」を見ていただきたい。そこには「外見症」という項目があり、その説明として「人の価値を計るものは外見であるという信念」とある。*Wall Street Journal* (November 26, 1990), p. A10.

(8) この点は John Rawls の正義論に関連するが、Allan Bloom, "Justice : John Rawls versus the Tradition of Political Philosophy," in Bloom, *Giants and Dwarfs : Essays 1960-1990* (New York : Simon and Schuster, 1990), p. 329. を参照のこと。

(9) Tocqueville, *Democracy in America*, vol. 2, pp. 100-101.

2 歴史の終わりに登場する「最後の人間」

(1) Nietzsche, *The Will to Power* I : 18 (New York : Vintage Books, 1968), p. 16.

(2) Nietzsche, *On the Genealogy of Morals* 2 : 11 (New York : Vintage Books, 1967), pp. 73-74; 2 : 20, pp. 90-91 ; 3-18, pp. 135-136. また、*Beyond Good and Evil* (New York : Vintage Books, 1966), aphorisms 46, 50, 51, 199, 201, 202, 203, 229.

(3) Nietzsche, *Beyond Good and Evil*, aphorism 260. そこでは民主主義社会の「庶民」の虚栄心と承認の問題も扱われている。

(4) Strauss, *On Tyranny*, p. 222. での Strauss のコジェーブ宛て返書における承認の議論を参照。また、1948年8月22日にコジェーブに宛てた手紙のなかでは、ヘーゲル自身が人間を満足させるにはたんなる承認ではなく知恵が必要だと信じており、したがって「最後の国家はその特権を普遍性や均質性ではなく知恵に、知恵の支配に、知恵の普及に負っているのです」と述べている。この引用は Strauss, *On Tyranny*, revised and expanded edition, p. 238.

(5)「自己尊敬と個人的・社会的責任を促進するカリフォルニア・タスク・フォース」は

John Vasconcellos 州議会議員の発案である。このタスク・フォースは最終報告書を 1990 年なかばに発表している。"Courts, Parents Called Too Soft on Delinquents," *Los Angeles Times* (December 1, 1989), p. A3. を参照。

(6)「カリフォルニア・タスク・フォース」は、自己尊敬を「自分自身の価値と重要性を評価し、自分に対してはなんらやましいところがなく他者に対しては責任をもって行動するような性格をもつ」ことと定義している。重きがおかれているのはこの定義の後半部分である。批判者の一人はこう述べている。「ある学校が自己尊敬運動の影響を受けた結果、教師はすべての生徒をあるがままに放置するよう圧力を受けた。生徒に自己への充足感を与えつづけるために、生徒への一切の批判は禁じられ、失敗に終わりそうな努力目標はほとんど設定できなくなった」。*Beth Ann Krier, "California's Newest Export," Los Angeles Times* (June 5, 1990), p. E1.

(7) たとえば Nietzsche, *Beyond Good and Evil*, aphorisms 257, 259.

(8)『国家』第 8 巻、561c-d. を参照。

(9) Nietzsche, *The Portable Nietzsche*, p. 130.

(10) Nietzsche, *The Use and Abuse of History*, p. 9.

(11) ニーチェの相対主義がいかにしてわれわれの全般的文化の一部を構成するようになったか、そして、かつてニーチェを恐怖に陥れたニヒリズムがいかにして現代アメリカでは楽観的な装いをもっているかについては、Allan Bloom, *The Closing of the American Mind* (New York：Simon and Schuster, 1988) が見事に説明している。ことに同書の pp. 141-240. を参照。

(12) Nietzsche, *The Portable Nietzsche*, p. 232.

(13) 他の例としてマックス・ウェーバーが挙げられる。ウェーバーが官僚制と合理化の進展に直面した世界の「魔術からの解放」を嘆き、精神性が「魂なき専門家や心なき肉感主義者」の前に膝を屈するのを恐れたことは、よく知られている。ウェーバーは現代文明を次のような言い方で一蹴した。「『幸福の考察者』である『最後の人間』にニーチェが痛烈な批判を浴びせかけたあとでは、科学——言い換えれば科学に依拠する生活支配の技術——を幸福への道として称賛してきたような無邪気な楽観主義を私は一切投げ捨ててしまうかもしれない。こんな楽観主義を誰が信奉するというのか？——大学の椅子にしがみつき、あるいは編集室にこもった少数の大きな幼児を除いては」。"Science as a Vocation," in *From Max Weber : Essays in Sociology* (New York：Oxford University Press, 1946), p. 143.

(14) Tocqueville, *Democracy in America*, vol. 2, p. 336.

(15) *Ibid.*, p. 45.

(16) Mme. Périer, "La vie de M. Pascal," in Blaise Pascal, *Pensées* (Paris：Gernier, 1964), pp. 12-13. 参照。

(17) Eric Temple Bell, *Men of Mathematics* (New York：Simon and Schuster, 1937), pp.

73, 82.

(18) Kojève, *Introduction à la lecture de Hegel*, pp. 434-435 (footnote).

(19) 国際関係について述べた本書第四部を参照。

(20) コジェーブは次のように述べている。「人間が再び動物になれば、その技術、その愛、その行為もまた再び純粋に自然なものとなるはずだ。したがって歴史が終焉したのちには、人間が自分たちの殿堂や芸術作品をつくるとしても鳥や蜘蛛が巣をつくるようなものだろうし、蛙や蟬のようなやり方でコンサートを開き、若い獣のように振る舞い、成熟した獣のように愛し合うだろうことを認めねばならない」。Kojève, *Introduction à la lecture de Hegel*, pp. 436 (footnote).

(21) コジェーブの最後の仕事は、*Essai d'une histoire raisonnée de la philosophie paienne* (Paris : Gallimard, 1968) の執筆である。この著作でコジェーブは人間の合理的論説の全体的サイクルを記録しようとした。ソクラテス以前に始まりヘーゲルで終わるこのサイクルのなかに過去の哲学者も未来の哲学者も可能なかぎりすべて包含され、そこで位置づけを与えられるのである。Roth, "A Problem of Recognition," pp. 300-301. を参照。

(22) Kojève, *Introduction à la lecture de Hegel*, p. 436.

(23) Strauss, *On Tyranny*, p. 223. にはこう述べられている。「人間が十分に満足しているといわれている状態とは、したがって、人間性の土台が崩れ去り、あるいは人間性が失われた状態なのである。これがニーチェのいう『最後の人間』の状態である」。

3 民主主義社会における「優越願望」のはけ口

(1) この点について指摘したのは、Mansfield, *Taming the Prince*, pp. 1-20.

(2) Kojève, *Introduction à la lecture de Hegel*, pp. 437 (footnote).

(3) John Adams Wettergreen, Jr., "Is Snobbery a Formal Value? Considering Life at the End of Modernity," *Western Political Quarterly* 26, no. 1 (March, 1973) : 109-129. 参照。

4 自由主義国家が生み出した「リバイアサン(大怪物)」

(1) Tocqueville, *Democracy in America*, vol. 2, p. 131.

(2) Tocqueville は近代社会における団体生活のもっともよく知られた唱導者であるが、ヘーゲルも『法の哲学』においてそのような「仲介機関」に対して同様の議論をおこなっている。ヘーゲルの場合も、現代国家があまりに巨大かつ非人間的すぎてアイデンティティの意義ある源泉とはならないと考え、そこで、社会は農民や中産階級や官僚といった Stände ——階級ないし地位——に従って組織されるべきであると論じ

た。ヘーゲルが好んで用いた「社団（コーポレーション）」は閉鎖的な中世ギルドでもファシズム国家の民衆動員組織でもない。それは共同体や美徳の中心として市民社会によって自発的に形成された団体なのである。この点ではコジェーブのヘーゲル解釈とヘーゲル自身の見解はまったく異なっている。コジェーブのいう普遍的で均質な国家には社団や Stände のような「調整」体が存立する余地はまったくない。コジェーブが彼の最後の国家を説明するのに用いた用語は、まさに、自由で平等で原子化した個人と国家とのあいだに何も存在しないような社会というかなりマルクス主義的な見解を示している。Smith, *Hegel's Critique of Liberalism*, pp. 140-145. も参照。

(3) こうした影響は、コミュニケーションの改善によってある程度は相殺されている。コミュニケーションの改善によって、物理的には離れているが共通の利害関心と目的で結びついた人々の新しい種類の団体が生み出されてきたのである。

(4) この点の議論については、Thomas Pangle, "The Constitution's Human Vision," *The Public Interest* 86 (Winter 1987)：77-90. を参照。

(5) 前述したように、アジアにおける強固な共同体は個人の権利と寛容さの犠牲のうえに登場した。子供のない者が社会的に追放されることによって家族の強化が図られた。その地域での服装、教育、異性選定、雇用などにおける社会的画一性は排除されるのではなくむしろ強められた。

人権の擁護と共同体への帰属がどの程度互いに抵触するかは、ミシガン州インクステルのある共同体の事例に示される。ここでは通行検問所を設けて麻薬取り引きを追放しようとしたのである。ＡＣＬＵ（アメリカ市民自由連合）はこうした検問設置が修正４条に照らして憲法違反ではないかと問題にし、裁判所の決定を待たず検問所は撤去されることになった。そして地域社会の生活にほとんど耐えがたい苦痛を与える麻薬取り引きが復活したのである。Amitai Etzioni, "The New Rugged Communitarianism," *Washington Post*, Outlook Section, (January 20, 1991), p. B1.

(6) Pangle, "The Constitution's Human Vision," pp. 88-90.

5 「歴史の終点」には何があるのか

(1) 『法の哲学』においてヘーゲルは、歴史が終焉しても依然として戦争が起こるであろう、とじつに明確に述べている。これに対してコジェーブは、歴史の終焉は大規模な紛争の終焉を意味し、その結果、戦う必要もなくなると言っている。なにゆえコジェーブがこうしたきわめてはっきりとした反ヘーゲル的立場をとったのかはまったくわからない。Smith, *Hegel's Critique of Liberalism*, p. 164. を参照。

(2) Bruce Catton, *Grant Takes Command* (Boston：Little, Brown, 1968), pp. 491-492.

(3) 大戦前夜のヨーロッパの大衆のムードについては、Modris Eksteins, *Rites of Spring* (Boston：Houghton Mifflin, 1989), pp. 55-64. を参照。

(4) *Ibid.*, p. 57.

(5) *Ibid.*, p. 196.

(6) Nietzsche, *Twilight of the Idols and The Anti-Christ*, (London：Penguin Books, 1968), pp. 56-58; *Beyond Good and Evil* (1966), p. 86; and *Thus Spoke Zarathustra*, in *The Portable Nietzsche*, pp. 149-151.

(7) ニーチェとドイツ・ファシズムとの関係を扱った議論としては、Werner Dannhauser, *Nietzsche's View of Socrates* (Ithaca, N.Y.：Cornell University Press, 1974). の序章を参照。

(8)『国家』第4巻、440b, 440e.

(9) このような問題の定式化についてご教授いただいたHenry Higuera に感謝の辞を述べたい。

〈あとがき〉

(1) Charles Taylor, Multiculturalism：*Examining the Politics of Reognition* (Princeton, N.J.：Princeton University Press, 1994).

(2) Nicolas van de Walle and Michael Bratton, *Democratic Experiments in Africa; Regime Transitions in Comparative Perspective* (Cambridge：Cambridge University Press, 1997), p. 28

(3) Olivier Roy, Globalized Islam：*The Search for a New Ummah* (New York：Columbia University Press, 2004); Ladan Boroumand and Roya Boroumand, "*Terror, Islam, and Democracy*," Journal of Democracy 13 (2), 2002.

(4) これは、グローバル化によりアメリカの自由経済のモデルが諸外国にも強いられているという問題ではない。ヨーロッパの経済が完全に閉鎖的であったとしても、人口の変化によって保険数理的な危機が生じるだろう。

新版(しんぱん)　歴史(れきし)の終(お)わり〔下(げ)〕

著　者――フランシス・フクヤマ
訳・解説者――渡部昇一（わたなべ・しょういち）
解説者――佐々木毅（ささき・たけし）※上巻収録
発行者――押鐘太陽
発行所――株式会社三笠書房
〒102-0072 東京都千代田区飯田橋3-3-1
電話：(03)5226-5734（営業部）
：(03)5226-5731（編集部）
https://www.mikasashobo.co.jp
印　刷――誠宏印刷
製　本――若林製本工場

編集責任者　清水篤史
ISBN978-4-8379-5801-7 C0030